KB035563

우루과이라운드

섬유 협상

우루과이라운드

섬유 협상

한국학술정보

| 머리말

우루과이라운드는 국제적 교역 질서를 수립하려는 다각적 무역 교섭으로서, 각국의 보호무역 추세를 보다 완화하고 다자무역체제를 강화하기 위해 출범되었다. 1986년 9월 개시가 선언되었으며, 15개 분야의 교섭을 1990년 말까지 진행하기로 했다. 그러나 각 분야의 중간 교섭이 이루어진 1989년 이후에도 농산물, 지적소유권, 서비스무역, 섬유, 긴급수입제한 등 많은 분야에서 대립하며 1992년이 돼서야 타결에 이를 수 있었다. 한국은 특히 농산물 분야에서 기존 수입 제한 품목 대부분을 개방해야 했기에 큰 경쟁력 하락을 겪었고, 관세와 기술 장벽 완화, 보조금 및 수입 규제 정책의 변화로 제조업 수출입에도 많은 변화가 있었다.

본 총서는 우루과이라운드 협상이 막바지에 다다랐던 1991~1992년 사이 외교부에서 작성한 관련 자료를 담고 있다. 관련 협상의 치열했던 후반기 동향과 관계부처회의, 무역협상위원회 회의, 실무대책회의, 규범 및 제도, 투자회의, 특히나 가장 많은 논란이 있었던 농산물과 서비스 분야 협상 등의 자료를 포함해 총 28권으로 구성되었다. 전체 분량은 약 1만 3천여 쪽에 이른다.

2024년 3월

한국학술정보(주)

| 일러두기

· 본 총서에 실린 자료는 2022년 4월과 2023년 4월에 각각 공개한 외교문서 4,827권, 76만여 쪽 가운데 일부를 발췌한 것이다.
· 각 권의 제목과 순서는 공개된 원본을 최대한 반영하였으나, 주제에 따라 일부는 적절히 변경하였다.
· 원본 자료는 A4 판형에 맞게 축소하거나 원본 비율을 유지한 채 A4 페이지 안에 삽입하였다. 또한 현재 시점에선 공개되지 않아 '공란'이란 표기만 있는 페이지 역시 그대로 실었다.
· 외교부가 공개한 문서 각 권의 첫 페이지에는 '정리 보존 문서 목록'이란 이름으로 기록물 종류, 일자, 명칭, 간단한 내용 등의 정보가 수록되어 있으며, 이를 기준으로 0001번부터 번호가 매겨져 있다. 이는 삭제하지 않고 총서에 그대로 수록하였다.
· 보고서 내용에 관한 더 자세한 정보가 필요하다면, 외교부가 온라인상에 제공하는 『대한민국 외교사료요약집』 1991년과 1992년 자료를 참조할 수 있다.

| 차례

정 리 보 존 문 서 목 록

기록물종류	일반공문서철	등록번호	2019090025	등록일자	2019-09-04
분류번호	764.51	국가코드		보존기간	영구
명 칭	UR(우루과이라운드) / 섬유 협상 그룹 회의, 1991-92. 전2권				
생 산 과	통상기구과	생산년도	1991~1992	담당그룹	
권 차 명	V.1 1991.1-11월				
내용목차					

0001

외 무 부

종 별 :

번 호 : ECW-0042　　　　　　　　일 시 : 91 0115 1800

수 신 : 장 관 (통이,통기,경기원,상공부)

발 신 : 주 EC 대사

제 목 : EC 섬유업계 UR 에 관한 입장

1. EC 섬유업계 (EUROPEAN TEXTILEINDUSTRY-COMITEXTIL, EUROPEAN CLOTHING INDUSTRY-AEIH, EUROPEAN CHEMICAL FIBRE INDUSTRY-ELTAC) 는 지난 12월 UR 협상실패 이후 처음으로 향후 UR 협상과 관련한 동 업계의 입장을 발표하였음.

2. 총 8만개 회사, 320만명의 종업원, 연간매출액 1천 6백억 ECU 를 망라하는 EC섬유업계는 PRESS RELEASE 를 통해서 자국시장을 폐쇄하고 GATT 의 기본룰을 무시하며, 유럽 디자인을 도용하고도 처벌되지 않는 불공정경쟁국가들 때문에 EC 업계가위협을 받고있다고 말하고 향후 UR 섬유협상의 방향은 시장개방과 불공정 교역을 제거하는 전제하에 MFA 를 점진적으로 GATT 체제로 통합하는 것이라고 하였음

3. 동 업계는 지난 12월 UR 협상시에 제출된안에는 시장개방의 조건 GATT 룰의 강화등에 관한 내용이 모호하고 실질적이지 못하다고 주장하고, 향후 EC 협상안에는 다음내용이 포함될 것을 제안하였음.

가. 섬유류에 관한 관세의 HARMONIZATION 을통한 시장개방

나. 섬유류에 관한 효과적인 반덤핑 규정적용방법

다. 원료, 수출, ZPPE에 있어서 보조금의 제거및명료화

라. 지적소유권의 보호, 유럽 디자인및 상표권침해의 금지

4. 동 발표내용 FAX 편 송부함. 끝

(대사 권동만-국장)

통상국　2차보　통상국　경기원　상공부

PAGE 1　　　　　　　　91.01.16　08:49 WG

외신 1과 통제관

0002

주 이 씨 대 표 부

종 별 :

번 호 : ECW(F)- 05 일 시 : 0115 1200

수 신 : 장 관 (통이, 통기, 경기원, 상공부)

발 신 : 주이씨대사

제 목 : ECW-0042 의 첨부송부

(총 1 / 2 매)

0003

PRESS RELEASE

10.01.1991

EUROPEAN TEXTILE AND APPAREL PROPOSALS FOR PROGRESS IN THE URUGUAY ROUND

After the collapse of the GATT Ministerial Conference in December 1990, the future of the European fibre, textile and apparel industries continues to be threatened by unfair competitors who close their markets, ignore basic GATT rules and plunder, with impunity, European designs.

A Uruguay Round textile agreement must embody the Punta del Este undertaking to make the progressive integration of textile trade into the GATT conditional on the opening of markets and the elimination of unfair trade practices.

The document on textiles submitted in Brussels is blatantly not in line with the intended objectives. It contains irrevocable undertakings on the integration of the sector into GATT and the dismantling of the Multifibre Arrangement. However the conditions of market opening and the strengthening of GATT rules and disciplines are vague and insubstantial.

The European industry has, since the beginning of the Uruguay Round, submitted clear proposals which, in spite of having been accepted and endorsed by the EEC are nowhere to be found in the texts being negotiated. These proposals, which the industry intends to submit again to the negotiators, contain the following principles :

- irrevocable market opening particularly through the harmonization of textile tariffs,
- the means to apply effective anti-dumping rules to textiles,
- transparency and elimination of subsidies on raw materials, exports and investments,
- legitimate protection of intellectual property and the end of the piracy of textile labels, drawings and models.

The industry also proposed that the non implementation of these commitments should automatically lead to the schedule and process of progressive integration into the GATT being reconsidered.

As a result, the signatory organizations demand that any GATT textile agreement should include all the points above as a necessary condition for the health and development of world textile trade.

A.E.I.H.
47, rue Montoyer
1040 BRUXELLES

COMITEXTIL
24, rue Montoyer
1040 BRUXELLES

E L T A C
19/20 Square de Meeûs
1040 BRUXELLES

2/2

60.000 businesses - 160 billion Ecus turnover - 3.2 million employees

0004

원 본

외 무 부

종 별 :

번 호 : GVW-0333 일 시 : 91 0220 1900

수 신 : 장 관(통기,경기기획원,상공부)

발 신 : 주 제네바 대사대리

제 목 : UR/ 섬유협상 회의

91.2.20.던켈 사무총장 주재로 농산물 회의에 이어 개최된 표제회의 결과 하기임. (박공사,강상무관참석)

1. 던켈총장은 브랏셀 각료회의시 에스피엘 장관이 본인에게 협상재개와 관련요청한 사항을 설명하고

2. 섬유협상에 있어서는 미해결 과제가 W/35/REV.1에 포함되어 있으며, 브라셀 회의에서의 작업결과도 고려되어야 한다고 언급한후 3월 5일오후 회의를 재개하기 협상 상황의 검토 및 기술적 문제를 다루고 그결과가 적절한 시기에 실질 문제 협상과정에서 반영되기를 바란다고 제의함

3. 이에대해 각국의 의견 개진이 없이 회의를 종료함.

첨부: 던켈총장 발표문 1부.

(GVW(F)-0070). 끝

(대사대리 박영우-국장)

통상국 2차보 경기원 상공부

PAGE 1

91.02.21 09:01 WG

외신 1과 통제관

0005

20.2.91
17.00

GVW(F)-0070 10220 1800
WUW-0333 관련

TEXTILES AND CLOTHING

Wednesday, 20 February 1991, p.m.

Note for Chairman

1. In his closing remarks at the Brussels Ministerial Meeting, Minister Gros Espiell requested me to pursue intensive consultations with the specific objective of achieving agreements in all the areas of the negotiating programme in which differences remain outstanding. These consultations will, he said, be based on document MTN.TNC/W/35/Rev.1, dated 3 December 1990, including the cover page which refers to the Surveillance Body and the communications which various participants sent to Brussels. He added that I would also take into account the considerable amount of work carried out at the Brussels meeting, although it did not commit any delegation.

2. While much intensive work was done in Brussels, it is my understanding that the issues to be resolved in the area of textiles and clothing are essentially among those set out on page 239 of W/35/Rev.1 (in the English version) and in the text in the following pages of that document; that further work is to proceed within the framework established for the negotiations up to the end of the Brussels Meeting; that the work carried out at Brussels should be taken into account as appropriate.

3. We must now consider what work can usefully be undertaken at the present stage, recognizing, as I believe we must, that we need to begin by focusing on technical work in the first instance.

4. I suggest, therefore, that we should meet on Tuesday, 5 March, in the afternoon, with a view to restarting work by reviewing the situation in the negotiations in this sector, so as to provide delegations with an opportunity to comment on the basis on which further work is to proceed on any technical aspects in relation to outstanding issues (e.g. annexes to the draft agreement), so that their results could be brought, at the appropriate time, into the process of substantive negotiations.

0006

1991-02-20 20:16 KOREAN MISSION GENEVA 2 022 791 0525 P.01

원 본

외 무 부

종 별 :

번 호 : GVW-0343 일 시 : 91 0222 1030

수 신 : 장관(통기,상공부)

발 신 : 주 제네바 대사대리

제 목 : UR 및 MFAIV 관련 섬유 협상 동향

연: GVW-0230(90.2.21) 관련임.

최근의 섬유 협상 및 MFAIV 처리 문제에 대한동향을 다음과 같이 보고함.

1. UR/ 섬유협상 동향

0 91.2.20 던켈 사무총장 주재로 개최된 섬유회의결과에 따라 3 월 5일 섬유 협상을 재개키로 결정되었으며, 우선 기술적 문제 (섬유 협상안중 부록중심)를 먼저 토의한후 실질문제 토의를하도록 되어 있으며, 실질 문제토의 시기에 대한 구체적 결정이 없음으로 당분간 섬유 협상은 큰진전이 없을 것으로 보이며, 농산물 협상등 전체 UR 협상 진행에 따라 섬유협상의 논의도 좌우될 것으로 보임.

2. MFAIV 처리문제

0 UR 협상이 교착상태에 빠짐에 따라 금년 7월말로 종료토록 되어 있는 MFA IV 의처리문제가 조만간 논의될 것이나 이는 기본적으로 UR 의 TIME FRAME 이 어떻게 결정되느냐에따라 결정될 것으로 보이며 따라서 현상태에서 구체적인 MFAIV 의 처리방안은 논의되지 못하고있으나 대체로 다음의 3가지 가능한 방안이거론되 고 있음.

(1) MFAIV 의 불연장(7.31 로 종료)

(2) MFAIV 의 금년말까지 단순연장

(3) MFAIV 를 장기간 연장(2년 또는 17개월)

상기 (1) 방안에 대해서는 미국, EC 등 수입국의 완강한 반대가 예상되고 수출개도국들도 섬유 교역 체제의 급격한 변화를바라지 않는 국가들이 많음. (2)의 방안에의할경우 금년의 남은 기간을 UR 차원에서의 섬유협상에 주력할수 있고 UR 의 전망이 불투명한 현상황에서 가장 현실적인 방안이라는 견해가있음. (3)의 방안에 의할 경우 MFA 의 내용에대한 개선 문제가 필연적으로 제기될 것이며 이경우 섬유

통상국 2차보 상공부

PAGE 1 91.02.23 03:02 DN

외신 1과 통제관

0007

협상이 UR 차원에서 섬유 교역의 갓트 복귀에 치중하지 않고 MFA 체제의 단순한 내용 개선에치중될 것이라는 우려가 많은 섬유수출국들의 견해임.

0 현재 각국은 확실한 입장을 밝히고 있지않으나, 미국은 MFAIV 의 2년간 연장을고려중이며 파키스탄은 (1) 의 방안을 선호하는 입장이고 브라질, 이집트, 유고, 인니등은 (2)의 방안을 홍콩은 섬유 교역 체제의 급격한 변화는 바람직하지 않으며 섬유 교역의 예측가능성이 중요하다는 점을 강조하고 있음.

0 따라서 MFAIV 처리문제는 기본 적으로 UR 전체협상의 TIME FRAME 이 어떻게 결정되느냐와 각국의 상기 가능 방안에 대한 입장에 따라 4,5월경에 본격 논의될 전망임. 끝

(대사대리 박영우-국장)

PAGE 2

0008

06

원 본

외 무 부

종 별 :

번 호 : GVW-0344 일 시 : 91 0222 1030

수 신 : 장관(통기,상공부)

발 신 : 주 제네바 대사대리

제 목 : EC 와의 섬유 쌍무쿼타 협정관련 회의

0 EC 내의 백화점등 소매상과 수입업자들의 이익을 대변하는 FTA(FOREIGN TRADE ASSOCIATION)대표들은 91.2.21 17 CB 사무실에서 17 CB회원국들과의 회의에서 작년의독일 통일에 따라 독일에 대한 수출국들의 1992 년도 섬유수출쿼타가 적어도 25 퍼센트 정도는 증가되어야 하나 EC가 각국에 배포한 안(NOTE VERBALE) 에 의하면 4.5 퍼센트의 증량만이 고려되고 있는바 이는 독일통일에 따른 섬유 수입 수요증가를 고려하지 않은것임으로 수출국들이 EC 와의 쌍무협상시 이를 고려토록 촉구하고, 가까운시일에 주요 수출국을 방문, 협의할 계획이라고 함.

0 25 퍼센트 증량의 근거를 제시한 FTA 의자료와 ITCB 사무국이 마련한 독일 쿼타 재조정에 관한 정보 자료를 송부하니 참고 바람.

첨부: 1. AIDE MEMOIRE (FTA) 1 부

2. NOTE ON THE READJUSTMENT OF GERMAN QUOTA (ITCB) 1 부.끝

(GVW(F)-75)

(대사대리 박영우-국장)

통상국 2차보 상공부

PAGE 1

91.02.23 02:58 DN

외신 1과 통제관

0009

GVW(FI)-0075 /0222 /030
"GVW-0344 첨부"

AIDE MEMOIRE

Increases of export quotas for textile and clothing products following the German unification

Following the German unification of 3 October 1990, the number of consumers on the territory of the Federal Republic of Germany has increased by 16 million. In this context you have been notified by a Note verbale from the European Community of an increase of export quotas for 1991, which however fail by any measure to correspond with the additional demand for textile and apparel products.

The Außenhandelsvereinigung des Deutschen Einzelhandels which represents the interests particularly of department stores, mail-order houses and purchasing associations, hereby requests you to make use of the negotiation offer contained in the Community Note verbale instead of accepting the - in places marginal - uplifts proposed. The uplifts offered by the Community take no account whatever of the fact that the German population has increased by 25 %.

In this context, the Außenhandelsvereinigung wishes to invite your attention to the fact that the method applied by the Community in calculating the uplift of 4.5 % of the basket exit threshold is inappropriate considering the special occasion of the expansion of the territory of an EC Member State. That method has rather been developed with conditions in mind as they prevailed at the time of Portugal's and Spain's accession to the Community. The former GDR however has not acceded to the Community, but it ceased to exist as a sovereign State in the process of unification. So the territory of the Federal Republic has been expanded to include the territory of the former GDR.

- 2 -

0010

avenue de Janvier 5, Bte 3
B-1200 Bruxelles
Téléphone: 02/762 05 51

1, Mauritiussteinweg
D-5000 Köln 1
Telephone: (02 21) 216617/217617/245359

17-1

For this reason, the EC Commission cannot argue - as it does in its Note verbale - that the former GDR was no Contracting party to the GATT nor signatory to the Multifibre Arrangement. As the former GDR became extinct as of 30 October 1990, its territory acquired the international law status of Federal Republican territory. The rights and obligations under the GATT and the Arrangement regarding International Trade in Textiles have since devolved upon the greater Germany.

The fact that the Community has refused to agree to an export quota uplift commensurate with the addition of 16 million consumers in the greater Germany has resulted in an unacceptable cutback of earlier import opportunities. This is also due to the fact that the territory of the former GDR - the so-called "five new federal Laender" - is almost exclusively supplied with import goods through West Germany trading companies. Failing this, the population would not only be gravely under-supplied, but living standards would be prevented from approximating those in the west. The "five new federal Laender" at present have no trading organizations of their own familiar with international goods exchange procedures in the framework of the textile régime of the Community, let alone organizations able to handle their own imports.

All textile products needed in the former GDR have therefore to be made available to consumers solely from quotas negotiated to satisfy West German demand. Contrary to international law, supplier countries which are participants to the MFA are thus being prevented from making better use of their export potential. It violates the principle of the Multifibre Arrangement designed to promote a harmonious development of international trade in the textile and apparel sector. It also contradicts general principles of international law according to which international arrangements including bilateral agreements between supplier countries and the Community have to be adapted to changed conditions, in line with the rebus sic stantibus clause.

The need for an appropriate adaptation of export quotas originally set for the Federal Republic of Germany whose population has meanwhile increased by that of the former GDR, also arises from the fact that, in the face of exceptional additional demands, the implementation of the Community's textile régime can only be described as chaotic.

Coping with such developments necessitates considerable rerouting of imports through other Community Member States accounting in category 8 for up to 37 % of the export quota.

- 3 -

Flexibility arrangements of the textile régime are likewise insufficient because they were meant to take care of entirely different conditions such as for instance exceptional utilizations of quotas in response to changed fashion trends etc.

According to calculations by the Außenhandelsvereinigung the quota uplift proposed by the EC Commission in terms of value would equal about DM 500 million for all MFA participating countries. Considering the 25 % addition to the volume of consumers in the Federal Republic following unification, which now comes to 78 million inhabitants, the quota uplift should at least represent a value of DM 2500 million.

The Außenhandelsvereinigung is therefore taking the liberty of suggesting that you demand your export quota share to be uplifted corresponding to a ratio of at least 25 % for the Federal Republic of Germany. In response to such a demand, there is no arguing that the former GDR did not entertain any relevant trade relations with the supplier countries concerned. The former GDR was a State trading country whose foreign trade relations were exclusively dictated by political consideration. The Community argument that at best previous trade flows can be taken into account would therefore bring about an unacceptable discrimination against a majority of MFA participating countries.

In our view, export quota uplifts would have to relate in particular to categories 4, 5, 6, 7, 8, 13, 21, 24, 26, 72 and 73.

We would be pleased if you should approve and contact the EC Commission direct with a view to arranging for negotiations as offered.

Cologne, 13th February, 1991
Dr. Wie. / sa / ch

0012

6-3

IC/MFA/W/1
19 February 1991

INTERNATIONAL TEXTILES AND CLOTHING BUREAU

NOTE ON THE RE-ADJUSTMENT OF GERMAN QUOTAS

Following the German unification, the Commission of the EC has to decide how to re-adjust German and Community textile quotas in the bilateral agreements, so as to reflect the additional requirements of the former East Germany.

The magnitude of this re-adjustment can be gauged by the fact that the population of East Germany amounts to nearly 17 million, i.e. more than the population of several EC member states (Ireland 4 million, Denmark 5 million, Belgium, Greece and Portugal 10 million each, Netherlands 15 million).

This note provides for textiles and clothing (i) key indicators comparing East and West Germany and (ii) a brief survey of German market trends in 1990. This background information based on available statistics, which for East Germany are only fragmentary, can be useful in considering the re-adjustment of quotas in bilateral agreements following the German unification.

0013

1-CC

(ii) German Market Trends in 1990

The market situation for textiles and clothing was characterized in 1990 by an exceptionally fast growth of demand in both West and East Germany. The increased demand was covered largely by increased supplies from the West German textile and clothing industries. Imports also expanded strongly, although they could not meet the requirements entirely because of quota limitations.

Due to strong increases in incomes and lower savings ratios, retail sales of textiles and clothing in West Germany showed an exceptional fast increase in 1990. In this, there was a contribution of the higher purchases by East Germans. In real terms retail sales of clothing expanded by 7 per cent in January-September 1990 and those of textiles by 5-6 per cent. For the year as a whole it is believed that the expansion rates of retail trade will be even higher[1]. Inspite of the higher purchases in the West, retail sales of textiles and clothing in East Germany also expanded strongly in 1990.

In West Germany turnover of textiles rose by 4.8 percent and that of clothing by 7.4 per cent in Janaury-September 1990 as compared with the corresponding period of the preceding year. In East Germany, by contrast, production of textiles during the third quarter of 1990 was only half its level of the preceding year[2]. This was due to the poor

---

[1]See IFO, Wirtschaftskonjunktur. 11.1990, p.A9.

[2]See Statistisches Bundesamt, Wirtschaft und Statistik, No. 11.1990.

(i) Indicators Comparing East and West Germany

	Unit	Year	East Germany	West Germany	East Germany as a percentage of West Germany
Population	Million	1988	16.7	61.7	27
Retail sales of T and C	Billion DM	1988	20.32	82.11	25
Employment					
Textiles	Thousands	1989	226.9	213.5	106
Clothing	Thousands	1989	72.7	167.6	43
Labour productivity in T and C	Indices	1989	20-30	100	20-30
Imports of T and C [a]	Million US$	1989			
World			834	23656	3.5
of which					
EC			213	11005	1.9
EFTA			98	1890	5.2
China			184[b]	1014	18.1
Hong Kong			56[b]	1295	4.3
Syria			18	3	600
Yugoslavia			8	1137	0.6
Egypt			2	79	2.5

a/ SITC 65 and 84, excluding intra-German trade.
b/ Data taken from the exporters' trade statistics.

Sources: Presse and Informationsamt der Bundesregierung, Aktuelle Beiträge fur Wirtschafts und Finanzpolitik, Nr. 12, 1990, pp 51-53; IFO Schnelldienst, 28.1.1991, pp 12 and 21; Statistisches Jahrbuch der Deutschen Demokratischen Republik, 1990 and DDR Aussenhaldel 1985 bis 1989; Federal Statistical Office, Foreign Trade of the Federal Republic according to the SITC; China's Customs Statistics; Hong Kong Trade Statistics, Domestic Exports and Re-exports.

0015

1-5

competitiveness of the East German textile and clothing industry as regards both price and quality.

West German imports have risen during the first nine months of 1990 <u>in real terms</u> by 15 percent for clothing and by 10 percent for textiles [3]. It is worth pointing out that a substantial, and steadily growing, proportion of imports of both textiles and clothing are made by the German clothing industry itself. West German exports of textiles and clothing have increased much less rapidly, by 5 and 2 percent respectively, reflecting the strength of domestic demand and the further appreciation of the DM.

---

[3]Statistisches Bundesamt, Aussenhandel Fachserie 7, Reihe 1,, Sept. 1990.

0016

7-7

원 본

외 무 부

종 별 :

번 호 : HKW-0896 일 시 : 91 0305 1400

수 신 : 장 관(통기, 상공부)

발 신 : 주 홍콩 총영사

제 목 : MFA 연장반응

1. 당지 MFA 은 ' GATT, ARTHUR DUNKEL 사무총장의 MFA 연장가능 발언'에 대해 3.4자 다음과 같이 긍정적인 업계반응을 게재함

가. H.K KNITWEAR EXPORTS AND MANUFA CTURERS ASS.:우루과이 라운드 협상이 타결될때까지 홍콩업계에서 희망하고 있는 조치임

나. H.K. WOOLEN AND SYNTHETIC KNITTING MANUFACTURERS ASS.: 홍콩에서 수용할수 밖에 없는 대안임

2. 동기사관련 홍콩정청 (TRADE AND INDUSTRY BRANCH, PRINCIPAL ASS. SECRETARY MR. C.M. NG) 에서도 MFA만료 기간전에 UR 협상의 타결을 기대하기 어려운 현단계에서 MFA 의 1-2년 연장은 불가피한 것으로 평가하였음.끝

(총영사 정민길-국장)

통상국 2차보 상공부

PAGE 1

91.03.05 16:09 WG

외신 1과 통제관

0017

원 본

외 무 부

종 별 :

번 호 : GVW-0414 일 시 : 91 0306 1200

수 신 : 장관(통기,상공부)

발 신 : 주 제네바 대사

제 목 : UR/ 비공식 섬유 협상

3.5 던켈 사무총장 주재로 개최된 표제회의 결과 하기임.(강상무관, 김상무관보참석)

1. 섬유 협상 현황에 대한 토의

0 인도네시아는 ITCB 회원국을 대표하여 던켈총장의 섬유 부문 협상재개 노력에사의에 표하고, 향후 동 협상에서 대상 품목 범위, 통합비율, 년증가율 및 잠정 SAFEGUARD 제도의 중요성을 강조하고 상기 요소에 대한 의장 초안(W/35/REV.1)의 내용이 수출 개도국 입장에서 불만족스럽다는 견해를 표시함.(ITCB 의장 발표문 별첨)

0 말레이지아는 섬유가 ASEAN 국가 경제에서 차지하는 중요성을 강조하면서 동 협상이 푼타델에스테 선언과 몬트리얼 중간 평가 및 MTN.TNC/W/35/REV.1 에 기초하여재개되어야 함을 밝힘.

0 EC 는 브랏셀 회의에서 섬유협상에 많은 진전이 있었으나 브랏셀 회의 이후 EC 업계로부터 심한 압력을 받고 있다고 하고 동 협상의 조속한 해결을 위해 갓트 체제로의 점진적 통합, 활용 가능한 선택적 세이프가드 제도(WORKABLE SELECTIVE SAFEGUARD MECHANISM), 강화된 갓트 규정 및 원칙이 동 협상에서 다루어야 할 가장 중요한요소임을 지적함.

0 미국은 ITCB 의장의 협상 현황 평가는 동의하기 어려운 점이 많으나 언제든지협상은할수 있음을 밝힘.

2. 기술적 문제에 대한 토의

0 ITCB 는 ANNEX II (협정 대상 품목)에 대한 기술적 토의를 위해 섬유 수입국들이 ANNEXII 상의 HS 분류 번호에 따른 수입 통계자료를 제출해 줄것을 요구하였음.

0 NORDIC 은 섬유 규역 상의 규제 수준을 정확히 알기 위해 품목별로 통일된 측정

통상국 2차보 상공부

PAGE 1

91.03.06 21:56 DN

외신 1과 통제관

0018

기준이 필요함을 언급함.

0 미국은 ITCB 상기 요청에 대해 90년도 통계수치를 수주내로 제시 가능함을 밝힘.

3. 차기 회의 의제 및 일정

0 동 협상의 차기 회의 일정은 4/8-4/12 중 추후선정 통보키로 함.

0 차기 회의 의제는 다음으로 결정됨.

(1) MTN. TNC/W/35/REV.1 ANNEX 에 대한 검토

(2) 최신 통계 자료 검토

(3) 상기 자료에 의거한 ITCB 제안 및 NORDIC제의 검토. 끝

첨부: ITCB 의장발표문 1부. (GVW(F)-85)

(대사 박수길-국장)

gvw(u)-0085 10306 1200
Gw-414 번

ITCB/UR/91/03 Rev.1
4 March 1991

INTERNATIONAL TEXTILES AND CLOTHING BUREAU

STATEMENT BY CHAIRMAN ITCB
AMBASSADOR H.S. KARTADJOEMENA
AT THE TEXTILE MEETING OF
5 March 1990

Mr. Chairman,

Speaking on behalf of the members of the International Textiles and Clothing Bureau, we welcome this opportunity to resume negotiations on textiles and clothing with a view to achieving agreement in the Uruguay Round. Further work will have to be based on the text contained in document MTN.TNC/W/35 Rev. 1. We need to concentrate at this stage on the points mentioned at page 239 of this document. Our work will have to be guided by the Punta del Este Declaration and the mid term decision of April 1989.

In reviewing the situation, we view all the outstanding issues mentioned on page 239 as of equal importance in achieving a satisfactory result. Today, I would like to share with our negotiating partners some of our particular concerns. We will take up the other issues in our future meetings.

We have great difficulty with the product coverage contained in Annex II of the text. It is meant to establish the rates of integration over time. It contains a number of items which have never been restrained under the MFA by any country. This has serious implications for the integration process.

The integration ratios mentioned in the draft are too low. We have attached importance to the integration ratio encompassing a quantified range of products drawn from the groups in Annex IV. With the wide product coverage of Annex II as it stands now and the low integration ratios, we wonder if in practice any MFA restriction will be removed till the very end of the integration period. This would be contrary to the mid term review commitment of progressiveness in the process of integration.

0020

The questions of product coverage, integration ratios and the percentage of products to be drawn from each group are closely inter-linked and need to be resolved in accordance with the objectives agreed at the mid-term review.

We view the growth factor as a critical instrument for achieving liberalisation. The existing quotas should be progressively enlarged in such a manner that they loose restrictive effects and facilitate the integration of the restricted products into GATT. The growth factors mentioned in the draft are so low, that they can not serve this purpose and need to be substantially improved.

The special safeguard system of the MFA has been in existence for a long time. From the beginning it has been used with increasing frequency to cover an enlarging range of products and developing country sources. During the transition period we would like to see this trend reversed. The transitional safeguard mechanism, in our view, should consist of stricter criteria and procedures and increased multilateral supervision in its operation.

We believe that a meaningful differential and more favourable treatment for small suppliers and cotton producing countries is essential for fulfilling our mandate.

Mr. Chairman, you have asked us to focus on technical work in the first instance. In this regard we suggest a thorough examination of Annex II. To start with, we invite the MFA restraining countries to table import data in volume terms for each HS number in Annex II indicating at the same time the particular HS lines which are under MFA quota. We would also invite the MFA restraining countries to provide information on the import of products under restraint as a percentage of the total volume of imports covered by Annex II.

Mr. Chairman, the achievement of our negotiating objective depends upon the modality of the integration process. The figures of integration ratio and growth factors mentioned in the draft text are so low that we are doubtful if they would help in achieving our objective. These levels need substantive 0021

02

원 본

외 무 부

종 별 :

번 호 : GVW-0495 일 시 : 91 0318 1730

수 신 : 장 관(통기,상공부)

발 신 : 주 제네바 대사

제 목 : 섬유 위원회 개최

91. 3.25(월) 개최되는 섬유 위원회 일정을 별첨 FAX 송부하니 참고 바람.

첨부: 섬유 위원회 일정 1부. 끝

(GVW(F)-99)

(대사 박수길-국장)

통상국 2차보 상공부

PAGE 1

91.03.19 08:39 WG

외신 1과 통제관

0022

1991-03-18 =18 KOREAN MISSION GENEVA 022 791 0525 P.01

ID. 0041 22 731 42 06 TEL NO: GATT GENEVE #013 P01

GVW(F)-0099 103/8 1730 생공관

GATT FACSIMILE TRANSMISSION "GVW-495 첨부"

Centre William Rappard
Rue de Lausanne 154
CH-1211 Genève 21

Telefax: (022) 731 42 06
Telex: 412324 GATT CH
Telephone: (022) 739 51 11

TOTAL NUMBER OF PAGES 1
(including this preface)

From: M. Salib

Signature:

To:		FAX. NOS.
	J. Beck (European Communities)	734 22 36
	J. Potocnic (Austria)	734 45 91
	K. Broadbridge (Hong Kong)	733 99 04 OR 740 15 01
	Y. Cong (China)	793 70 14
	J. Parkinson de Castro (Brazil)	733 28 34
	H. Kartadjoemena (Indonesia) (ITCB)	45 57 33
	C. Elker (Turkey)	734 52 09
	C. Figueroa (Uruguay)	731 56 50
	A. Shalaby (Egypt)	731 68 28
	R. Shepherd (United States)	799 08 85
	M. Suppersmanian Manickam (Malaysia) (ASEAN)	788 09 75
	J. Gero (Canada)	734 79 19
	Y. Ishimaru (Japan)	733 20 87
	S. Kang (Korea)	791 05 25
	K. Luotinen (Finland)(Nordics)	740 02 87
	A. Sajjanhar (India)	738 45 48
	M. Ahmad (Pakistan)	734 80 85
	F. Jaramillo (Colombia)	791 07 87
	A. Lakotos (Hungary)	738 46 09
	H.E. Mr. Jesds Seade (Mexico)	733 14 55
	A.M. Deustua (Peru)	731 11 68
	M. Meier (Switzerland)	734 56 23

강 생공관

SUBJECT: TEXTILES COMMITTEE

YOU ARE INVITED TO AN INFORMAL MEETING TO BE HELD AT THE CENTRE WILLIAM RAPPARD (GREEN ROOM) ON 25 MARCH 1991 AT 11.00 A.M. THE MEETING IS CONVENED TO DISCUSS THE FUTURE OF THE MFA.

0023

PLEASE NOTIFY US IMMEDIATELY IF YOU DO NOT RECEIVE ALL THE PAGES

** OUR FAX EQUIPMENT IS HIT...

김.3.

관리 번호	91-273

원 본

외 무 부

종 별 :

번 호 : GVW-0665　　　　일 시 : 91 0411 1830

수 신 : 장관(통기,경기원,재무부,농림수산부,상공부,특허청)

발 신 : 주 제네바 대사

제 목 : UR 협상 구조 재조정 및 의장 선정 문제 협의

연: GVW-0571

대: WGV-0451

본직은 5.10 오후 RECUPERO 총회의장(브라질대사)의 요청으로 UR 협상 구조재조정 및 의장 선정 문제에 관해 협의한바 아래 보고함.

1. 협상 구조 재조정 문제

가. 많은 나라들이 대체로 브랏셀 체재를 그대로 유지하는 것이 좋겠다는 의견을 피력하고 있다함.

나. FRIP 와 TRIMS 는 성격상 상이하다는 이유로 , 분리하자는 일부 주장이있기는 하나 대체로 합치게 될것으로 전망된다함.

2. 협상 그룹의장 선정문제

가. 협상 그룹의장 선정문제에 관해서는 일부 인사들에 의해 지극히 비공식적인 차원에서 거론되고 있으며, 그룹별로는 아래와 같음.

- 섬유와 농산물 그룹의장에 관해서는 문제의 중요성을 감안, 던켈 사무총장이 의장직을 직접 맡도록 하는것이 좋겠다는 의견이 있으나 아직 초보적인단계에 지나지 않음.

0 섬유: 호주의 LINDSRY DUTHIE 대사가 의장직을 맡기 어렵다는 점을 밝혔다함.

0 농산물 : AART DE ZEUW(화란)

0 시장접근: PAUL LEONG KHEE SUNG(말레이지아)

0 규범제정: 카나다외무성의 DENIS 다자 협상 담당 차관보

(WEEKS 카나다 대사는 본부 귀임 예정)

0 분쟁해결, 갓트기능, 최종의정서

- LACARTE-MARO 우루과이 대사(LINDEN 사무총장 보좌관이 SECRETARU 로 보좌)

통상국	차관	1차보	2차보	청와대	안기부	경기원	재무부	농수부
상공부	특허청							

PAGE 1　　일반문서로 재분류 (1991 . 6 . 30 .)　　91.04.12 08:47

외신 2과 통제관 FE

0024

0 TRIPS 및 TRIMS

- 분리할 경우 TRIPS 분야는 스웨덴의 ANELL 대사 TRIMS 분야는 일본의 KOBAYASHI 대사가 거론되고 있는바, 선.개도국 균형문제와 관련 이의가 제기되고 있다함.

나. 동 대사는 협상 그룹의장 선정 문제 협의에 있어 미국 대사 EC 대사등이 현재 당지에 체류하고 있지 않기 때문에 협의를 하지 못하고 있는 상태인바, 진전이 있는대로 다시 접촉, 한국의 견해를 타진토록 할 예정이라함. 끝

(대사 박수길-국장)

예고 91.6.30 까지

안(철)

관리번호	91-248

원 본

외 무 부

종 별 :

번 호 : HKW-1360 일 시 : 91 0403 1200

수 신 : 장관(통기,통이,아이,상공부)

발 신 : 주 홍콩 총영사

제 목 : 무역청장 방한

1. 홍콩무역청장이 아래와 같이 방한 희망하는바, 일정주선 건의함

가. 방한희망일정

1) 방한자

O MR. CHAU TAK-HAY

DIRECTOR-GENERAL, TRADE DEPARTMENT

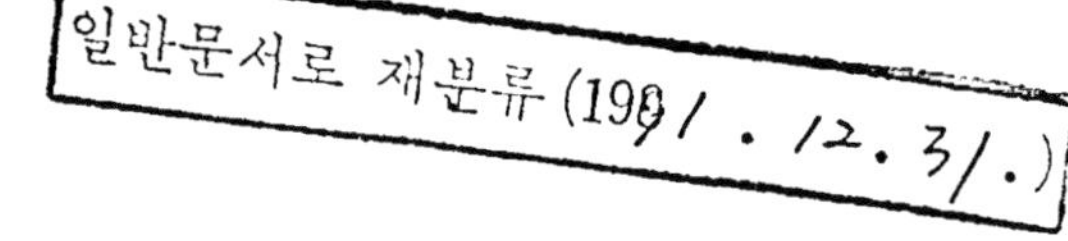

O MR. ROBERT C.L. FOOTMAN

DEPUTY DIRECTOR-GENERAL(다자간 협상 및 미주담당)

2) 일정

O 4.23(화) 12:40 서울향발(KE 618 17:00 서울도착)

O 4.24(수) 오전 상공부 방문

O 4.24(수) 18:45 이한(CX 411)

나. 방한목적

UR 섬유협상 미타결로 91.7.31 만료되는 MFA IV 의 5 개월 연장(91.12.31. 까지)이 일부제기되고 있는바, 홍콩입장에서는 최소한 17 개월(92.12.31. 까지)간 MFA 연장이 섬유수출국및 수입국 입장에서 현실적인 대안이라고 판단됨. 이와관련 한국측과 의견교환 희망

다. 면담희망자

상공부 제 1 차관보, 상공부 상역국장, 상공부 국제협력관, 상공부 섬유생활공업국장

2. 동무역청장 MR. CHAU 는 현 홍콩 SECRETARY FOR TRADE AND INDUSTRY(상공부장관) 후임으로 이미 승진내정된바 있으며, 동 방한관련 아래 건의함

가. 공항 입.출입 영접및 차량편의제공

통상국 차관 2차보 아주국 통상국 상공부

PAGE 1

검 토 필(1991. 6.30.) 안

91.04.03 13:11

외신 2과 통제관 BW

0026

나. 상공부 장차관 오찬또는 만찬

다. MFA 관련 회의(24 일 오전): 상공부 제 1 차관보와 면담하되 담당국장 배석형식

3. 방한자 약력 아래 같음

가. MR. CHAU TAK-HAY

0 홍콩출생(1943 년생)

0 기혼,2 남

0 홍콩대학졸

0 1967-79 홍콩 공업청, 무역청 근무

0 1979-84 제네바 대표부 대표

1984-85 보건후생부 차관

1986-88 홍콩지역담당 장관

1988-89 보건후생성 장관

1989-현재 무역청장

1991 차기 상공부 장관 내정

나. MR. ROBERT FOOTMAN

0 1984-87 무역청 차장보

0 1987-1989 영국 FOREIGN AND COMMONWEALTH OFFICE 근무

0 1989-현재 무역청 차장

4. 상기건의관련 일정확정시 당관에 회시바람. 끝

(총영사 정민길-국장)

예고:91.12.31. 일반

관리 번호 91-540

기 안 용 지

분류기호 문서번호	통기 20644-540	(전화 : 720 - 2188)	시 행 상 특별취급	
보존기간	영구. 준영구 10. 5. 3. 1.	장		관
수 신 처 보존기간				
시행일자	1991. 4. 4.			

보조기관			협조기관		문서통제
	국 장	전 결			
	심의관			동북아2과장	
	과 장				
기안책임자		현 철 승			발 송 인

경 유 수 신 참 조	상공부장관 국제협력관	발신명의		
제 목	홍콩 무역청장 방한관련 협조 요청			

일반문서로 재분류 (1991 . 12. 31.)

1. 주 홍콩 총영사관은 CHAU 홍콩 무역청장이 UR 섬유협상 미 타결로 인한 MFA IV의 시한 연장 문제와 관련하여 귀부 고위간부와 상호 의견을 교환코자 방한 희망함을 아래와 같이 보고하여 왔습니다.

- 아 래 -

/뒷면 계속/

검 토 필 (1991. 6.30.) 안

0028

가. 방한인사

o CHAU TAK-HAY(DIRECTOR-GENERAL, TRADE DEPARTMENT)

o ROBERT C.L FOOTMAN

(DEPUTY DIRECTOR-GENERAL : 다자간 협상 및 미주담당)

나. 방한 희망일정

o 4.23(화) 17:00 서울 도착(KE-618)

o 4.24(수) 오 전 상공부 방문, MFA 연장 관련 협의

o 4.24(수) 18:45 이 한(CX-411)

2. 상기관련, 동인은 차기 홍콩 상공부장관 후임으로 이미 내정된 바 있고 또한 MFA 연장 관련 아국과 홍콩과의 상호 긴밀한 협력 필요성이 있음을 감안하여 아래 주 홍콩 총영사 건의사항을 적극 검토, 그 결과를 당부에 조속 알려 주시기 바랍니다.

가. MFA 연장문제 관련 상공부 제1차관보 면담(상역국장, 국제협력관, 섬유생활공업국장등 담당국장 배석 형식)

나. 상공부 장관 또는 차관 주최 오찬 또는 만찬

다. 공항 영송 및 차량 편의제공. 끝.

0029

전 언 통 신 문

국협 28140-143

수신 외부부장관

발신 상공부장관

제목 홍콩 무역청장 방한

1. HKW-1360 (91.4.3.)와 관련입니다.

2. Chau 홍콩 무역청장의 방한 희망 기간중 우리부 제1차관보는 상공부장관의 미국 방문을 수행할 예정이며 MFA 연장 문제를 담당하고 있는 국제협력관이 다자간 철강협상 참여를 위한 재내바 출장으로 위 사람들과의 면담이 불가능한 상황임을 통보하오니 이를 고려하시어 홍콩 무역청장의 방한 일정 연장등 여타 가능한 방안을 협의하여 주시기 바랍니다. 끝.

수화일시 : 91.4.11.

송 화 자 : 박 영 탁

수 화 자 : 안 성 국

0030

관리번호	91-541

	분류번호	보존기간

발 신 전 보

번 호 : WHK-0572 910411 1909 FL 종별 : 지급

수 신 : 주 홍콩 대사, 총영사

발 신 : 장 관 (통기)

제 목 : 홍콩 무역청장 방한

대 : HKW-1360

대호, 상공부는 CHAU 홍콩 무역청장의 방한 희망 기간중 제1차관보 및 MFA 연장 문제를 담당하고 있는 국제협력관이 국외출장으로 면담이 불가능하다하고, 동 청장의 방한일정 연기 가능성을 홍콩측과 협의하여 줄 것을 희망하고 있으니 적의 조치 바람. 끝. (통상국장 대리 최 혁)

검 토 필(1991. 6.30.) 안

일반문서로 재분류(1991 .12 .31 .)

보안 통제	

앙 고 재	91년 4월 11일	통기과	기안자 성명	과 장	국 장	차 관	장 관
			안성국		전결		대

외신과통제

0031

기 안 용 지

분류기호 문서번호	통기 20644-	(전화: 720 - 2188)	시 행 상 특별취급	
보존기간	영구. 준영구 10. 5. 3. 1.	장	관	
수 신 처 보존기간				
시행일자	1991. 4.13.			

보조기관	국 장	전 결	협조기관	동북아2과장	문 서 통 제
	심의관				
	과 장				
기안책임자		안 성 국			발 송 인

경 유 수 신 참 조	상공부장관 국제협력관	발신명의		
제 목	홍콩 무역청장 방한 연기			

대 : 국협 28140-143

연 : HKW-1360

주 홍콩 총영사관은 표제와 관련 홍콩측과 협의 하였으며, CHAU 홍콩 무역청장이 다른사항은 변경없이 아래 일정으로 방한 희망함을 보고하여 왔는바, 이를 통보하오니 검토후 그 결과를 당부로 조속히 알려 주시기 바랍니다. /뒷면 계속/

일반문서로 재분류(1991 . 6 . 30.)

0032

- 아 래 -

o 4.29(월) : 서울 도착

o 4.30(화) 오전 : 상공부 방문

o 4.30(화) 오후 : 홍콩 향발. 끝.

0033

안

관리 번호	91-294

원 본

외 무 부

종 별 :

번 호 : HKW-1500 일 시 : 91 0412 1800

수 신 : 장관(통기, 상공부)

발 신 : 주 홍콩 총영사

제 목 : 홍콩무역청장방한

대 : WHK-572

1. 홍콩무역청장은 아래갑이 일정을 조정 방한 희망함

0 4.29(월) 서울도착

0 4.30(화) 오전 상공부 방문

0 4.30(화) 오후 홍콩향발

2. 기타 사항 변경없으며, 방한항공편등 상세 추후 통보예정임.끝

(총영사 정민길-국장)

91.6.30 일반

일반문서로 재분류 (1991 . 6 . 30.)

통상국 차관 2차보 아주국 상공부

PAGE 1

91.04.12 22:59

외신 2과 통제관 BW

0034

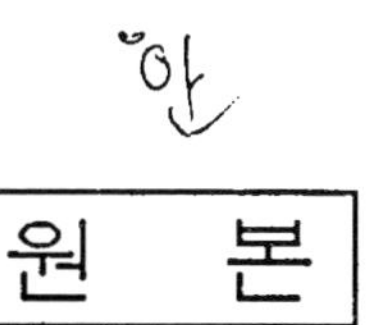

관리 번호	91-289

원 본

외 무 부

종 별 :

번 호 : HKW-1524　　　　일 시 : 91 0416 1200

수 신 : 장관(통기,상공부),사본:정민길 대사

발 신 : 주 홍콩 총영사

제 목 : 홍콩무역청장 방한

연:HKW-1500

1. 홍콩 무역청장방한 일정 아래와 같이 통보함

0 4.29(월) 17:00 서울도착(KE 618)

0 4.30(화) 오전 상공부 방문

0 4.30(화) 18:45 이한(CX 411)

0 숙소: 라마다 르네상스 호텔

2. 기타 사항 변경없으며, 상공부관계관 면담일정 확정시 회보바람. 끝

(총영사대리 김호태-국장)

예고:91.6.30 까지

일반문서로 재분류 (1991 · 6 · 30 ·)

통상국　차관　2차보　상공부

PAGE 1　　　　91.04.16　13:55

외신 2과　통제관 CH

0035

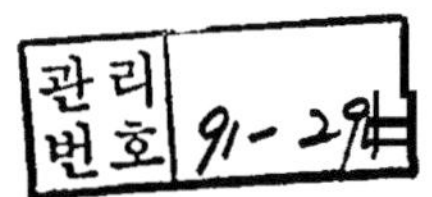

안

상 공 부

국 협 28140 -104 503 - 9446 1991. 4. 17

수 신 외무부 장관

참 조 통상기구과장

제 목 홍콩 무역청장 방한에 따른 협조 요청

1. HKW - 1360호(91. 4. 3), HKW - 1500호(91. 4. 12) 및 국협 28140 - 143호(91.4. 11)와 관련입니다.

2. 위호 관련 CHAU 홍콩 무역청장의 방한 일정이 4. 29 ~ 4. 30로 조정됨에 따라 다음 사항에 대하여 협조 요청하오니 조치하여 주시기 바랍니다.

다 음

가. 동인들의 체한기간중 사용할 외빈차량 1대

나. 필요시 귀부 인사의 면담

발송 1991. 4. 17 상공부

첨 부 : CHAU 홍콩 무역청장 방한 일정(안) 1부. 끝.

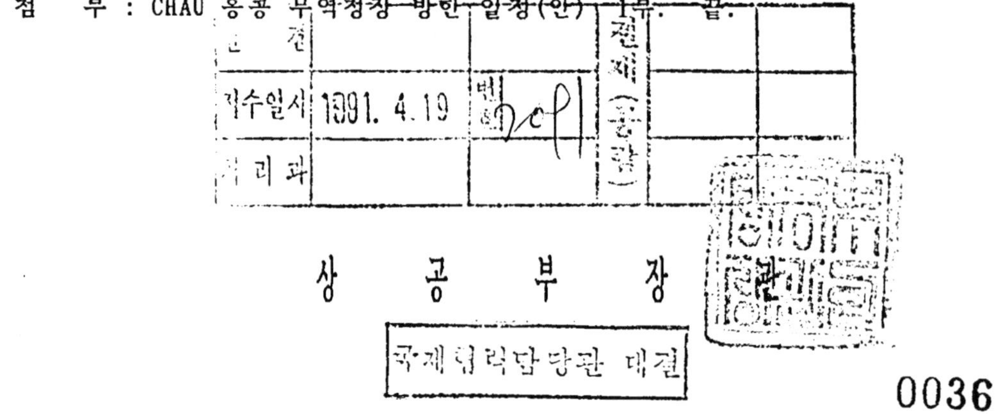

문 건			결재 (공람)	
접수일시	1991. 4. 19	번호		
처리과				

상 공 부 장

국제협력담당관 대결

0036

홍콩 무역청장 방한 일정(안)

o 4. 29(월)　　　서울 도착

o 4. 30(화)　　　상공부 방문

11:00 ~ 11: 20　상공부차관 예방

11:30 ~ 12:00　국제협력관 면담

12:10 ~ 13:30　국제협력관과 오찬

14:00

오　후　　서울 출발　　Inter

15:30

0037

관리 번호	91-296

분류번호	보존기간

발 신 전 보

번 호 : WHK-0638 910422 1644 FL 종별 :

수 신 : 주 홍 콩 ~~대사~~, 총영사

발 신 : 장 관 (통 기)

제 목 : 홍콩 무역청장 방한

대 : HKW-1524

대호 관련, CHAU 청장의 아국 인사 면담일정은 아래와 같으니 참고바람.

- 아 래 -

4.30(화) 11:00-11:20 상공부 차관 예방

11:30-12;00 상공부 국제협력관 면담

12:10-14:00 상공부 국제협력관과 오찬

15:30-16:00 외무부 통상국장 면담. 끝.

(통상국장 김 삼 훈)

일반문서로 재분류 (1991 · 6 · 30 ·)

보 안 통 제	

앙 고 재	91년 4월 22일	통기과	기안자 성 명		과 장	심의관	국 장		차 관	장 관
			안성국				전결			

외신과통제

0038

원 본

외 무 부

종 별 :

번 호 : ECW-0362 일 시 : 91 0423 1630

수 신 : 장관 (통이,통기,상공부) 사본: 주 EC 대사

발 신 : 주 EC 대사대리

제 목 : 유럽 섬유노조의 MFA 에 관한 입장

1. 유럽직물및 섬유제품, 가죽제품 노조위원회는 최근 룩셈부르그에서 개최된 총회에서 현 MFA협정이 수정없이 92년말까지 연장되어야 할것이라고 주장하였음

2. 동 위원회는 MFA 의 장래문제를 UR협상에서 논의하고 있으나, 향후 몇개월내에성공적으로 결말이 날 전망이 보이지 않고, 합의에 도달한다 하더라도 동 합의가 구체적으로 이행되기 위해서는 적어도 6개월 이상의 기간이 필요하며,또한 MFA IV 는 91.7.31. 종료되나, 대부분의 양자협정은 91.12. 월말로 종료되기 때문이라고 하였음

3. 동 위원회는 섬유부문이 GATT 에 통합되기 위해서는 GATT 규정및 운용의 강화, SAFEGUARD에서의 SELECTIVITY 적용, 시장개방 정도에 따른 상호주의 인정등을 주장하여 왔음. 끝

(대사대리 강신성-국장)

통상국 2차보 통상국 대사실 상공부

PAGE 1

91.04.24 02:07 DQ

외신 1과 통제관

0039

UR/섬유협상의 미결 쟁점에 대한 아국 입장

1. GATT 복귀 시한

o MFA Ⅳ 종료후 10년 내외의 경과기간 유지

2. MFA 규제 철폐 방안

o 최소한 현행 MFA Ⅳ의 규제 수준보다는 완화되는 형태의 협상 결과

o Base level, 증가율 및 융통성은 현 양자협정의 수준 이상으로 개선, 특히 양자 협정의 품목별 증가율에 있어서 최저 증가율 1% 설정.

3. 협상 허용 대상 범위

o 현행 양자 협정상의 규제 범위보다 확대는 반대.

4. 잠정 Safeguard 제도

o 주요 수출국만 선별적으로 규제할 수 있는 기준 요소(시장 점유율)의 배제

5. GATT 규정 이행과 MFA 철폐와의 연계

o 여타 개도국의 시장개방을 유도하고 공정한 수출경쟁 여건 조성을 위하여 강화된 GATT 규정의 설정을 지지하나, 다만, 이의 준수 여부를 섬유 협상에만 특별히 연계시켜 MFA 규제 철폐 이행조건으로 하는 데에는 반대

0040

CHAU 홍콩 무역청장 면담 자료

o 일시 및 장소 : 91.4.30(화), 15:30
통상국장실(812호)

o 배 석 자 : 홍종기 통상기구과장

통 상 기 구 과

0041

Ⅰ. 면담자 인적 사항

o 성 명 : CHAU TAK-HAY

o 직 위 : 홍콩 무역청장(DIRECTOR-GENERAL, TRADE DEPARTMENT)

o 출생년도 및 출생지 : 1943년생, 홍콩

o 학 력 : 홍콩 대학졸

o 주요 경력

1967-79	홍콩 공업청, 무역청 근무
1979-84	제네바 대표부 대표
1984-85	보건후생성 차관
1986-88	홍콩지역 담당 장관
1989-	무역청장

o 참고사항 : 상기인은 차기 상공부 장관으로 내정되어 있다는 주 홍콩 총영사 보고가 있었음.

0042

Ⅱ. 방한 목적 및 체한 일정

1. 방한 목적

ㅇ MFA Ⅳ(다자간 섬유협정)의 종료(91.7.31)에 대비, 동 연장 문제와 관련한 아국 관계인사와 의견 교환

2. 체한 일정

4.29(월)	17:00	서울 도착(KE 618)
4.30(화)	11:00-12:20	상공부 차관 예방
	11:30-12:00	상공부 국제협력관 면담
	12:10-14:00	상공부 국제협력관 오찬
	15:30-16:00	외무부 통상국장 면담
	18:45	이한(CX 411)

3. 수행원

ㅇ Robert Footman 홍콩 무역청 차장

0043

Ⅲ. 말씀 자료

1. 인사 말씀

o 귀하께서 곧 상공장관(Secretary for Trade and Industry)으로 승진 부임하는 것으로 알고 있는데 축하드림

o 귀하의 그동안 우루과이 라운드 협상 특히 섬유협상에서의 활약상에 대해 잘 알고 있으며 그 노고를 치하함

<참 고>

- CHAU 무역청장은 지난 79부터 84년까지 제네바 주재 홍콩 대표부에 근무하면서 섬유 분야를 담당한 바 있음

- 또한 CHAU 청장은 이번 UR/섬유 협상에도 매번 회의시마다 직접 참석하여 왔음

- 홍콩은 섬유 주종 수출국으로서 우루과이 라운드 15개 협상 분야중 섬유 협상에 가장 큰 관심을 갖고 있음

2. UR 협상(전반)

o 홍콩이 그동안 UR 협상에서 매우 적극적으로 참여하여 협상 타결을 위해 활발히 노력해 온 것으로 알고 있음

0044

o 대외 무역 의존도가 높은 우리나라는 UR 협상이 타결되어 세계 자유무역 체제가 유지·강화되는 것이 우리의 지속적인 성장에 중요하다고 판단하여 협상 타결을 위해 적극 노력해 오고 있음

- 최근 농산물, 서비스, 무세화 분야에서 입장을 신축적으로 수정했음

o 홍콩과 한국은 선발개도국으로서 UR 협상에의 대부분 분야에서 이해 관계가 일치하며 따라서 그동안 협상 과정에서 긴밀한 협력 관계를 유지해 왔으며 앞으로의 막바지 협상 과정에서도 이같은 노력을 더욱 강화해야 한다고 봄

<참 고>

- 홍콩과 한국이 UR에서의 관심 분야
  - 홍콩의 주요 관심분야 : 섬유, 반덤핑, 원산지규정, 세이프가드, 서비스협상
  - 한국의 주요 관심분야 : 농산물, 반덤핑, 섬유, 세이프가드, 서비스협상
- 양국 공동 대응 실적
  - 평화그룹, 반덤핑 소그룹, 섬유수출개도국기구 등 각종 비공식 형태의 모임에서 협력을 유지해 왔음
  - 섬유(ITCB), 세이프가드 제안, 반덤핑 등 많은 분야에서 공동제안 제출

0045

3. UR/섬유협상

o 홍콩과 한국은 섬유 주종 수출국으로서 UR/섬유협상에서 대체로 동일한 입장을 갖고 있는 것으로 알고 있음

o 한국은 UR 협상을 통해 섬유 교역이 자유화 되어야 한다고 믿고 있으나 지난 16년간 MFA 체제에 의한 섬유 교역에 혼란을 초래하지 않아야 하며 따라서 점진적인 갓트 체제로의 복귀가 이루어져야 한다는것이 기본 입장임

o 한국은 UR 전체 협상이 조속히 타결되어 세계 무역 환경이 개선되어야 한다는 차원에서 섬유 협상도 조속히 타결 되어야 하며 따라서 섬유분야에서 개도국이 지나치게 강한 입장을 보이는 것은 바람직 하지 않다고 봄

<참　　고> 현재 UR/섬유협상의 주요 미결 쟁점

- 갓트 복귀시한(Time-span) : 갓트 복귀에 소요되는 시한(8-12년)
- 대상품목(product coverage) : 잠정 협정 대상 품목의 범위
- 현 규제 철폐방법 : 단계별 규제 철폐 대상, 연 증가율 문제등
- 잠정 세이프가드 : 갓트 복귀시 까지의 세이프가드 발동 방법
- 갓트 복귀의 검증 : 갓트 복귀의 단계별 자유화 이행 검증 방법

0046

4. MFA 연장 문제

o 우리 나라는 UR 협상 타결 전망이 불투명한 현 상황에서는 금년 7.31 종료하는 MFA를 적정기간 연장해야 한다고 봄

o 연장 시한은 섬유 수출 업체에게 안정적이고, 예측 가능한 수출 환경을 보장해 주기 위해 내년 말(92년말)까지 17개월간 연장하는 방안을 지지함

- UR 협상이 금년내 또는 내년 상반기까지 타결된다 하더라도, 이를 시행하기 위해서는 일정기간이 필요 하므로 금년말 까지 연장할 수 없다고 보며

- 미국이 주장하는 93년말가지 29개월간 장기 연장하는 방안은 MFA의 연장이 아닌 개정 문제가 따라야 하며 그럴경우 UR/섬유협상과 중복되어 UR 협상을 통한 섬유 교역 자유화에 노력을 집중할 수 없다고 봄

o 다음주(5.6-11간) 인도네시아에서 개최되는 섬유 수출 개도국기구(ITCB) 이사회에서는 이와같은 양국의 입장이 중심이 되어 개도국 공동의 입장으로 정해지기를 바람

0047

<참　　고> MFA 연장 관련 주요국 입장

- 미국
  - 현 MFA Ⅳ을 '93.12월까지 29개월 연장하되, 그 이전에 UR협상이 타결되어 새로운 협상 결과(협정안)가 시행될 경우 이에따라 종료시킨다는 입장

- EC, 카나다, 북구등 기타 MFA 시행 선진국
  - '92.12까지 17개월간 연장을 선호하는 입장

- 개도수출국 (ITCB 국가)

  대부분의 수출국이 현재까지 공식적인 입장 표명을 유보하고 있으나 비공식으로 파악된 주요국의 입장은 아래와 같음
  - 인도, 파키스탄등 강경 개도국 : 금년말까지 현 MFA의 단순 연장 (91.12.31. 종료)
  - 홍콩, 인도네시아, 터키, 우루과이, 멕시코, 유고, 이집트등 대다수 개도국 : 내년말까지 17개월 연장(92.12.31 종료)

5. 홍콩의 APEC 가입 문제(상대측 거론시)

o 우리 나라는 금년 10월 개최될 제3차 서울 APEC 각료회의 의장국으로서 홍콩, 중국, 대만의 동시 가입을 목표로 가능한 방안을 모색하고 있음

o 홍콩은 지역 경제체(Regional economy)로서 참여가 가능하다는 입장으로 별 문제가 없는 것으로 알고 있음

0048

<참　　고> 진전 현황

- 91.3.4-6 제2차 제주 고위 실무회의시 한국은 제3차 서울 APEC 각료회의 의장국 자격으로 3국과 접촉한 참가국에게 보고.

  - 중국은 "하나의 중국 "원칙에 입각하여 자국은 주권 국가로서 정회원국, 대만 및 홍콩은 지역경제체로서 옵저버로 참가 주장
  - 대만은 "중국과 대등한 입장(on an equal footing) "에서 참가를 희망
  - 홍콩은 지역경제체로도 참가 가능하다는 입장
  - 한국은 향후 추가협의 지니전 내용에 대한 정보를 계속 제공키로 합의

- 홍콩은 지역경제체(regional economy)로도 참여 가능하다는 입장이므로 별 문제가 없고, 대만이 아시안 게임이나 태평양 경제협력회의(PECC)에서와 같이 Chinese Taipei로 참여하는 것을 수락한다면 3국의 동시 참가 문제는 쉽게 해결될 것으로 전망.　　끝.

0049

	분류번호	보존기간

발 신 전 보

번 호 : WHK-0680 910430 1928 DF 종별 :

수 신 : 주 홍 콩 ~~대사~~ 총영사

발 신 : 장 관 (통 기)

제 목 : 홍콩 무역청장 방한

연 : WHK-0638

연호 관련, CHAU 청장은 기 통보된 일정대로 아국인사와 면담을 마치고 금 4.30. 이한했음.

끝. (통상국장 김 삼 훈)

보 안 통 제	

앙 고 재	91년 4월 30일	통기 과	기안자 성 명		과 장		국 장		차 관	장 관
			안성국				전결			

외신과통제

0050

CHAU 홍콩 무역청장 면담요록

1. 면담일시 및 장소 : 1991. 4.30.(화) 15:30-16:00, 통상국장실(812호)

2. 면 담 자 : 김삼훈 통상국장(배석 : 홍종기 통상기구과장, 안성국 사무관)

   CHAU 홍콩 무역청장(배석 : Robert Footman 홍콩 무역차장)

3. 면담요지 :

가. MFA Ⅳ 연장

o 국장 : 방문을 환영함.

o CHAU : 한국은 처음 방문인데, 퍽 인상적임. 아침에 상공차관, 국제협력관과 면담을 했는데, 유용한 토론이었다고 봄. 다음주 인니 발리에서 개최되는 ITCB 이사회, 5월중순 제네바에서 개최될 섬유위원회에서 거론될 문제라고 보지만, 작년 연말 UR 타결이 실패 함으로써 MFA 연장 문제가 현안으로 등장하고 있는바, 금번 방문 목적도 바로 이 문제를 협의하러 온 것임. UR 협상이 올해안이든 내년말이든 타결되지 못하면, 섬유교역에 있어서 규범적 공백이 생기게 될 것인데, 이 갭을 메꿀 교량이 요구됨. 따라서 MFA Ⅳ의 연장이 바람직한데 홍콩 입장은 1993년말까지 29개월 연장안을 생각하고 있고, 적어도 17개월은 되어야 한다고 봄.

o 국장 : 29개월 연장이면, 미국 입장과 동일한 것 아닌지 ?

공람	통상기구과	91년 5월 1일	담 당	과 장	심의관	국 장	차관보	차 관	장 관
			안성국						

0051

o CHAU : 29개월 연장 입장을 아직 공식적으로 발표한 바는 없지만, 당초부터 염두에 두고 있었는바, 29개월 연장을 주장하는 이유는 두가지 임. 먼저, 현실적인 면에서 UR이 올해가 아니라 내년에 타결된다고 가정할 경우, 17개월 연장안으로서는 내년에 가서 MFA 연장을 재협상을 해야하는 문제가 있음. 둘째, 1992년은 미국 대통령 선거의 해인바, 선거를 앞두고 미국의 태도가 경직될 것임.

o 국장 : 5개월 연장안, 17개월 연장안, 29개월 연장안 사이에 법률적 차이가 있다고 보는지 ?

o CHAU : 법률적 차이는 없다고 봄.

o 국장 : 지금 몇개국이 29개월 연장을 지지하고 있는지 ?

o CHAU : 공식적으로는 미국, 스리랑카가 있고, 또 홍콩이 29개월 연장을 지지함. 그러나 비공식적으로 자메이카도 있음.

o 국장 : 홍콩 수출 총액에서 섬유산업의 비중은 어느정도나 되는지 ?

o CHAU : 약 40% 정도임.

o 국장 : 아국에선 80년대초와 비교해서 점점 비중이 낮아져 지금은 25% 미만이고, 전자 부문에 1위 자리를 빼앗겼음. 섬유산업의 우리 한국, 홍콩 및 기타 개도국에 있어서 그 중요성은 재론할 여지가 없으므로 섬유교역에 있어서 불확실성을 줄이도록 해야할 것임. 상공부의 입장은 ?

o CHAU : 17개월을 주장하고 있었으며, 29개월 연장도 생각해 보겠다는 입장이었음.

o 국장 : 17개월 연장이든 29개월 연장이든 UR 협상이 타결되면 모든 문제가 해결될 것임.

0052

나. UR 협상 전망

o 국장 : 우리는 UR 협상에서 신축적인 입장을 보이면서, 능동적으로 참여해 왔고, 앞으로도 계속 그렇게 할 것임. 작년말 UR 협상이 일단 실패 하였지만 모든 참가국이 지난 4년간의 노력을 허비한 것은 아니라고 봄. 최근 UR 협상에선 농산물, 써비스, 지적재산권 및 무역관련 투자등 새로운 분야들이 중요해지고 있으며, 특히 이러한 새로운 무역규범의 정립이 요구 되고있음.

o CHAU : 홍콩은 섬유, 세이프가드, 반덤핑에 중요성을 두고 있음. 농산물 협상은 어떻게 전망 하시는지 ?

o 국장 : 농산물 협상의 실패를 막기 위해서는 수출국, 수입국 모두에게서 양보가 있어야 함. 아국은 농산물에 있어서 수입국인데 농산물 개방 문제는 경제적 문제로 뿐만 아니라 정치적으로도 심각한 문제임. 협상의 성공을 위하여는 이러한 수입국의 문제들이 인정되어야 할 것임. 그러나 협상의 관건은 EC와 미국간의 이견해소 여부라고 봄.

다. APEC 회의 참가 문제

o CHAU : 홍콩이 서울에서 개최되는 제3차 APEC 각료회의에 참가할 가능성 또는 동 회의에 홍콩의 APEC 참여가 결정될 전망은 ?

o 국장 : 홍콩이 regional economy로서 참가할 수 있는 가능성은 높다고 봄.

o CHAU : 참여 형태는 큰 문제는 아니나 어떠한 경우에도 observer로서의 참여는 반대함. 끝.

0053

원 본

외 무 부

종 별 :

번 호 : GVW-1137 일 시 : 91 0619 1200

수 신 : 장관(통기,상공부)

발 신 : 주 제네바 대사

제 목 : UR/ 섬유 협상 그룹 회의

UR/ 섬유 협상 관련 당관 강상무관이 갓트사무국과 접촉 파악한 내용 하기 보고함.

1. 섬유 협상 그룹회의는 7월 5일 11시에 주요 국비공식 협의가 DUNKEL 총장 주재로 GREEN ROOM에서 개최되며 동 회의에서는 공식 회의 일정및 MFA IV 처리 문제가논의된 예정이라고 함.

2. 7월 5일 오후 공식 회의가 개최될 예정이며, 필요한 경우 7.9(월)까지 연장될수도 있다고 함.

3. 공식 회의에서는 수입국이 제시한 교역 통계자료에 의거 PRODUCT COVERAGE (ANNEX 11) 에 관한 토의가 예상되며, 기타 쟁점에 대하여는 MFA IV 연장 문제 관계로 실질적 논의는 기대하기 어렵고 섬유 협상 전반에 대해 각국의 의견 개진이 있을 것이라고 함.

끝

(대사 박수길-국장)

통상국 상공부 2차관

PAGE 1 91.06.20 22:34 DA

외신 1과 통제관

0054

A[=OGRAMME

GATT/AIR/3202 20 JUNE 1991

SUBJECT: URUGUAY ROUND NEGOTIATING GROUP ON TEXTILES & CLOTHING

1. THE NEGOTIATING GROUP ON TEXTILES AND CLOTHING WILL MEET ON FRIDAY 5 JULY AT 3 P.M. IN THE CENTRE WILLIAM RAPPARD AND WILL CONTINUE, IF NEEDED, ON MONDAY 8 JULY.

2. THE FOLLOWING AGENDA IS PROPOSED FOR THE MEETING:

A. REPORT BY THE CHAIRMAN ON INFORMAL CONSULTATIONS (SEE THE TECHNICAL INFORMATION PROVIDED BY PARTICIPANTS COMPILED IN THE PAPER ENTITLED "TEXTILES AND CLOTHING TRADE DATA", DATED 29 MAY 1991).

B. CONTINUATION OF SUBSTANTIVE NEGOTIATIONS ON MODALITIES FOR THE INTEGRATION OF THE TEXTILES AND CLOTHING SECTOR INTO GATT.

C. OTHER BUSINESS.

3. GOVERNMENTS PARTICIPATING IN THE MULTILATERAL TRADE NEGOTIATIONS WISHING TO BE REPRESENTED AT THIS MEETING ARE REQUESTED TO INFORM ME AS SOON AS POSSIBLE OF THE NAMES OF THEIR REPRESENTATIVES.

A. DUNKEL

91-0891

SENT BY: Director-General, GATT, Tel. address: GATT GENEVA
ENVOYÉ PAR: Directeur général, GATT, Adresse télégraphique: GATT GENÈVE

0055

기 안 용 지

분류기호 문서번호	통기 20644-	(전화 : 720 - 2188)	시 행 상 특별취급	
보존기간	영구. 준영구 10. 5. 3. 1.	장 관		
수 신 처 보존기간				
시행일자	1991. 7. 1.			

보조기관	국 장	전 결	협조기관		문 서 통 제
	심의관				
	과 장				
기안책임자		안 성 국			발 송 인

경 유 수 신 참 조	내부결재	발신명의		
제 목	UR 섬유협상 정부대표 임명			

'91.7.5 제네바에서 개최되는 표제회의에 참석할 정부대표를 "정부대표 및 특별사절의 임명과 권한에 관한 법률"에 의거 아래와 같이 임명하고자 건의합니다.

- 아 래 -

1. 회 의 명 : UR/섬유협상 그룹회의

2. 일시 및 장소 : 1991.7.5(금), 제네바 계 속 ....

0056

3. 회의 의제

ㅇ MFA Ⅳ 처리문제

ㅇ 비공식협의 관련 의장보고

ㅇ 섬유교역의 갓트 복귀방식에 관한 실질협상

4. 정부대표

~~ㅇ 주 제네바 대표부 상무관 정상훈~~

ㅇ 상공부 섬유원료과장 임내규

5. 출장기간 : 7.3(수)-6(토) (3박4일간)

6. 소요예산 : 상공부 소관예산

7. 훈령(안)

ㅇ MFA Ⅳ 처리에 대해서는 ITCB 공동입장을 지지하면서

동 문제의 조속한 결정을 이루어 ~~바에~~ 실질적인 UR/섬유협상의

타결을 위한 노력 집중을 촉구함.

ㅇ 섬유교역의 갓트복귀에 있어서 핵심사항인 단계별

규제품목 철폐가 실효성을 거두기 위해서는 현 의장안의

0057

대상품목이 현 MFN Ⅳ상의 규제품목으로 국한시켜야 한다는 원칙을 강조함

o 본 훈령의 범위를 넘는 중요사안에 대해서는 반드시 본부에 청훈하여 처리함

o 귀국후 20일이내에 회의결과 보고서를 제출함. 끝.

0058

"산업평화 이룩하여 경제난국 이륙하자"

대 한 민 국

상 공 부

섬 원 28260- 465 (503 - 9487) 1991. 6. 29.

수 신 외무부장관 (통상기구과장)

제 목 UR 섬유협상 참가

'91 7. 5 스위스 제네바에서 개최되는 표제협상에 참가하기 위하여 다음과 같이 출장코자 하오니 정부대표 임명등 필요한 조치를 하어 주시기 바랍니다.

- 다 음 -

1. 출장지 : 스위스, 제네바
2. 출장자 및 출장기간
   - ㅇ 출장자 : 섬유원료과장 임내규
     (Director of Textile Raw Material, LEEM, LAE GUE)
   - ㅇ 출장기간 : '91.7.3 ~ 7.6
3. 소요예산 : 상공부 예산.

첨 부 : UR/섬유협상 참가입장 1부. 끝.

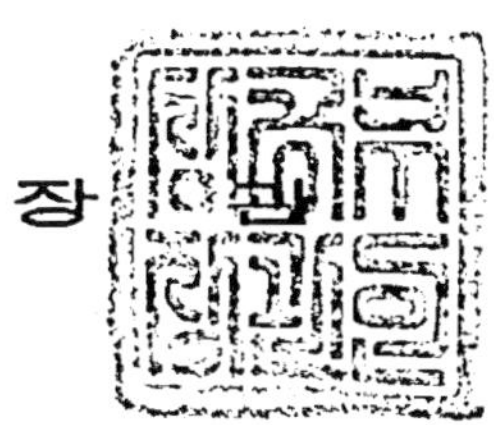

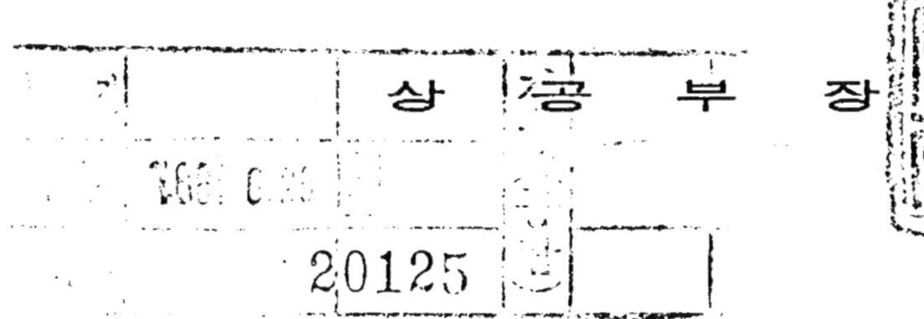

상 공 부 장 관

20125

0059

UR/섬유협상 참가 입장

(1991. 7. 5)

0060

1. 회의 개요

o 일 시 : 91.7.5 (필요시 7.9까지 속개)

o 회의진행 및 의제

- 7.5, 11:00 던켈 갓트 사무총장 주재 그린룸 회의 (MFA 연장 문제)

- 7.5 15:00 UR/섬유협상 공식회의 (필요시 7.9까지 계속)

o 회의참석

- 주 제네바대표부 상무관

- 임내규 섬유원료과장

2. 회의배경 및 예상 논의사항

o 미국의 신속승인절차 (Fast-Track)가 연장된 후 각 분야별로 협상이 진행되고 있는 상황에서 최초의 섬유협상그룹 회의임

o 금번 회의에서는 현재 다자간섬유협정(MFA Ⅳ)의 연장 문제가 결정되지 않은 상태이므로 UR/섬유협상에 대한 본격 논의 및 진전은 없을 것으로 예상됨

o 따라서 현 의장안상의 품목 대상 범위 (Annex Ⅱ)에 대한 기술적인 검토와 MFA 연장에 대한 비공식 의견 교환이 있을 것으로 예상됨

0081

3. 회의 참가 입장

가. MFA Ⅳ 연장문제

1) 진전현황

o 현재까지 MFA 연장 협상은 아래와 같은 선.개도국 입장 대립에 전혀 진전이 없는 상태임

- 개도국
  . 다자간섬유협정(MFA Ⅳ)를 92년말까지 17개월 연장
  . 연장시 ① 새로운 규제 도입 금지 ② 현재의 규제 수준보다 악화 방지 ③ 중량제한 및 EC의 국별제한 철폐를 부대 조건으로 주장

- 미 국
  . 29개월 연장이 미국 입장이지만 17개월로 consensus가 이루어질 수 있다면 수락토록 건의할 수 있음
  . 3가지 부대조건은 수락불가

- EC, 일본, 카나다등 여타 선진국
  . 17개월 연장안 지지. 다만 3가지 부대조건은 수락 불가

o 현재까지 MFA 연장 문제에 합의를 이루지 못하고 있는것은

① MFA의 종료시한이 7.31까지로 아직 한달간의 기간이 남아 있다는 점

② 업계의 섬유교역은 7.31 종료되는 MFA 자체가 아니라 대부분 금년말 종료되는 양자 섬유 협정에따라 규율되고 있다는 점

③ 현재 농산물을 비롯한 UR협상전체에서 돌파구를 찾지 못하고 있으므로 UR/섬유협상에서의 진전을 기대할 수 없다는 점등으로 인해 각국이 MFA 연장문제를 조기에 합의코자 서두르지 않고 있기 때문으로 분석됨

0062

2) 금번 회의시 입장

o 금번 회의시 MFA 연장 문제는 던컬 갓트 사무총장의 그린룸 회의에서 비공식으로 의견 교환이 있을 것으로 보임

o 현재 각국이 상기 기존 입장을 고수하고 있는 상황이며 금번회의에서는 단순히 진전 현황만을 점검할 것으로 판단됨

o 따라서 아국도 기존 ITCB 입장을 지지하면서 MFA 연장 문제가 조속히 결정되어 보다 중요한 UR/섬유협상 타결에 노력을 집중해야 함을 언급토록 함

나. UR/ 섬유 협상

1) 진전현황

o 현 MFA를 철폐하고 갓트로 복귀할때까지 섬유 교역을 규율할 잠정 협정안을 작성 브랏셀 각료회의에 제출 논의했으나 최종 합의 실패
  - 농산물 협상에서의 이견으로 섬유 분야는 심도있게 논의하지 못했음

o MFA 철폐 갓트 복귀를 위한 기본적인 복귀방법 (modality)에 대해서는 양자 협정상의 규제 수준을 기초로 한다는 점에 대해 합의가 이루어진 상태이나 구체적인 세부사항에 대해 선·개도국간 이견이 있는 상태임

  - 주요 미결 쟁점 (8개)

    ① GATT 복귀의 최종 시한
    ② 협정 대상품목 범위 (부록 II)
    ③ 단계별 복귀율을 포함한 GATT 복귀단계
    ④ 기본 쿼타 수준 및 최저 증가율 설정 여부를 포함한 년 증가율
    ⑤ 특수한 형태의 수출개도국의 우대 문제
    ⑥ 잠정 Safeguards 제도
    ⑦ 일정기간 Safeguards 조치 (GATT 19조)의 적용 배제기간 설정여부
    ⑧ GATT 규정의 준수 여부를 검토, MFA 철폐계획 이행과 연계하는 절차

0063

o 지난 91.2 개최된 무역협상위원회 (TNC) 회의에서 UR 협상이 연장, 재개된 이후 기술적 문제의 검토 회의를 3월 및 5월에 개최했으나 상기 미결 쟁점이 대부분 정치적 타협을 요하는 사항이므로 별반 논의사항 없이 진행되었고, 단지 갓트 사무국이 8개 쟁점중 하나인 품목 대상 범위에 대해 현 의장안에 수록되어 있는 대상 품목별 수입국이 90년 수입량에 대한 자료를 작성토록하고 이를 금번 회의시 논의키로 한바 있음

- 인도, 파키스탄등 강경 수출 개도국들은 8개 미결 쟁점중 특히 동 협정대상 품목 범위에 대해 가장 큰 불만 제기

  . 현 의장안의 협정대상 품목이 지나치게 광범위하여 동 품목을 기준으로 한 단계별 규제 철폐가 무의미하며

  . 또한 자국의 관심 품목으로 현재 양자규제를 받고 있지 않은 raw cotton, staple fibres, carpets 등의 품목이 포함되어 있다고 강하게 반발

2) 금번 회의시 입장

o 현 의장안의 대상품목 (ANNEX Ⅱ)중 아국을 비롯한 홍콩, 중국등 주종 수출국의 수출 관심 품목이 협정 대상에서 제외될 가능성은 높지 않음

o 따라서 아국은 금번 회의시 특정 품목을 협정 대상에서 제외시킬 것을 주장하는 것 보다는 대상품목 전반에 대해 아래와 같은 입장으로 할 계획임

- MFA를 철폐하고 갓트로 복귀하는데 있어 핵심인 단계별 규제 품목 철폐가 실효성을 거두기 위해서는 의장안의 대상 품목이 현 MFA상의 규제중인 품목으로 국한 시켜야 한다는 원칙을 강조토록 함
- 특정국이 삭제를 주장하는 일부 품목을 일정한 원칙이나 기준없이 선별적으로 대상 품목에서 삭제하는 것은 MFA 철폐. 갓트 복귀에 대한 신뢰성에 어긋난다는 점을 지적토록 함

0064

다. 기타사항

- 기타 금번 회의 참가시 갓트 사무국 및 주요국 대표를 비공식 접촉하여 MFA 연장 협상과 UR/섬유협상에 대한 각국의 동향과 분위기등을 파악하여 하반기 전개될 본격 협상에 대비할 계획임

0035

30696

기 안 용 지

분류기호 문서번호	통기 20644-	(전화: 720 - 2188)	시 행 상 특별취급	
보존기간	영구. 준영구 10. 5. 3. 1.	장 관		
수 신 처 보존기간				
시행일자	1991. 7. 1.			

보조기관		협조기관		문서통제
국 장	전 결			검열 1991. 7. 02 통제관
심의관				
과 장				
기안책임자	안 성 국			발 송 인

경 유 수 신 참 조	상공부장관	발신명의		발송 1991. 7. 02 외무부
제 목	UR/섬유협상 정부대표 임명 통보			

'91.7.5 제네바에서 개최되는 표제회의에 참석할 정부대표를 "정부대표 및 특별사절의 임명과 권한에 관한 법률"에 의거 아래와 같이 임명하였음을 알려드립니다.

- 아 래 -

1. 회 의 명 : UR/섬유협상 그룹회의

2. 일시 및 장소 : 1991.7.5(금), 제네바 계 속 ....

0066

3. 회의 의제

o MFA Ⅳ 처리문제

o 비공식협의 관련 의장보고

o 섬유교역의 갓트 복귀방식에 관한 실질협상

4. 정부대표

o 주 제네바 대표부 상무관 강상훈

o 상공부 섬유원료과장 임내규

5. 출장기간 : 7.3(수)-6(토) (3박4일간)

6. 소요예산 : 상공부 소관예산

7. 훈령

o MFA Ⅳ 처리에 대해서는 ITCB 공동입장을 지지하면서 동 문제의 조속한 결정하에 실질적인 UR/섬유협상의 타결을 위한 노력 집중을 촉구함.

o 섬유교역의 갓트복귀에 있어서 핵심사항인 단계별 규제품목 철폐가 실효성을 거두기 위해서는 현 의장안의

0067

대상품목이 현 MFN Ⅳ상의 규제품목으로 국한시켜야

한다는 원칙을 강조함

o 본 훈령의 범위를 넘는 중요사안에 대해서는 반드시

본부에 청훈하여 처리함

o 귀국후 20일이내에 회의결과 보고서를 제출함. 끝.

0068

분류번호	보존기간

발 신 전 보

번 호 : WGV-0850 910701 1930 FO 종별 : 암호송신

수 신 : 주 제네바 대사. 총영사

발 신 : 장 관 (통 기)

제 목 : UR/섬유협상 그룹회의

대 : GVW-1137

1. 91.7.5. 귀지에서 개최되는 표제회의 본부대표로 임내규 상공부 섬유원료과장을 임명하였으니 귀관 관계관과 함께 참석토록 조치 바람.

2. 표제회의 훈령을 아래 통보함.

   o MFA IV 처리에 대해서는 ITCB 공동입장을 지지하면서 동 문제의 조속한 결정을 이루어 실질적인 UR/섬유협상의 타결을 위한 노력 집중을 촉구함.

   o 섬유교역의 갓트복귀에 있어서 핵심사항인 단계별 규제품목 철폐가 실효성을 거두기 위해서는 현 의장안의 대상품목이 현 MFN IV상의 규제품목으로 국한시켜야 한다는 원칙을 강조함

   o 본 훈령의 범위를 넘는 중요사안에 대해서는 반드시 본부에 청훈하여 처리함.

끝. (통상국장 김 삼훈)

보안통제	(서명)

앙고재	91년 7월 1일	통기과	기안자 성명: 안성국		과장: (서명)	심의관: (서명)	국장: 전결		차관	장관: (서명)

외신과통제

0069

전 언 통 신 문

통기 20644- 32922 1991. 7.10.

수신 상공부장관

참조 국제협력관

발신 외무부장관

제목 UR/섬유협상

91.7.8(월) DUNKEL 사무총장 주재하의 표제 GREEN ROOM 비공식 회의에서는 MFA Ⅳ 연장 문제와 의장 text Annex Ⅱ상의 Product Coverage에 대한 논의가 있었으나 수입국과 수출개도국간에 입장의 첨예한 대립으로 결론을 내리지 못하고 다음 재개될 7.15(월) 회의에서 계속 논의하기로 하였는 바, 차기 회의에 대비코자 하오니 아래 사항에 대한 귀부의 입장을 알려 주시기 바랍니다.

- 아 래 -

1. 의장 text Annex Ⅱ상의 Product Coverage와 관련하여 MFA 규제품목의 정의 및 MFA하의 양자협정상 한 수출국가에만 적용되는 규제품목의 Product Coverage에의 포함 여부
2. 미국 및 EC는 가능한 한 현 Annex Ⅱ상의 품목을 그대로 유지하는 대신 Growth Rate 및 Integration Ratio 문제에 대해서 탄력적 입장을 보일 수 있음을 시사 하였는바, Product Coverage와 상기 2요소간의 연계 문제
3. MFA 17개월 연장을 내용으로 하는 Dunkel 의장의 중재안 (표제회의에서 제출)은 Punta 선언 및 Mid Term Review를 재인용함으로써 ITCB의 3가지 전제조건에 대해서도 법적 기속력이 약한 정치적 재확인의 의미만 부여하고, 반면 연장기간에 대해서는 17개월 연장을 전제로 일부 강경 수출개도국의 입장을 고려, 1992.7.31 이전 이에 대한 Review 할 수 있도록 함으로써 타협점을 모색하고자 하는 것으로 판단되는 바, 동 중재안에 대한 입장. 끝.

0070

기 안 용 지

분류기호 문서번호	통기 20644- 36098	(전화: 720 - 2188)	시 행 상 특별취급	
보존기간	영구. 준영구 10. 5. 3. 1.	장 관		
수 신 처 보존기간				
시행일자	1991. 8. 3.			

보조기관			협조기관		
국 장	전 결				문 서 통 제
심의관					
과 장					
기안책임자	강 정 식				발 송 인

경 유 수 신 참 조	상공부장관	발신명의		
제 목	다자간 섬유협정(MFA)			

1. 91.7.31 채택된 다자간 섬유협정(MFA Ⅳ) 연장서는 91.8.1자로 발효되며, 현행 협정 당사국에 대하여 서명 또는 기타 방법에 의한 수락을 위하여 개방하여 두고 있습니다.

2. 상기 의정서 수락의 국내절차에 필요하오니 동 의정서 수락 여부를 통보하여 주시기 바라며, 수락할 경우 의정서 채택 경위,

0071

아국의 연장 의정서 수락 필요성에 관한 자료와 의정서 국역문을 지급 송부하여 주시기 바랍니다.

3. 아울러, 동 연장 의정서에 의하면 국내법 절차 완료를 전제 조건으로 서명하는 경우 동국에 대하여는 동 조건부 서명 일자로부터 연장 의정서가 잠정 적용되도록 되어 있는바, 이와관련 국내법 절차 완료시까지 시일이 소요됨을 감안, 아국이 동 의정서의 잠정 적용을 위하여 조건부 서명 필요성이 있는지에 대해서도 검토 의견을 회시하여 주시기 바랍니다. 끝.

상공부 국제협력과

통화일시 : 91.8.5(월) 14:15

수화자 : 이 애자

송화자 : 이 ◯◯

- 2 -

0072

상 공 부

국 협 28140 - 208 (503 - 9446) 1991. 8. 9.

수 신 외무부 장관

참 조 통상국장

제 목 다자간 섬유협정 연장 수락

1. 귀부 20644 - 36098 관련입니다.

2. 위 관련으로 요청하신 다자간 섬유협정(MFA Ⅳ) 연장에 대한 수락과 관련 우리부의 검토의견을 별첨과 같이 송부합니다.

첨 부 : 다자간 섬유협정(MFA Ⅳ) 연장의정서 수락.

상 공 부 장

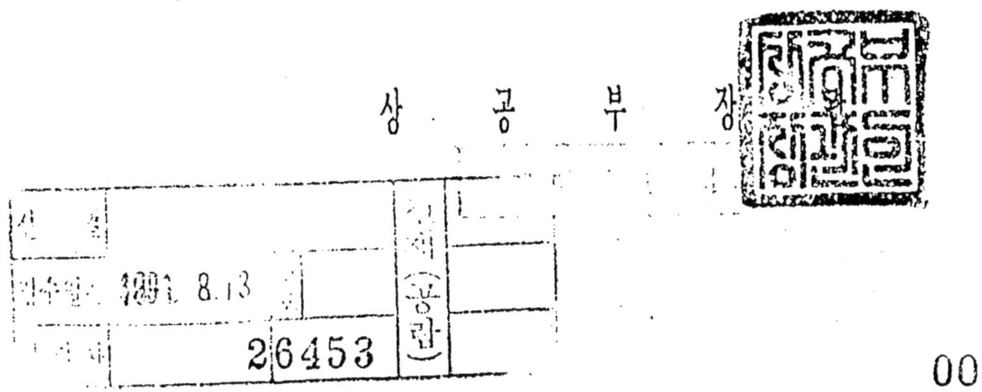

0073

다자간 섬유협정 (MFA) 연장의정서 수락

==

1. 수락 배경

o 7. 31 제네바에서 개최된 갓트 섬유위원회 (Textile Committee)에서 금년 7. 31 종료하는 다자간 섬유협정 (MFA Ⅳ)을 92. 12. 31까지 17개월간 연장하는 의정서(안)에 잠정 합의 하였음 (합의 내용 기 보고)

o 동 연장의정서(안)에 의하면 동 의정서는 91. 8. 1자로 잠정 발효하며 현행 협정 당사국에 대하여 서명 또는 기타 방법에 의해 수락을 개방하여 둔 상태임

o 따라서 당부는 과거의 예에따라 외무부를 경유 주제네바 대사로 하여금 동 의정서(안)을 수락 서명토록 행정적인 절차를 거치도록 할 계획임

2. 수락 내용

- 아래 내용으로 잠정 합의된 섬유위원회 합의 사항을 수락함

가. 섬유위원회(T/C)는 MFA 연장문제 논의를 위해 91. 7. 31 협의 하였음

나. 위원회는 86년 연장된 MFA Ⅳ를 91. 8. 1부터 92. 12. 31까지 17개월 연장할 것을 결정함

0074

다. 본 결정과정에서 참가국들은 섬유교역의 갓트 복귀를 실현할 수 있도록 섬유 교역 환경의 개선에 노력하기 위해 푼타 선언문 Part I.C상에 포함된 Standstill and Roll-back과 중간평가(Mid-term review)상의 약속 사항을 재확인함

라. 법적인 절차로서 섬유위원회는 별첨하는 MFA의 17개월 연장 의정서를 작성 하였고 동 의정서는 91. 8. 1부터 효력을 발생함.

3. 연장 의정서 채택 경위

o 91. 4. 22 던켈 의장 주재로 7. 31 종료하는 MFA Ⅳ 연장문제에 대한 최초 그린룸 협의

o 91. 5. 6 ~ 11 섬유수출개도국기구(ITCB) 이사회 개최, 공동 입장 수립
  - 92년말까지 17개월 연장
  - 3가지 부대조건 제시
    . 새로운 규제 도입 제시
    . 규제수준 악화 방지
    . 총량제한 및 EC의 국별 쿼타 철폐

o 91. 5. 16 던켈의장 주재로 섬유위원회 개최
  - 개도국 : ITCB 공동 입장 표명
  - 선진국 : 17개월 연장안 수용 가능(미국은 29개월 연장이 공식 입장 이나 17개월 수용 가능성 암시)
    다만, 개도국이 주장하는 3가지 부대조건은 수락 불가 입장

o 91.5.17 ~ 6.30 Mathur 갓트 사무차장 주재로 주요국과의 비공식 협의 진행
  - 선.개도국이 기존 입장 고수

o 91. 7. 8 던켈의장 주재로 2차 그린룸 협의 개최
  - 던켈의장이 중재안 제시

0075

. 푼타 델 에스테 각료선언 및 몬트리올 중간 평가 결정에 따른 UR/섬유협상 진행을 감안하여 MFA Ⅳ(MFA 및 86년 연장의정서)를 92년 12월 31일까지 17개월 연장하고 푼타 각료선언상의 SS/RB (Standstill/Rollback) 공약을 재확인함

o 91. 7. 12 섬유수출개도국(ITCB) 회의 개최

- 던켈의장 중재안에 대해 논의하고 수정안 제시
  . 종래의 3가지 부대 조건을 푼타 각료선언상의 SS/RB 공약을 구체적으로 인용하여 법적 기속력의 강도를 낮추었음

o 91. 7. 15 던켈의장 주재 3차 그린룸 협의

- 선진 수입국들은 상기 ITCB가 제시한 수정안 중 연장기간 17개월을 제외하고는 모든 문안에 반대 입장 표명

o 91.7.17 ~ 19 던켈의장 주재 4차 그린룸 협의

- 선진 수입국의 ITCB가 제시한 수정문안 반대 계속

o 91. 7. 30 던켈의장 주재 5차 그린룸 협의

- 개도국중 인도, 파키스탄이 던켈의장 중재 수락

o 91. 7. 31 섬유위원회 공식회의 개최

- 던켈의장이 제시한 아래 내용으로 최종 합의함
  . 섬유교역의 갓트 복귀를 실현할 수 있도록 섬유교역 환경 개선에 노력하기 위해 푼타 각료선언상의 SS/RB 및 중간평가 상의 약속을 재확인함

(Stand Still
Rollback)

0076

4. 평가 및 아국의 의정서 수락 필요성

o 금번 연장의정서 합의는 당초 우리나라가 주장한 바와 같이 현 MFA의 단순연장이 이루어졌고 연장시기는 우리가 소속된 섬유수출개도국기구(Int'l Textile and Clothing Bureau)가 공동 주장한 92년말까지의 17개월 연장에 합의하게 된 것임

o 다만 섬유수출개도국기구(ITCB) 회원국중 인도, 파키스탄은 연장의 부대조건으로 법적 구속력이 강한 조건을 주장하여 선진국과 대립하여 온 바 최종 순간에 던켈 의장이 제시한 정치적 성격의 타협안에 합의하게 되었음

o 우리나라는 현 MFA하에 섬유주종수출대국으로서 UR/섬유협상을 통해 MFA 철폐 및 갓트로의 복귀 협상이 진행되고 있는 상황이며 따라서 금번 MFA 연장은 과도기적 성격을 띄고 있는만큼 현 MFA의 17개월 단순연장을 결정한 연장의정서를 수락 가능함

o 또한 우리나라는 현 MFA Ⅳ가 일단 92년말까지 단순 연장키로 결정된 만큼 향후 선진국과의 양자 협상시 현 MFA상 양자 협정의 기본틀을 유지한 채 새로운 양자 협정의 개선 또는 악화를 방지할 수 있도록 양자 협상을 전개해야 할 것으로 판단됨

5. 향후 수락 절차

o 주관 부처인 당부의 상기 의정서 수락 의사를 외무부(조약과)에 통보

o 외무부는 요식행위로서 동 수락여부를 국무회의에 상정하여 최종 확정시키고 주제네바 대사로 하여금 정식 서명토록 할 계획임

o 한편 외무부는 상기 정식 서명절차가 시일이 소요됨을 감안 주제네바 대사로 하여금 국내절차 완료를 조건으로 잠정 서명토록 할 계획임

(첨 부) 섬유위원회 결정 및 연장의정서 국.영문

0077

협 조 문 용 지

분류기호 문서번호	통기 20644- 100	(2170, 2391)	결재	담 당	담당관	심의관
시행일자	1991. 8.14.					
수 신	국제기구조약국장	발 신	통상국장			
제 목	다자간 섬유협정 연장의정서 수락을 위한 국내절차 협조					

1. '91.7.31. 섬유위원회 회의에서는 다자간 섬유협정 17개월 ('91.8.1-'92.12.31) 연장을 내용으로 하는 동 협정 연장의정서가 채택 되었는바, 이와관련한 상공부 공문을 귀국으로 이첩하오니 필요한 조치를 취하여 주시기 바랍니다.

2. 상기 연장의정서 채택을 위한 국내절차 완료시까지는 상당한 시일(약 2개월)이 소요됨에 따라 동 연장의정서 수락이 지연 됨으로써 섬유감독기구(TSB) 참가 자격 제한등의 불이익 발생 가능성을 감안 잠정적용을 위한 조건부 서명 건의 결재를 상신중에 있으니 참고하시기 바랍니다.

첨 부 : 1. 연장의정서 인증 등본 및 동 국역문.

2. 섬유위원회 결정문(안) 및 동 국역문.

3. 상공부 공문. 끝.

0078

41849

기 안 용 지

분류기호 문서번호	통기 20644-	(전화: 720 - 2188)	시 행 상 특별취급	
보존기간	영구. 준영구 10. 5. 3. 1.	장 관		
수 신 처 보존기간				
시행일자	1991. 8.26.			

보조기관			협조기관		문서통제
	국 장	전 결			검열 1991. 8.27
	심의관				
	과 장				
기안책임자		안 성 국			발 송 인

경 유 수 신 참 조	상공부장관	발신명의	
제 목	MFA Ⅳ 연장의정서 조건부 수락		

연 : 통기 20644-36098 ('91.8.3)

대 : 국협 28140-308 ('91.8.9)

연호 관련, 주 제네바 대사는 '91.8.19. GATT 사무국에 공한을 발송하여 우리나라의 MFA Ⅳ 연장의정서 조건부 수락 의사를 통보하였으며, 우리나라의 동 의정서 조건부 수락시점은 '91.8.21임을 통보하오니 업무에 참고하시기 바랍니다. 끝.

0079

협 조 문 용 지

분류기호 문서번호	통기 20644-105	(2170, 2391)	결재	담 당	담당관	심의관
시행일자	1991. 8.26.			안성국		
수 신	국제기구조약국장	발 신	통상국장			
제 목	MFA Ⅳ 연장의정서 조건부 수락					

연 : 통기 20644-100 ('91.8.14)

연호 관련, 주 제네바 대사는 '91.8.19. GATT 사무국에 공한을 발송하여 우리나라의 MFA Ⅳ 연장의정서 조건부 수락 의사를 통보하였으며, 우리나라의 동 의정서 조건부 수락시점은 '91.8.21임을 통보하오니 업무에 참고하시기 바랍니다. 끝.

0080

원 본

외 무 부

종 별 :

번 호 : GVW-1712 일 시 : 91 0910 1800

수 신 : 장 관(통기, 상공부)

발 신 : 주 제네바 대사대리

제 목 : UR/섬유협상

표제 비공식회의 일정은 9.23(필요시 9.24-25 계속)이며, 공식회의는 9.26(목) 개최예정이라 하니 참고바람.

첨부: 비공식회의 일정 1부(GVW(F)-0334).끝.

(차석대사 김삼훈-국장)

통상국 2차보 상공부

PAGE 1

91.09.11 06:33 FG

외신 1과 통제관

0081

GVW(万)-0334 10910 1800

"GVW-1712 첨부"

		FAX. NOS.
To:	H.E. Mr. F. Jaramillo (Colombia)	791 07 87
	H.E. Mr. R. Barzuna (Costa Rica)	733 28 69
	H.E. Mr. H. Kartadjoemena (Indonesia) (ITCB)	793 83 09
	H.E. Mr. Jesús Seade (Mexico)	733 14 55
	A. Wong (Hong Kong)	733 99 04 OR 740 15 01
	P. Favro (Argentina)	798 72 82
	J. Potocnik (Austria)	734 45 91
	M. Talukdar (Bangladesh)	738 46 16
	A. Prates (Brazil)	733 28 34
	P. Gosselin (Canada)	734 79 19
	Y. Cong (China)	793 70 14
	A. Shalaby (Egypt)	731 68 28
	J. Beck (European Communities)	734 22 36
	K. Luotonen (Finland)(Nordics)	740 02 87
	A. Lakotos (Hungary)	738 46 09
	A. Sajjanhar (India)	738 45 48
	P. Coke (Jamaica)	738 44 20
	Y. Ishimaru (Japan)	788 38 11
	S. Kang (Korea)	791 05 25
	M. Supperamanian Manickam (Malaysia) (ASEAN)	788 09 75
	A. Lecheheb (Morocco)	798 47 02
	M. Ahmad (Pakistan)	734 80 85
	A.M. Deustua (Peru)	731 11 68
	L. Pemasiri (Sri Lanka)	734 90 84
	W. Meier (Switzerland)	734 56 23
	Y. Dincmen (Turkey)	734 52 09
	R. Shepherd (United States)	749 48 85
	C. Figueroa (Uruguay)	731 56 50
	B. Vukovic (Yugoslavia)	46 44 36

YOU ARE INVITED TO ATTEND AN INFORMAL MEETING TO BE HELD IN THE CENTRE WILLIAM RAPPARD, ROOM "B", ON MONDAY, 23 SEPTEMBER 1991 AT 3 P.M. TO CONTINUE THE DISCUSSION OF QUESTIONS RELATING TO PRODUCT COVERAGE (ANNEX II) AND THE TRANSITIONAL SAFEGUARD PROVISION (ARTICLE 6) IN THE DRAFT AGREEMENT ON TEXTILES AND CLOTHING (MTN.TNC/W/35/REV.1). THIS DISCUSSION WILL CONTINUE ON 24 AND 25 SEPTEMBER, AS NECESSARY.

PLEASE NOTIFY US IMMEDIATELY IF YOU DO NOT RECEIVE ALL THE PAGES

** OUR FAX EQUIPMENT IS HITACHI HIFAX 210 (COMPATIBLE WITH GROUPS 2 AND 3) AND IS SET TO RECEIVE AUTOMATICALLY **

0082

주 제 네 바 대 표 부

제네(경) 20644-785 1991. 9. 12

수 신 : 외무부장관

참 조 : 통상국장

제 목 : 갓트/TSB위원 통보

발송 91. 9. 13 주제네바대표부

MFA IV 가 92.12월말 까지 연장됨에 따라, 당관 오행겸참사관을 91년도 잔여기간 동안 TSB 정위원으로 갓트 사무국에 별첨과 같이 통보하였음을 보고합니다.

첨부 : 상기 통보서한 사본 1부. 끝.

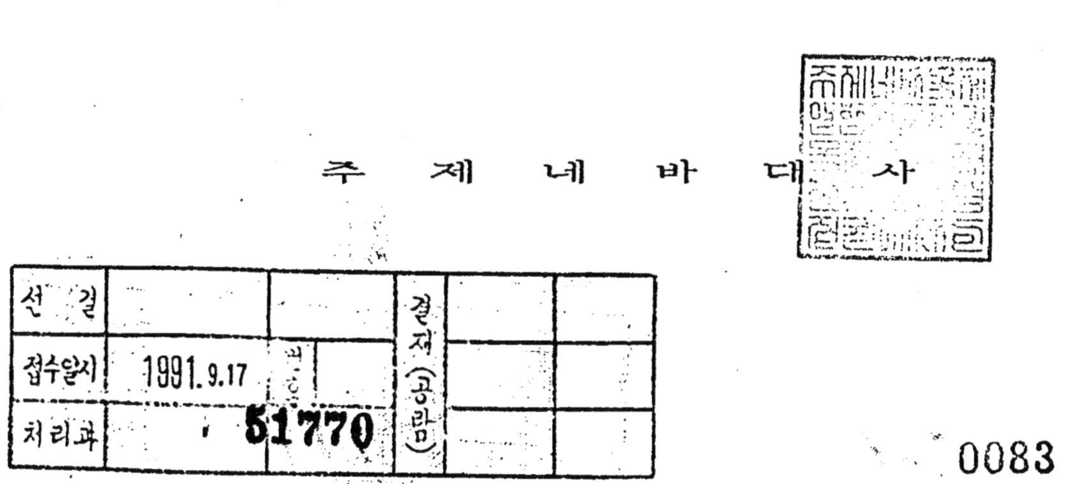

주 제 네 바 대 사

선 결			결재 (공람)		
접수일시	1991. 9.17				
처리과	51770				

0083

PERMANENT MISSION OF THE REPUBLIC OF KOREA

GENEVA

12 September 1991

Dear Mr. Director-General,

I have the honour to inform you that Mr. Haeng Kyeom OH, Counsellor of this Mission has been appointed by the Government of the Republic of Korea as a member of the Textiles Surveillance Body for the remainder of the year of 1991.

With highest personal regards, I remain.

Sincerely yours,

KIM, Sam Hoon
Ambassador

H.E. Mr. Arthur DUNKEL
Director-General of the
GATT and
Chairman of the Textiles Committee
154, rue de Lausanne
1211 - GENEVA 21

0084

기 안 용 지

분류기호 서번호	통기 20644-	(전화 : 720 - 2188)	시 행 상 특별취급	
보존기간	영구. 준영구 10. 5. 3. 1.	장		관
수 신 처 보존기간				
시행일자	1991. 9.19.			

보조기관	국 장	전 결	협조기관		문 서 통 제
	심의관				
	과 장				
기안책임자		조 현			발 송 인

경 유 수 신 참 조	내부결재	발신명의		
제 목	UR/섬유협상 정부대표 임명			

91.9.23(월)-26(목)간 제네바에서 개최되는 UR/섬유협상에 참가할 정부대표를 "정부대표 및 특별사절의 임명과 권한에 관한 법률"에 의거, 아래와 같이 임명할 것을 건의합니다.

- 아 래 -

1. 회 의 명 : UR/섬유협상

- 1 -

0085

2. 개최기간 및 개최지 : 91.9.23-26, 스위스 제네바

3. 정부대표

o 주 제네바 대표부 관계관

o 상공부 국제협력관실 사무관　　김영학

4. 본부대표 출장기간 : 9.22(일)-29(일)

5. 소요경비 : 상공부 소관예산

6. 훈　령

o 현 MFA하의 섬유 교역 체제를 급격히 변화시키지 않고 MFA의 점진적 철폐 및 갓트 복귀를 통한 섬유 교역의 자유화를 달성한다는 기본원칙 고수

o 따라서 기존 MFA 체제를 기본으로 하고 있는 현 의장안에 대해 긍정적 입장 견지

- 2 -

0086

o 향후 섬유협상에서 개도국 공동 입장 유지가 긴요할 것임을 감안, ITCB 공동 입장을 지지하고, 일부 아국 이해와 상충되는 ITCB내 여타 개도국 주장에 대해서도 강경한 반대 입장 표명은 자제

※ 세부대책은 9.20 UR 대책 실무위원회에서 별첨 상공부 자료를 기초로 검토 예정

첨 부 : UR/섬유협상 대책 자료. 끝.

상 공 부

국 협 28140 -771 (500 - 2395) 1991. 9. 19.

수 신 외무부 장관

제 목 UR/섬유협상 참가

91.9.23(월) ~ 9.26(목)간 스위스 제네바에서 개최되는 UR/섬유협상에 참가하기 위하여 다음과 같이 출장코자 하오니 정부대표 임명등 필요한 조치를 하여 주시기 바랍니다.

= 다 음 =

1. 출 장 지 : 스위스 제네바
2. 출장기간 : 91.9.22(일) ~ 9.29(일)
3. 출 장 자 : 국제협력관실 행정사무관 김 영학
4. 소요예산 : 상공부 예산

첨 부 : 회의 참가 입장 1부. 끝.

발송 1991. 9. 19 상공부

첨부문에서 분리되면 일반문서로 재분류

상 공 부 장

차 관 전결

0088

UR／섬유협상 대책 자료

- 9.23 ~ 26 회의 및 한.미 양자협의 대비 -

1991. 9.

상 공 부
국 제 협 력 관 실

0089

1. 협상 진전 현황

o 현 MFA를 철폐하고 GATT로 복귀할 때까지 섬유교역을 규율할 의장안을 작성하여 작년 브랏셀 각료회의에 제출 논의했으나 합의 실패

- 의장안에 아래 8개 미결쟁점을 명시

① 갓트 복귀시한

② 품목 대상 범위

③ 단계별 갓트 복귀 방법

④ 기초물량 (Base level) 및 연 증가율

⑤ 특별한 공급국 우대 문제

⑥ 잠정 Safeguards

⑦ 갓트 19조 발동 금지기간 인정 여부

⑧ 재심 절차

o 금년 협상이 연장 재개된 후 상기 8개 미결 쟁점중 ① 품목대상 범위 ② 잠정 Safeguard등 2개의 기술적 검토가 필요한 쟁점에 대해 비공식 협의를 개최했으나 기존 입장 확인에 그침 (3차)

- 사무국은 품목 대상 범위 검토를 위해 선진 수입국으로부터 규제하의 섬유 수입통계를 제출 받고 있음

- 작년 브랏셀 각료회의에 제출했던 협상안을 향후 협상의 기초로 할 것을 재확인 했음

o 7.30 개최된 TNC 회의에서 던켈 의장은 섬유를 농산물, 시장접근, 서비스와 함께 해결해야 할 현안 문제가 가장 많은 협상 분야로 지적 하였으나, 섬유 분야의 8개 미결 쟁점은 대부분 정치적인 타협으로 풀어야 할 쟁점들임

0090

2. 주요국의 동향

1) 미국. EC등 선진국

o 현 의장안의 기본 골격에 크게 이의를 제기치 않고 있으며 최종 협상 단계에서 현 의장안에 기초한 정치적 절충을 시도코자 하는 전략임

2) 인도, 파키스탄등 강경 개도국

o UR 전체 협상 분야의 선.개도국간 균형된 협상 결과를 명분으로 하여 서비스, 지적재산권등 타 분야 협상 결과에 따라서는 현 의장안을 대폭 수정해야 한다고 주장하고 있음

3) 홍콩, 중국등 섬유 주종 수출 대국

o 현 의장안에 대체로 만족하고 최종 단계에 소폭 개선코자 하는 입장임

- 홍콩, 중국등은 현 MFA하에 다량의 쿼타를 보유하고 있고 현 의장안이 현 MFA를 기초로 하여 갓트 복귀를 실현코자 하고 있기 때문임

3. 미측의 대아국 예상 제기 내용

o 전반적으로 현 의장안이 한국을 비롯한 섬유 주종 수출 대국의 이익을 이미 반영하고 있으므로 한국이 보다 적극적으로 현 의장안에 기초한 협상 타결을 위해 인도, 파키스탄등 ITCB내 강경 개도국의 입장을 완화시켜 주는 역할을 해 줄 것을 기대

o 8개 미결 쟁점과 관련해서는

- 한국, 홍콩이 주장하는 1%로의 최소 연 증가율 보장 문제는 동 품목들이 미국내 시장에서 차지하는 민감성과 한국, 홍콩이 이미 동 품목에 대해 다량의 쿼타 수준을 보유하고 있다는 점을 들어 동 주장의 철회 요청

- MFA 철폐 및 갓트 복귀 단계 이행과 협정상 의무 이행 단계를 연계시키는 검증 문제에 대해 한국측의 수용 기대

0091

4. 아국입장 검토

o 현 MFA하에서 섬유 주종 수출국으로서의 아국의 위치를 감안, 현 MFA하의 섬유 교역의 기존 체제를 급격히 변화시키지 않고 점진적으로 철폐하고 갓트로의 복귀가 실현되어야 함

- 아국과 홍콩, 중국등 3개국은 91년 미국 전체 수입 쿼타량의 53%를 차지하고 있음 (중국 19.7%, 홍콩 16.9%, 한국 15.4%)

o 현 의장안이 기존 MFA 체제를 기본으로 하여 (특히 현 양자 협정상의 쿼타량 기준) 이를 점진적으로 철폐하는 것을 기본 골격으로 하고 있으므로 아국으로서는 현 의장안 내용 수용 가능함

o 현재까지 섬유 수출 개도국 기구 (ITCB) 가입국들은 대외적으로 공동 입장을 견지하고 있으므로 현 단계에서는 아국으로서도 여타 ITCB 국가의 공동입장이 유지되는것이 바람직함

- 섬유협상의 많은 쟁점은 선.개도국뿐 아니라 개도국간에도 이해가 상충되는 사항이므로 ITCB 공동 입장이 무너져 개별국가별 대선진국 협상이 전개될 경우 개도국의 협상력은 상실됨

  예) 아국, 홍콩은 많은 ITCB내 개도국이 주장하는 특수한 공급국 우대 문제, 잠정 SG조치등에 실질적 관심이 없으며 (일부 이해 관계가 상충되는 부분도 있음), 반면 여타 ITCB 개도국은 현 의장안의 기초 수준 (Base level)이 현 양자 협정상의 기존 쿼타량을 기준으로 하고 있다는 점 및 1% 최소 연 증가율 문제등에 소극적인 입장임

- 아국으로서는 ITCB 공동 입장이 유지되는것이 바람직하며, 따라서 일부 아국의 이해 관계에 상충되는 쟁점에 대해서도 강한 반대 입장을 취할 수 없음

0092

5. 주요쟁점 및 아국의 협상 대안 검토

가. 갓트 복귀시한 (제 10조)

1) 쟁점 및 주요국 입장

쟁 점 (요지)	의장안 내용	주 요 국 입 장
o 현 MFA를 철폐하고 갓트로 최종 복귀하는 시한 설정 문제	o 본 협정은 (92.1.1)부터 적용되며, 섬유류 교역이 GATT로 완전히 복귀하는 ( )에 종료됨	- 미국을 비롯한 대부분 선.개도국은 (92.1)부터 10년의 시한에 동의 - EC는 3단계 ('92,'96 또는 '97, '99 또는 2001)를 제시하고 마지막 단계 (종료시점)는 협상 막바지에 가서 제시할 수 있다는 입장으로서 12-15년을 가정 - 인도, 파키스탄은 장기간의 시한을 주장하는 EC에 맞서 6-8년 주장

2) 아국입장

- 미국을 포함 대부분 선.개도국이 주장하는 10년 내외의 기한에서 신축적으로 대응

. 인도, 파키스탄이 주장하는 6-8년은 수용 불가

- 현재 진행중인 섬유산업 구조개선 7개년계획 종료 (95년말) 이후 5년 정도의 구조 조정 효과 정착 기간 확보

나. 품목 대상 범위

쟁 점 (요지)	의장안 제 2조 및 제 6조	주 요 국 입 장
o 본 잠정협정의 품목 대상 범위 문제 - 동 대상 품목을 기준으로 하여 갓트 복귀율 (2조)과 잠정 SG조치 발동 대상이 됨	o 부록 II의 품목은 HS 6단위로서 하기 목적을 위해 설정 ① 본 협정 2조에 따른 잠정 기간중 단계별로 GATT 복귀되는 품목의 기초 ② 본 협정 6조의 SG제도 대상 품목 o 6조의 SG 규정에 의한 조치는 HS 단위별 기준이 아니라 특정 섬유제품에 대해 발동됨	o 개도국은 현 의장안의 대상 품목이 현재 MFA상 규제중인 품목보다 광범위하게 규정되어 있으므로 2조의 갓트 복귀율이 무의미 하다는 주장 - 인도, 파키스탄이 특히 강하게 주장하고 있음 (raw cotton, stafle fibres등 삭제 주장) o 선진국은 현 MFA상 규제 품목보다 확대된 섬유 품목 전체를 대상으로 하자는 입장

0093

2) 아국 입장

(제 1안)

o 현 의장안 부속서 Ⅱ에 포함된 대상 품목중 선진 수입국이 쌍무 쿼타로 규제하지 않고있는 품목을 중심으로 삭제할 것을 주장 (별첨)

(제 2안)

o 상기 품목의 삭제가 어려울 경우에는 우선 별첨 품목중 섬유원료, 천연섬유직물 (면직물 제외), chapter 30-49 및 64-96상의 품목을 삭제할 것을 주장

o 대응 논리

- 본 잠정협정은 현재의 MFA상의 규제를 철폐하고 이를 갓트로 복귀시키는 것이 목적인 만큼 대상 품목은 현 MFA상의 규제 품목을 기초로 해야 함

다. 단계별 규제 철폐 방법

1) 쟁점 및 주요국 입장

쟁 점	의 장 안	주 요 국 입 장
o 잠정 기간동안 MFA 철폐 및 갓트 복귀를 단계별로 나누어 현 규제 품목의 일정 비율을 철폐해 나가는 방안 - 90년 대상 품목 총 수입량을 기준으로 3단계로 나누어 일정 비율을 철폐하는데 합의 - 다만 그 대상 품목 및 철폐 비율에 이견	(6조 4항) o 본 협정 발효개시시점 (92.1)에서 본 협정 대상품목 (부록 Ⅱ)의 90년 총 수입량중 (10%)에 해당하는 품목을 HS 또는 카테고리별로 GATT에 복귀시킴 - 수입국에 의해 복귀되는 품목에는 부록 Ⅳ의 4개군의 품목이 포함됨 - 또한, 부록 Ⅲ B (특수공급국 규제) 및 C (규제적 관행)에 열거된 규제조치 및 관행을 포함 철폐함 (6조 6항) o 4항에 의해 GATT로 복귀되지 않은 잔여 품목들은 HS 또는 카테고리별로 하기 3단계에 의해 GATT로 복귀	o 선진국 : 4항에 의한 철폐 (초년도 철폐)를 6항의 단계별 철폐의 1단계로 인정하고 그 비율을 5%, 10%, 15%로 할 것을 주장 - 부록 Ⅳ상의 4개군 품목 포함 반대 - 부록 Ⅲ (B) 및 C 포함 반대 o 개도국 : 4항 철폐를 1단계로 하자는 선진국 입장 수용 다만 그 비율을 20%, 25%, 30%로 할 것을 주장 - 또한 이중 부록 Ⅳ상의 4개군을 각각 12%, 15%, 18% 의무적으로 포함할것을 주장

0094

쟁 점	의 장 안	주요국 입장
	A. ( )년 1월 1일 - 본협정 대상품목 (부록 Ⅱ)을 기준, (90)년의 총 수입량중 (15%)에 해당하는 규제품목 - 수입국에 의해 복귀되는 품목에는 부록 Ⅳ의 4개 품목군의 품목이 포함됨 B. ( )년 1월 1일 - 본 협정대상 품목 (부록 Ⅱ)을 기준, (90)년의 총 수입량중 (20%)에 해당하는 규제품목 - 수입국에 의해 복귀되는 품목에는 부록 Ⅳ의 4개 품목군의 품목이 포함됨 C. ( )년 1월 1일 - 본 협정의 모든 규제가 철폐되고 섬유 부분이 GATT로 복귀됨	

2) 아국입장

o 현 의장안의 철폐 비율 수용에 무리없음

- 10년간의 잠정기간중 총 45%를 자유화 함으로써 점진적인 철폐와 부합되며 국내 업계에 대한 충격완화 및 구조 조정기간 확보 가능

o 단계별 기간 설정을 균등히 배분

- 철폐 비율의 단계별 증대와 단계별 기간 단축을 통해 최초 단계에서는 각국의 구조조정 기간을 좀더 배려하고 점진적으로 자유화 속도를 가속화 시키는 것이 바람직함 (1단계 4년, 2단계 3년, 3단계 3년)

o 협상안

- MFA 철폐, 갓트 복귀 실현을 가능케 하기위해 잠정기간중 총 복귀율이 50% 이상이 되어야 함을 중재안으로 제시

. 선진국이 제시한 복귀비율 30%, ITCB가 제시한 복귀비율 75%

0095

라. 잔존 규제 품목의 기초 수준 및 연 증가율

1) 쟁점 및 주요국 입장

쟁 점	의 장 안	주 요 국 입 장
o 잠정기간동안 규제가 계속중인 품목에 대한 연 증가율 문제 - 양자 협정상의 연 증가율을 기준으로 하는 데는 합의 o 한국, 홍콩이 현재 보유하고 있는 1% 미만 연 증가율 품목을 1%로의 최소 연 증가율 인정 여부	(6조 9항) : 기초 수준 o 6항에 언급된 잔여규제 품목의 기초 수준 (BASE LEVEL)은 (91.12) 현재의 실제 MFA상 규제에서 X% 증량된 수준으로 함 (6조 10항) : 년 증가율 o 본 협정 적용기간 동안 규제수준은 6항에 의해 철폐되고 GATT로 복귀 될때까지 매년 하기 증가율로 증대됨 ① 1단계 : (92)년부터 ( )년까지 (91)년의 양자협정상 각 품목 카테고리에 적용되는 기존 증가율에 (16%) 증가 ② 2단계 : ( )년부터 ( )년까지 1단계 동안 각 품목 카테고리에 적용된 증가율에 (21%) 증가 ③ 3단계 : ( )년부터 ( )년까지 2단계 동안 각 품목 카테고리에 적용된 증가율에 (26%) 최소 증가율 증가. 단, 현 양자 협정상 1% 미만의 증가율을 적용받는 모든 품목은 상기 증가율을 적용하기 전에 1%로 증대시킴	(기초수준) o 선진국은 현 MFA하 양자협정상의 물량을 기초수준으로 할 것을, 개도국은 이에 일정 비율 증가한량을 기초 수준으로 할 것을 주장 (연 증가율) o 선진국은 단계별로 8%, 12%, 15% 증가율 적용 주장 - 1%로의 최소 증가율 인정에 반대 o 개도국은 각 단계별로 40%, 50%, 70% 증가율 적용 주장 - 아국 및 홍콩의 1% 최소 연 증가율 인정 주장

2) 아국 입장

o 현 MFA상 허용되었던 주요 수출국에 대한 차별적 증가율 적용 규정이 없으므로 단계별 증가율 자체는 상당한 개선으로 평가되나 1% 미만의 증가율을 가지고 있는 품목이 있는 아국으로서는 최소 증가율 1%가 관철되도록 노력

o 협상안

- 1% 최소 증가율 : UR의 기본 정신인 교역 자유화를 고려할때 최소 1% 증가율은 보장되어야 함

- 단계별 증가율 : 여타 개도국과 공동입장

0096

마. 잠정 Safeguards 규정

쟁 점	의 장 안	주 요 국 입 장
o 잠정기간동안 협정 대상 품목의 수입이 급증할 경우 갓트 19조가 아닌 Selectivity에 근거한 잠정 SG 발동 가능 - 발동조건, 기간 및 규제 수준등에 이견	(6조 4항) o 원칙적으로 특정 품목에 있어 보다 큰 시장 점유율을 갖고 있는 수출국이 잠정 SG 조치 적용을 받지 않으면 여타국은 규제받지 않음	o 주요 수출국에 비해 상대적으로 잠정 SG대상 품목이 많고 동 조치에 의한 규제 가능성이 높은 페루, 우루과이, 이집트 등 소규모 수출개도국들이 동 규정을 포함할 것을 주장하고 선진국들은 반대입장
	(6조 8항) o 협의를 통해 특정 수출국의 수출 제한에 대해 상호 합의할 경우, 동 규제 수준은 (① 협의요청일 이전 2개월 전부터 그 이전의 12개월간의 실제 수출 또는 수입수준), 또는 (②과거 3년간의 평균 실제 수출 또는 수입 수준중 낮지 않은 수준에서 결정되어야 함	o 선진국은 12개월간 수출 수준을, 개도국은 과거 3년간 수출 수준을 기준으로 할 것을 각각 주장
	(6조 12항) o 본 조문에 의한 규제조치는 ①(연장없이 3년)(최대 2년 연장이 가능한 1년)또는 ② 동 품목이 본 협정의 적용 대상에서 제외되는 시점중 빠른 기간동안 적용됨	o 선진국은 연장없이 3년 주장

2) 아국입장

o 6조 4항 관련 단순한 시장 점유율이 SG 조치의 발동 기준이 되는것은 합리적이지 못하므로 삭제해야 한다는 입장

- 수입국내 시장 교란은 시장점유율 이외에 여타 요소로 인해 발생 가능하다는 이유
- 다만 ITCB내 공동입장 유지 필요성등을 감안 적극적인 입장 표명은 자제

o 여타 쟁점은 타 개도국과 공동 입장 견지

0097

바. 특수한 공급국 우대

1) 쟁점 및 주요국 입장

쟁　점	의　장　안	주 요 국　입 장
o 면 및 모 생산국 소규모 공급국등 특수한 공급국에 대한 우대 방안 인정 여부 - 높은 연 증가율, 융통성, 기초수준 등	(4조 13항) o 면제품 수출에 주로 의존하는 면 생산 수출국에게는 상기 9항의 기본 쿼타량이 의미 있게 개선 될 정도로 증량시키고 융통성 조항은 ( )되고 10항의 증가율은 1단계에 ( )%로, 2단계에 ( )%로 3단계에서는 ( )%로 증가됨 (4조 14항) o 여타 수출국의 섬유수출 물량과 비교할때 전체 섬유 수출량이 소규모이고 동 수출이 특정수입국의 총 수입량중 1% 이내인 수출국에게는 상기 9항의 기본 쿼타량을 의미있는 개선이 될 정도로 증량시키고 융통성 조항은 ( )되고 10항의 증가율은 1단계에 ( )%로, 2단계에서 ( )%로, 3단계에서는 ( )%로 증가됨	o 선진국 : 전체 섬유수입 점유율 1% 미만으로 통용되는 소규모 공급국에 대한 일률적인 우대방안 반대. 단, 품목별 점유율 1% 미만인 품목은 품목별로 별도 우대 가능 (EC는 소규모 공급국에 대해 단계별 철폐 과정을 한 단계 앞서 적용하는 방안 검토 용의 표명) o 개도국 : 페루, 우루과이, 이집트 등 소규모 수출국과 면 (인도, 파키스탄, 터어키, 이집트) 또는 모 (우루과이) 생산국등이 강하게 주장

2) 아국입장 및 대안

o 소극적 입장으로 대응

- 특수한 공급국 우대 방안이 아국 입장에 일치하지 않으나 ITCB 공동 입장을 고려 적극적인 반대입장 표명 자제

- 선진국의 반대로 포괄적인 특수한 공급국 우대 방안의 실현 가능성 희박

0098

사. 갓트 19조 적용 금지 기간

1) 쟁점 및 주요국 입장

쟁 점	의 장 안	주 요 국 입 장
o 단계별로 규제가 완전 철폐된 품목에 대해서는 갓트 19조에 의한 정식 SG 발동을 2년간 금지시킬지 여부	(6조 15항) o 2조의 점진적 규제철폐 계획에따라 모든 수량 규제가 철폐된 품목에 대해서는 철폐일로부터 2년간은 긴급수입제한조치가 적용되지 않음	o 선진국 : SG조치 정지기간 (MORATORIUM PERIOD)설정 반대 o 개도국 : 단계별 철폐계획에 따라 자유화된 품목은 철폐의 효율성을 위해 철폐일로부터 2년간은 GATT 19조의 SG 조치도 부적용 필요

2) 아국입장

o 2년간의 정지기간 설정은 아국에도 유리하나, GATT상의 권리 제약이며, 현실적으로 선진국과의 타협은 곤란할 것이므로 소극적 지지입장 유지

- UR/SG 협상에서 동일 품목에 대한 1-2년간의 재발동 금지 기간에 대해 논의되고 있는 문제를 MFA 규제 철폐후 일정기간 SG 조치 발동 금지 형태로 변경, 소규모 수출 개도국이 주장하고 있는 문제임

0099

아. 갓트 복귀의 이행 검증

1) 쟁점 및 주요국 입장

쟁 점	의 장 안	주 요 국 입 장
o UR/섬유협상 Mandate에 MFA 철폐하고 갓트로 복귀하되 "강화된 갓트 규정 및 원칙 (SGRD)"으로 복귀한다고 규정되어 있음을 이유로 선진국이 강력히 주장하는 쟁점 - 잠정기간동안 특정국이 협정상 규정된 갓트의무 불이행시 동 국가에 대한 규제철폐 불인정 가능	(9조 10항) o 본 협정 이행 상황을 감시하기 위해서 (GATT 이사회)는 각 복귀 단계 과정 종료이전에 종합검토를 행함. 이를 위해 TMB는 각 단계 종료이전 적어도 5개월전에 검토대상이 되는 단계동안의 본 협정 이행 상황 특히, 복귀과정, 잠정 SG제도 발동상황, 본 협정 2조, 6조 및 8조에 규정된 GATT 규정 및 원칙의 적용과 관련된 이행 상황에 대한 종합 보고서를 (GATT 이사회)에 제출해야 함 (9조 11항) o (GATT 이사회)는 이를 검토후 본 협정에서 규정된 권리 및 의무의 균형이 침해되지 않도록 보장하기 위해 적절한 결정을 함. 동 결정 사항에는 본 협정 10조에 규정된 최종 시한에 영향을 주지 않는 범위내에서 어느 국가가 본 협정의 의무를 준수하지 않는 것으로 판명된 경우 갓트 복귀의 차기 복귀 과정의 이행과 관련 본 협정 규정을 조정 (adjustment) 하는것을 포함함	o 선진국 : GATT 규정의 준수 정도를 검증한 후 다음 단계로의 이행 여부를 결정해야 한다는 최소한의 안전장치를 마련코자 동 규정 강하게 주장 o ITCB : MFA 철폐 계획을 연기시키는 빌미가 될 것을 우려하여 UR 결과가 섬유에만 특별히 적용되는 것이 아님을 들어 GATT 규정 준수와 MFA 철폐를 상호 연계 시키는 것에 반대

2) 아국 입장

o ITCB와 공동 입장을 취하되,

- 협상 타결을 위한 현 의장안 지지여부는 정치적으로 유보

(GATT 이사회에서 이를 결정할 경우, 선진국의 일방적인 남용은 상당히 억제될 것임)

0100

o 추후 검토 가능한 협상 대안

- 현 의장안 내용을 아래 요지로 수정 제의

. GATT 이사회에서 특정 회원국의 관련 GATT 의무 불이행이 사실로 표명될 경우 동 국가에 대한 다음 단계로의 MFA 철폐 계획을 잠정적으로 정지하고 GATT 의무이행 방법에 관한 관련 당사국이 일정기간 동안 협의할 것을 결정한후, 동 기간동안 상호 만족할 만한 합의에 도달하지 못할 경우 최종 복귀완료 시점을 침해하지 않는 범위내에서 본 협정의 규정에 따른 다음 단계로의 복귀 과정을 조정하는 결정을 하도록 함

0101

~~1U~~124

분류기호 서번호	통기 20644-	기 안 용 지 (전화: 720 - 2188)	시 행 상 특별취급	
보존기간	영구. 준영구 10. 5. 3. 1.	장 관		
수 신 처 보존기간				
시행일자	1991. 9.19.			
보조기관 국 장	전 결	협조기관		문서통제
심의관				검열 1991. 9. 20 통제관
과 장	대결			
기안책임자	조 현			발 송 인
경 유 수 신 참 조	상공부장관	발신명의		발송 1991. 9. 20 외무부
제 목	UR/섬유협상 정부대표 임명			

91.9.23-26간 제네바에서 개최되는 UR/섬유협상에 참가할 정부대표가 "정부대표 및 특별사절의 임명과 권한에 관한 법률"에 의거, 아래와 같이 임명 되었음을 통보합니다.

- 아 래 -

1. 회 의 명 : UR/섬유협상

- 1 -

0102

2. 개최기간 및 개최지 : 91.9.23-26, 스위스 제네바

3. 정부대표

o 주 제네바 대표부 관계관

o 상공부 국제협력관실 사무관 김영학

4. 본부대표 출장기간 : 9.22(일)-29(일)

5. 소요경비 : 상공부 소관예산. 끝.

	분류번호	보존기간

발 신 전 보

번 호 : WGV-1263 910920 1508 FN 종별 : 암호송신

수 신 : 주 제네바 대사. 총영사

발 신 : 장 관 (통 기)

제 목 : UR/섬유협상

대 : GVW-1728

1. 귀지에서 91.9.23-26간 개최되는 UR/섬유협상에 참가할 본부대표로 상공부 국제협력관실 김영학 사무관이 임명 되었으니 귀관 관계관과 함께 참석 조치바람.

2. 훈령(세부 대책 자료는 9.20 UR 대책 실무위원회에서 검토될 예정인바 본부대표가 지참함)

o 현 MFA하의 섬유교역 체제를 급격히 변화시키지 않고 MFA의 점진적 철폐 및 갓트 복귀를 통한 섬유 교역의 자유화를 달성한다는 기본원칙 고수

o 따라서 기존 MFA 체제를 기본으로 하고 있는 현 의장안에 대해 긍정적 입장 견지

o 향후 섬유협상에서 개도국 공동입장 유지가 긴요할 것임을 감안, ITCB 공동 입장을 지지하고, 일부 아국 이해와 상충되는 ITCB내 여타 개도국 주장에 대해서도 강경한 반대 입장 표명은 자제. 끝.

(통상국장 김 용 규)

보 안 통 제	(서명)

앙 고 재	91년 9월 19일	통기과	기안자 성 명		과 장	심의관	국 장		차 관	장 관
			조현		(서명)	(서명)	전결			(서명)

외신과통제

0104

원 본

외 무 부

종 별 :

번 호 : GVW-1795　　　　일 시 : 91 0920 1430

수 신 : 장 관(통기,상공부)

발 신 : 주 제네바 대사대리

제 목 : ITCB 회의

9.19.개최된 표제회의 결과 하기임.

1. 9.23(월) 부터 개최되는 섬유협상에서는 의장안 (W/35/REV.1) 중 잠정 세이프가드가 집중 논의될 예정이며, 기타 사항은 간단히 언급하는 정도에 그칠 것이라함. ITCB 는 동 협상에 동건에 관한 ITCB 공동안을 제안하기 위해 별첨안을 마련 9.23.오전 회원국 의견을 수렴한후 오후 협상시 이를 제시할 예정이라 하는바, 특별한 의견 회시바 람.

2. ITCB 가 GATT 사무국측과 접촉한바에 따르면 이번 협상후 GATT 사무국측은 DUNKEL 총장책임하에 섬유분야 의장안 (W/35/REV.1)을 개정, 새로운 안을 마련할 예정이라 함.

첨부: ITCB 초안 1부(GVW(F)-0357).끝

(차석대사 김삼훈-국장)

통상국　2차보　상공부

PAGE 1　　　　91.09.21　10:32 WG

외신 1과 통제관

0105

19 September 1991

INTERNATIONAL TEXTILE AND CLOTHING BUREAU GV(经)-0357

10920 1430

"GVW-1195 첨부"

TRANSITIONAL SAFEGUARDS

The provision of a proper safeguard mechanism is one of the important elements in the transition arrangement to facilitate the process of progressive integration of the textile trade into GATT. The mechanism should provide for an objective criterion for determining damage to the domestic industry. There should be transparency in the procedures to avoid its arbitrary use. There should be some curbs on unilateralism. It will be necessary to strike a balance between the proliferation of safeguard measures during the transition and their unavoidable need.

With these aspects in view, the following points are made on the draft of Article 6. It is recognised that the concept of market disruption is not totally satisfactory, but it has been in use for nearly twenty years. For the next few years, it should not be diluted to permit easier invocation. On the contrary, it should be strengthened at appropriate places to strike the balance mentioned above.

Para 1: It has been said that the phrase "any party" makes the mechanism available to both importers and exporters and the latter should renounce their rights to safeguards if they do not undertake integration of textile products. It will be recalled that the ITCB framework (NG4/W/49) specified "importing participant."

This para also refers to "all products covered by Annex II". Annex II contains HS lines while the current restrictions generally follow category systems with a generic description of products defined in terms of HS lines. There needs to be some similarity in the coverage of products between the current and the new restrictions. It should therefore be clarified whether new safeguards will be applied on particular HS lines or a bunch of them as at present.

Para 2: It says that serious damage must "result" from an increase in "total" imports. The word "result" has a weaker connotation compared to the phrase "such damage must demonstrably be caused" in Annex A of the MFA. In order to avoid dilution, it would be better to stick to the language of the MFA at least, if an improvement is not possible.

The totality of imports is relevant for the consideration of damage in the context of global action. But, when safeguard measures are being directed against particular sources, the increase in imports from the concerned source should be responsible for the damage caused. The consideration of total imports could lead to the determination of cumulative damage which is alien to the concept of market disruption. It would be desirable to take into account the sharp and substantial increase in imports from the particular source only.

Para 3: This para describes the factors to be taken into consideration in determining serious damage. A comparison with Annex A shows that the volume of disruptive and other imports do not find a place in this paragraph. This factor is important because a sharp and substantial increase can take place from a very low base of imports. This distortion can be rectified by

1991-09-20 16:31 KOREAN MISSION GENEVA 2 022 791 0525 P.03

0106

taking into accoun-the actual volume of disr|ive imports.

There are two new factors which appear in this paragraph - wages and domestic prices. The relevance of wages in the determination of serious damage is not understood. It would not be appropriate to compare the domestic wages with those prevailing in the disrupting country, because of the differences in wage structure and the general level of earnings. It is also seen that the labour in the importing countries have secured wage increases outstripping the productivity gains. That is one of the causes of the problems of the domestic industry. If the wage levels show a decline, it will signify a return to competitiveness in which case there should be no damage. It would be advisable to delete this factor.

On the question of domestic prices, our view is that the price differentials are the very foundation of international trade. The aspect of substantially low prices was introduced in the textile arrangements in order to practice discrimination against the developing countries. The ITCB framework did not consider the price factor worth continuing.

Para 4: There are several aspects in this paragraph which merit consideration. This para provides for the invoking party to determine the party "contributing" to serious damage. This seems to be a dilution of the causal link between the disrupting imports and the damage to the domestic industry. It is essential to require those imports to "cause" damage and such cause must be demonstrated as prescribed in Annex A of the MFA. This would ensure some discipline which is extremely necessary in the application of safeguards during the transition.

This para also differs from the MFA in that it seems to permit determination of damage by a number of parties taken together. It is possible that at a given point of time, damage is being caused by more than one party, but causal effect should be demonstrated separately for each party. The language seems to point towards to determination of cumulative damage which should certainly not be the intention.

The intention of the third sentence in the paragraph is not clear. It is obvious that a particular source when already restricted for a particular product cannot be visited again by a safeguard action on the same product.

The last sentence is extremely important from the point of view of equity. The ITCB has accepted the selective application of safeguards, but it cannot accept discrimination against the developing countries alone. It is inconceivable that a party with a lower market share can cause damage without any contribution from those with a larger share. Moreover, with almost all the significant suppliers being already restrained, new safeguard actions are likely to be taken mostly against new entrants to trade and small suppliers. This sentence is essential to protect their interest and the qualification of "in principle" is unwarranted.

Para 6: The provision of special and differential treatment for certain groups of suppliers is not a technical issue. At this time, certain situations can be described to facilitate a decision. In the major importing countries following a comprehensive pattern of restrictions, almost all the significant suppliers have been restrained. It is assumed that developed countries will continue to apply the so called "gentleman's agreement" to trade with each other. The possibilities of new restrictions will arise only when some new entrants appear. In the other developed countries, even though their imports are dominated by developed countries, the restrictions are being applied in selected segments like clothing to developing countries mostly. It is possible that these countries may feel the urge to take restrictive actions in the hitherto unrestricted area. Special and differential treatment should take into account these types of situations. In the case of new entrants, they should not be caught in the restrictive web before they have had time to establish themselves. There should be some possibilities left for them to develop their trade. It would be wise to avoid a repetition of the Maldives type of actions.

Para 7: This paragraph should also provide procedures for initiation of investigation into the existence of serious damage. For the sake of transparency, public interests should be taken into account. This would avoid arbitrariness in the determination of damage.

Para 8: The ITCB's preference in the determination of base levels is for the alternative (a) which is the roll back period as in the MFA.

Para 9: The TMB should not only examine the conformity of the action with the criterion, but it should also ensure that the prescribed procedures have been followed.

Para 10: Export controls are the accepted system of quota management in the textile field. The adoption of date of export will facilitate the full use of the access.

Para 12: The ITCB has expressed its concern about the softening of the safeguard provisions. In line with that thought, its preference among the alternatives for the duration of the measure is for something similar to Article 3:8 of the MFA. It would not view with favour a longer duration. In view of this position, there is no need for para 13.

Para 14: It seems incongruous that while the existing quotas will be increased by growth rates and growth factors, new quota's expansion will be regulated by growth rates only,.

There does not seem to be sufficient justification for a lower growth rate for wool products.

It would be appropriate to determine multilaterally the numbers for flexibility which should not be less than those in Annex B of the MFA. It is not proper to leave them to be determined in accordance with the provisions of the previous bilateral agreements. It is possible that safeguard measures might be taken against suppliers which had no bilateral agreements in the past.

7-7 - 3-3

0108

1991-09-20 16:32 KOREAN MISSION GENEVA 2 022 791 0525 P.05

원 본

외 무 부

종 별 :

번 호 : GVW-1822 일 시 : 91 0924 1600

수 신 : 장관(통기,경기원,상공부)

발 신 : 주제네바대사

제 목 : UR/섬유협상

표제회의가 9.23. HUSSAIN 갓트 사무차장보 주재로 개최된바, 요지 하기 보고함.

1. 회의진행 계획

0 의장은 그동안의 섬유협상 진전 상황에 대해 7.15, 7.20, 7.22 3차에 걸쳐 잠정 SAFEGUARD 조치 및 품목대상범위등 2개 쟁점에 대한 기술적논의를 진행하였음을 언급하고 이에따라 잠정 SG 에 대한 갓트 사무국의 AIDE MEMOIRE 를배포함(파편 송부예정)

0 의장은 동 사무국 문서에 포함된 쟁점이 우선순위나 입장을 나타내는 것이 아니고 단순히협상 진행을 위한 도구에 지나지 않는 NON-PAPER임을 설명함.

0 향후 협상진행과 관련 의장은 던켈의장이 7개 협상그룹이 11월까지 합의된 문서를 마련하기위해서는 섬유분야도 협상을 가속화시켜야 한다고 강조하고 금일부터 상기 갓트문서에 따른 토의를 진행하여 금주에 2개 쟁점에 대한 논의를 마무리하겠다고 언급함.

2. 사무국 문서(잠정 SG)에 따른 논의

가. 개념적인 문제

0 사무국 문서에 언급된 잠정 SG 의 성격이 독립적인(SELF-STANDING) 것인지 복귀조항(INTEGRATED PROVISION)의 하나인지 여부에 대해 논의함

0 미국,카나다,EC,일본은 잠정 SG 가 잠정기간동안 발생하는 수입국 시장의 교란을 구제하기 위한 독립된 개념으로 보아야 한다며 이와같은 개념 규정은 SG 의 발동기준, 내용및 기간등 제반 기술적 내용을 규정하는데 기준이 되어야 함을 강조함

0 인도, 홍콩은 잠정 SG 는 본잠정 협정의 일부로서 갓트복귀의 일환으로 보아야 한다고주장함.

나. 잠정 SG 발동 가능 국가(6조 1항)

0 일본은 잠정 SG 발동권한을 보유코자 하는 국가는 협정 2조 4항-8항의

통상국 2차보 분석관 청와대 안기부 경기원 상공부

PAGE 1 91.09.25 09:07 BE

외신 1과 통제관

0109

의무를이행함으로서 발동권한을 보유할 수 있다고 주장함.

0 미국은 잠정 SG 는 모든 MFA 국가가 모든국가를 상대로 발동 가능하지만 단 2조상의 갓트복귀 절차를 이행해야 한다고 주장함.

0 인도, 파키스탄은 MFA 상의 규제국만이 발동가능하다는 입장을 표명함

0 아국은 갓트 18조 B 를 졸업한 국가로서 MFA규제를 발동치 않는 국가인데 6조의 잠정 SG가 아닌 갓트 19조만을 발동 할수 있다면 형평에 어긋난다고 주장함.

0 일본은 아국의 질의에 대해 2조 4-8항의 의무는 단순히 갓트상 복귀 계획을 통보하는 것이라고 답변하고, 스위스는 현 MFA 규제를 발동치 않고있는 나라는 갓트 19조 와 협정 6조의 잠정 SG를 선택적으로 할 수 있어야 함을 주장함.

3. 의장은 표제회의를 명일(9.24) 오전 DUNKEL사무총장 주재로 속개할 것을 제의함

4. 표제회의에 앞서 금일 논의할 잠정 SG 에대한 ITCB 국가의 입장을 조정하기 위해 ITCB 회의를 개최하였음.(연호 GVW-1795 참조)

0 동 회의에서 의장을 비롯한 대부분 국가로 잠정SG 에 대한 ITCB 의 공동입장을공식문서로 제출할 것을 제안한 바 아국 및 홍콩은 현단계에서 다시 ITCB 공동제안을 하는 것이 협상진전을 위해 바람직 하지 않다는 점과 금일ITCB 에서의 논의가 충분치 못하다는 점등을 들어 공식제안에 반대하여 의장이 금일 ITCB에서 논의된 쟁점사항에 대해서만 구두로 간단히 언급하기로함.끝

(대사 박수길-국장)

PAGE 2

0110

원 본

외 무 부

종 별 :

번 호 : GVW-1836 일 시 : 91 0925 1830

수 신 : 장 관(통기,경기원,상공부)

발 신 : 주 제네바 대사

제 목 : UR/섬유협상(2)

표제회의가 9.24.DUNKEL 의장 주재로 속개되어 잠정 세이프가드에 대한 논의를 계속하였음.

1. 잠정 SG 발동 대상국가 (6조 1항)

0 인도, 파키스탄, 페루등은 푼타 각료선언상 본협상의 목적은 갓트에 불일치 한MFA 규제를 철폐하는 것이며, 과거 20년동안 MFA 상 규제를 발동치 않았던 국가가 새로이 잠정 SG 를 발동토록 인정하는 것은 섬유교역 자유화 목적에 어긋나는 것임을 지적 함.

0 미국과 일본은 잠정기간동안 SG 를 사용하는것과 사용할 수 있는 권리를 보유하는 것은 별개의 문제이며 따라서 협정 부속서 (ANNEXII)상의 대상품목에 대해서는 모든국가가 잠정 SG 발동 권리를 보유하여야 한다고 주장함.

0 이란, 파키스탄은 협정부속서 (ANNEX II)상의 품목은 현 MFA 상의 규제중인 품목 이므로 MFA상 규제를 발동치 않은 국가에 대해서는 논리상 인정할 수 없다고 주장하고, 미국, 일본은 부속서상의 품목은 현재 규제중인 품목뿐아니라보다 많은 섬유품목을 대상으로 해야 한다고 주장함.

0 EC 는 잠정 SG 발동 권리를 보유한 국가는 협정안 2조 4-8항의 의무만을 부담토 록 되어있는 일본제안에 대해 협정안에는 2조뿐 아니라 협정의 많은 다른 의무를 부담 해야 한다고 주장함.

0 멕시코는 현재의 수출국임 일정기간후 섬유수입국의 입장에서 잠정 SG 를 발동해야하는 경우가 있을 수 있다는 입장을 표명함.

0 던켈 총장은 현재의 논의는 무엇을 결정하는 단계가 아니라 각국의 의견을 수렴한후 대안을 마련하는 단계이므로 사무국이 일본제안을 주요국과 협의를 거쳐 대안 형태로 현의장안 (W/35/REV.1)에 삽입할 것을 제의함.끝

통상국 2차보 경기원 상공부

PAGE 1 91.09.26 09:16 WG

외신 1과 통제관

0111

원 본

외 무 부

종 별 :

번 호 : GVW-1842 일 시 : 91 0926 1920

수 신 : 장 관(통기,경기원,상공부)

발 신 : 주 제네바 대사

제 목 : UR/섬유협상(3)

표제회의가 9.25.DUNKEL 의장 주재로 속개된바 논의 내용 하기 보고함.

1. 잠정 세이프가드(SG) 조치(6조)

0 ITCB 국가들은 6조2항에 규정된 총수입증가를 SG 발동 기준으로 규정함으로써, 현 MFA상규정보다 SG 발동 기준을 완화시켰다면서 반대입장을 표명한바, 이에대해 미국, EC는 총수입물량의 증가를 SG 발동 기준으로함으로써 오히려 개별국가의 수출증가 가능하다는점을 들어 SG 발동 기준이 현 MFA 보다 강화된 것이라고 주장함.

0 ITCB 국가는 6조3항에 피해 판정기준으로 포함된 수출국의 임금수준 및 가격개념은 삭제 되어야 한다는 점과 6조 4항 말미의 시장점유율을 기준으로한 SG발동 금지 문항의 필요성을 강조한바 미국.EC는 이를 수락할 수 없다고 대립함.

0 6조 6항의 특수한 공급국 우대문제와 관련, ITCB 국가들은 새로운 수출국 (NEW ENTRANTS), 소규모 공급국, 면생산국등의 우대 필요성을 주장한데 대하여, EC 는 현 MFA 에 이들국가에 대한 우대 규정이 있다는 점과 정치적인 이유등으로 이를 인정할 수는 있으나, 구체적인 인정방법은 협정 2조외의 관련성 및 소규모 공급국과 특수한 공급국의 정의등 기술적인 검토가 필요하다고 주장함.

이에대해 던켈 의장은 기본적으로 갓트복귀를 통한 섬유교역의 자유화를 실현하는 과정이라는점을 염두에 두어야 하는 한편, 현재의 소규모 공급국이 잠정기간동안 계속 소규모공급국에 머무를수 없다는 점도 고려해야 한다고 언급함.

0 제 8항의 SG 발동시 규제수준과 관련 미국, EC, 카나다는 연장없는 3년 평균수출실적으로 하는 것이 수출국의 예측 가능성을 보장하기 위해서는 필요하다고 주장한 반면, ITCB국가는 과거 1년간 수출실적 기준으로 할것을 주장함

0 제10항의 규제량 결정 기준 시점에 대해 ITCB국가는 수출시점을, 수입국은 수입시점을 각각 주장하였고 제 14항의 융통성 문제와 관련 수입국은 잠정 SG 발송시

통상국 2차보 경기원 상공부

PAGE 1 91.09.27 13:42 WG

외신 1과 통제관

0112

기존 품목과의전용 (SWING)을 인정할수 없으을 들어 삭제를 요청함.

2. 추가적인 무역조치(제 7조)

0 미국은 7조의 내용이 본협정은 GATT 체약국의 권리.의무를 침해하지 않는다는 제 1조 제 4항의 규정과 어긋나므로, 동 조문 자체를 삭제할 것을, 일본.EC 는 현 MFA 9 조상의 표현을 그대로 규정할 것을 주장함

0 ITCB 국가들은 동 조항이 2중 규제를 방지코자하는 현실적인 이유에 근거한 것이라고 주장한바, 던켈 의장은 동 조항은 최종협상 단계에서 여타 협상분야를 고려UR 전체 PACKAGE 차원에서 다룰것을 제의함.

3. 갓트 원칙 및 규정의 강화(제 8조)

0 EC 는 동 조문이 갓트 복귀를 원활히 실현시키기 위해 필요하다는 점을, 브라질은 동조문 자체를 삭제할 것을 각각 주장함.

4. 감시.분쟁해결 등(제 9조)

미국은 현재 괄호로 되어 있는 갓트 이사회의 대안으로 섬유 위원회를 추가해야 한다는 점을 EC 는 협정에 언급된 갓트 이사회는 현재 의정규 이사회가 아닌 다른 성격의 것이라고 주장함.

0 던켈 의장은 특정 분야를 다루는 위원회를 설치하는 것은 바람직하지 않다며, 이사회의 성격은 UR 협상결과 도출될 갓트상의 제도에따라 결정되어야 할 것이라고 언급함.

0 제 11항의 이행.검증 문제와 관련 인도는 현재, 갓트 패널에서 조차'결정'이아닌 '권고'만을 할수 있다는 점을 들어 이사회가'결정'토록 할수 없다고 주장했으며, EC 는 동조항이 비록 이행과정에서 분쟁의 소지가 있다고 할지라도 EC 업계로서는 타국의 갓트 의무불이행을 갓트에 제기함으로써 공식화 하는 것이 중요하며, 또한 갓트 복귀의 신뢰성 (CREDIBILITY)확보를 위해서도 필요하다고 주장함.의장은 동 조항 시행의 법적 측면에 대해 갓트의 법률 자문에게 의견을 구하겠다고 언급하고 동 조항에 대한 추가 논의를 유보함.

5. DUNKEL 의장은 명일 (9.26) 오전 공식회의를 개최 그동안 진전 상황을 보고한후, 이어 비공식회의를 속개하여 협정안의 나머지 부분 (1조-5조)에 대한 검토를 계속할 것을 제의함. 끝

(대사 박수길-국장)

원 본

외 무 부

종 별 :

번 호 : GVW-1856 일 시 : 91 0927 1930

수 신 : 장 관(통기,경기원,상공부)

발 신 : 주 제네바대사

제 목 : UR/섬유협상(4)

표제회의가 9.26.속개된바 요지 하기 보고함.,

1.공식회의

0 던켈의장은 지난 3일간 협정문 제 6조부터 제11조까지에 대해 주요국간 비공식적으로 논의된 사항을 간단히 보고하면서, 동 회의에서 각국의 입장 및 협정문안 용어와 표현에 대해 보다 명확히 할 수 있었음을 언급함.

0 의장은 10월말 혹은 11월까지 최종 협정안을 마련키 위해 협상을 더욱 가속화시켜 나갈 것이라고 강조함.

2. 비공식 회의

가. 서문

0 의장은 현 협정안의 서문을 단순화시키기 위해 4항 및 5항만을 유지하고 나머지 항을 삭제할 것을 제안한데 대해, EC 는 섬유교역의 점진적인 갓트 복귀와 강화된갓트 규정 및 원칙을 규정한 제 6항 및 제 7항의 필요성을 강조한반면, ITCB 국가들은 개도국 경제에 미치는 섬유산업의 중요성을 강조한 제 2항의 존치를주장함.

나. 일반규정(제 1조)

0 ITCB 국가들은 규제의 조기시행 도모 및 통합기간동안의 자발적인 산업구조조정의원활화를 규정한 제 2항 및 제 3항이 매우 적절한 조항임을 지적한 반면, EC.미국등은제 2항와 관련하여 어떤 국가가 자유화를 제2조에서 규정하고 있는 통합계획보다 조기 시행한후 필요에 따라 동 자유화조치를 재조정하여 제 2조의 규정에 따른 통합을 할경우 본 조항의 적용을 받는지 여부가 불명확하다고 지적함.

다. MFA 규제(제 2조)

0 EC 는 동 조문이 통합품목(INTEGRATED PRODUCT), 통고절차(NOTIFYING, PROCEDURE), 잔여규제(RESIDUAL RESTRAINT)등 상호 이질적인 요소를 포함하여

통상국 2차보 경기원 상공부

PAGE 1 91.09.28 08:42 WH

외신 1과 통제관

0114

조문구조상 문제가 있음을 지적하였고, ITCB 국가들은 본 조문에 MFA규제와 NON-MFA 규제가 함께포함되어 있는 문제점을 지적함.

0 아국 및 홍콩은 양국간 합의에 의한 BASELEVEL, GROWTH RATE 및 융통성의 혼합비중을 달리할 수 있도록 규정한 제 12항의 삭제를 주장한 반면, 미국, EC, 카나다등 수입선진국은동 조문은 수출국 쿼타관리의 문제점을 보완하여 무역신장의 기회를 제공할 수 있고, 수출국.수입국간 합의에 의해 시행된다는 점을들어 계속적인 존치를주장하였으며 이집트, 페루, 터키도 이에 동조함.

0 수량 규제가 해제된 품목에 대해 2년 동안 S.G조치를 발동치 못하도록 규정한제 15조에 대해 아국, 홍콩은 동 조문의 존치를 주장한 반면, 카나다, 일본등은 동조항을 수락할 수 없음을 밝힘.

3. 향후 협상 일정

0 의장은 10.1.및 10.2. 이틀간에 걸쳐 협정문 제3조, 제4조, 제5조 및 부속서에관한 쟁점사항의 추가논의를 제의함.

4. 관찰 및 평가

0 이번 회의의 주된 목적은 주요쟁점 사항에 대한 구체적인 결론이나 협상을 도출하기보다는 수정협정문을 준비하기 위해 쟁점사항을 재확인하고 각국 입장을 명확히 파악하는데 그촛점이 두어짐

0 그러나 이번 회의과정에서 잠정 세이프가드 조치발동(협정문제 6조 제1항)과관련 동 조치를 취할 수 있는 권리를 보유하는 국가의 범위문제가 중요한 쟁점으로부각됨.

0 이에 대해 파키스탄, 인도등은 현 MFA규제 국가만이 동 권리를 보유하여 됨을주장한 반면, 일본, 미국 및 남미 일부국가(멕시코, 브라질,페루등)는 모든 국가가동 권리를 보유할 것을 주장하고 있어 수출개도 국내에서도 의견이 대립되고 있는바이에 관한 검토 및 아국입장 정립이 요망됨.끝

(대사 박수길-국장)

관리 번호	91-646

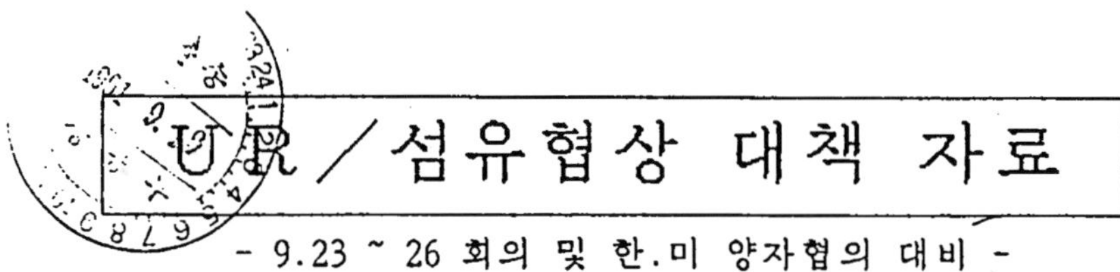

UR／섬유협상 대책 자료

- 9.23 ~ 26 회의 및 한.미 양자협의 대비 -

1991. 9.

일반문서로 재분류 (1991 .12 .31 .)

상 공 부
국제협력관실

0116

1. 협상 진전 현황

o 현 MFA를 철폐하고 GATT로 복귀할 때까지 섬유교역을 규율할 의장안을 작성하여 작년 브랏셀 각료회의에 제출 논의했으나 합의 실패

- 의장안에 아래 8개 미결쟁점을 명시

✓① 갓트 복귀시한 (10년)

✓② 품목 대상 범위

③ 단계별 갓트 복귀 방법

④ 기초물량 (Base level) 및 연 증가율

⑤ 특별한 공급국 우대 문제

⑥ 잠정 Safeguards

⑦ 갓트 19조 발동 금지기간 인정 여부

⑧ 재심 절차

o 금년 협상이 연장 재개된 후 상기 8개 미결 쟁점중 ① 품목대상 범위 ② 잠정 Safeguard등 2개의 기술적 검토가 필요한 쟁점에 대해 비공식 협의를 개최했으나 기존 입장 확인에 그침 (3차)

- 사무국은 품목 대상 범위 검토를 위해 선진 수입국으로부터 규제하의 섬유 수입통계를 제출 받고 있음

- 작년 브랏셀 각료회의에 제출했던 협상안을 향후 협상의 기초로 할 것을 재확인 했음

o 7.30 개최된 TNC 회의에서 던켈 의장은 섬유를 농산물, 시장접근, 서비스와 함께 해결해야 할 현안 문제가 가장 많은 협상 분야로 지적 하였으나, 섬유 분야의 8개 미결 쟁점은 대부분 정치적인 타협으로 풀어야 할 쟁점들임

0117

12-1

2. 주요국의 동향

1) 미국. EC등 선진국

o 현 의장안의 기본 골격에 크게 이의를 제기치 않고 있으며 최종 협상 단계에서 현 의장안에 기초한 정치적 절충을 시도코자 하는 전략임

2) 인도, 파키스탄등 강경 개도국

o UR 전체 협상 분야의 선.개도국간 균형된 협상 결과를 명분으로 하여 서비스, 지적재산권등 타 분야 협상 결과에 따라서는 현 의장안을 대폭 수정해야 한다고 주장하고 있음

3) 홍콩, 중국등 섬유 주종 수출 대국

o 현 의장안에 대체로 만족하고 최종 단계에 소폭 개선코자 하는 입장임

- 홍콩, 중국등은 현 MFA하에 다량의 쿼타를 보유하고 있고 현 의장안이 현 MFA를 기초로 하여 갓트 복귀를 실현코자 하고 있기 때문임

3. 미측의 대아국 예상 제기 내용

o 전반적으로 현 의장안이 한국을 비롯한 섬유 주종 수출 대국의 이익을 이미 반영하고 있으므로 한국이 보다 적극적으로 현 의장안에 기초한 협상 타결을 위해 인도, 파키스탄등 ITCB내 강경 개도국의 입장을 완화시켜 주는 역할을 해 줄 것을 기대

o 8개 미결 쟁점과 관련해서는

- 한국, 홍콩이 주장하는 1%로의 최소 연 증가율 보장 문제는 동 품목들이 미국내 시장에서 차지하는 민감성과 한국, 홍콩이 이미 동 품목에 대해 다량의 쿼타 수준을 보유하고 있다는 점을 들어 동 주장의 철회 요청

- MFA 철폐 및 갓트 복귀 단계 이행과 협정상 의무 이행 단계를 연계시키는 검증 문제에 대해 한국측의 수용 기대

0118

12-2

4. 아국입장 검토

o 현 MFA하에서 섬유 주종 수출국으로서의 아국의 위치를 감안, 현 MFA하의 섬유 교역의 기존 체제를 급격히 변화시키지 않고 점진적으로 철폐하고 갓트로의 복귀가 실현되어야 함

- 아국과 홍콩, 중국등 3개국은 91년 미국 전체 수입 쿼타량의 53%를 차지하고 있음 (중국 19.7%, 홍콩 16.9%, 한국 15.4%)

o 현 의장안이 기존 MFA 체제를 기본으로 하여 (특히 현 양자 협정상의 쿼타량 기준) 이를 점진적으로 철폐하는 것을 기본 골격으로 하고 있으므로 아국으로서는 현 의장안 내용 수용 가능함

o 현재까지 섬유 수출 개도국 기구 (ITCB) 가입국들은 대외적으로 공동 입장을 견지하고 있으므로 현 단계에서는 아국으로서도 여타 ITCB 국가의 공동입장이 유지되는것이 바람직함

- 섬유협상의 많은 쟁점은 선.개도국뿐 아니라 개도국간에도 이해가 상충되는 사항이므로 ITCB 공동 입장이 무너져 개별국가별 대선진국 협상이 전개될 경우 개도국의 협상력은 상실됨

예) 아국, 홍콩은 많은 ITCB내 개도국이 주장하는 특수한 공급국 우대 문제, 잠정 SG조치등에 실질적 관심이 없으며 (일부 이해 관계가 상충되는 부분도 있음), 반면 여타 ITCB 개도국은 현 의장안의 기초 수준 (Base level)이 현 양자 협정상의 기존 쿼타량을 기준으로 하고 있다는 점 및 1% 최소 연 증가율 문제등에 소극적인 입장임

- 아국으로서는 ITCB 공동 입장이 유지되는것이 바람직하며, 따라서 일부 아국의 이해 관계에 상충되는 쟁점에 대해서도 강한 반대 입장을 취할 수 없음

0119

12-3

5. 주요쟁점 및 아국의 협상 대안 검토

가. 갓트 복귀시한 (제 10조)

1) 쟁점 및 주요국 입장

쟁 점 (요지)	의장안 내용	주 요 국 입 장
o 현 MFA를 철폐하고 갓트로 최종 복귀하는 시한 설정 문제	o 본 협정은 (92.1.1)부터 적용되며, 섬유류 교역이 GATT로 완전히 복귀하는 ( )에 종료됨	- 미국을 비롯한 대부분 선.개도국은 (92.1)부터 10년의 시한에 동의 - EC는 3단계 ('92,'96 또는 '97, '99 또는 2001)를 제시하고 마지막 단계 (종료시점)는 협상 막바지에 가서 제시할 수 있다는 입장으로서 12-15년을 가정 - 인도, 파키스탄은 장기간의 시한을 주장하는 EC에 맞서 6-8년 주장

2) 아국입장

- 미국을 포함 대부분 선.개도국이 주장하는 10년 내외의 기한에서 신축적으로 대응
  . 인도, 파키스탄이 주장하는 6-8년은 수용 불가

- 현재 진행중인 섬유산업 구조개선 7개년계획 종료 (95년말) 이후 5년 정도의 구조 조정 효과 정착 기간 확보.

나. 품목 대상 범위

쟁 점 (요지)	의장안 제 2조 및 제 6조	주 요 국 입 장
o 본 잠정협정의 품목 대상 범위 문제 - 동 대상 품목을 기준으로 하여 갓트 복귀율 (2조)과 잠정 SG조치 발동 대상이 됨	o 부록 Ⅱ의 품목은 HS 6단위로서 하기 목적을 위해 설정 ① 본 협정 2조에 따른 잠정 기간중 단계별로 GATT 복귀되는 품목의 기초 ② 본 협정 6조의 SG제도 대상 품목 o 6조의 SG 규정에 의한 조치는 HS 단위별 기준이 아니라 특정 섬유제품에 대해 발동됨	o 개도국은 현 의장안의 대상 품목이 현재 MFA상 규제중인 품목보다 광범위하게 규정되어 있으므로 2조의 갓트 복귀율이 무의미 하다는 주장 - 인도, 파키스탄이 특히 강하게 주장하고 있음 (raw cotton, stafle fibres등 삭제 주장) o 선진국은 현 MFA상 규제 품목보다 확대된 섬유 품목 전체를 대상으로 하자는 입장

0120

12-1

2) 아국 입장

(제 1안)

o 현 의장안 부속서 Ⅱ에 포함된 대상 품목중 선진 수입국이 쌍무 쿼타로 규제하지 않고있는 품목을 중심으로 삭제할 것을 주장 (별첨)

(제 2안)

o 상기 품목의 삭제가 어려울 경우에는 우선 별첨 품목중 섬유원료, 천연섬유직물 (면직물 제외), chapter 30-49 및 64-96상의 품목을 삭제할 것을 주장

o 대응 논리

- 본 잠정협정은 현재의 MFA상의 규제를 철폐하고 이를 갓트로 복귀 시키는 것이 목적인 만큼 대상 품목은 현 MFA상의 규제 품목을 기초로 해야 함

다. 단계별 규제 철폐 방법

1) 쟁점 및 주요국 입장

쟁 점	의 장 안	주 요 국 입 장
o 잠정 기간동안 MFA 철폐 및 갓트 복귀를 단계별로 나누어 현 규제 품목의 일정 비율을 철폐해 나가는 방안 - 90년 대상 품목 총 수입량을 기준으로 3단계로 나누어 일정 비율을 철폐하는데 합의 - 다만 그 대상 품목 및 철폐 비율에 이견	(6조 4항) o 본 협정 발효개시시점 (92.1)에서 본 협정 대상품목 (부록 Ⅱ)의 90년 총 수입량중 (10%)에 해당하는 품목을 HS 또는 카테고리별로 GATT에 복귀시킴 - 수입국에 의해 복귀되는 품목에는 부록 Ⅳ의 4개군의 품목이 포함됨 - 또한, 부록 Ⅲ B (특수공급국 규제) 및 C (규제적 관행)에 열거된 규제조치 및 관행을 포함 철폐함 (6조 6항) o 4항에 의해 GATT로 복귀되지 않은 잔여 품목들은 HS 또는 카테고리별로 하기 3단계에 의해 GATT로 복귀	o 선진국 : 4항에 의한 철폐 (초년도 철폐)를 6항의 단계별 철폐의 1단계로 인정하고 그 비율을 5%, 10%, 15%로 할 것을 주장 - 부록 Ⅳ상의 4개군 품목 포함 반대 - 부록 Ⅲ (B) 및 C 포함 반대 o 개도국 : 4항 철폐를 1단계로 하자는 선진국 입장 수용 다만 그 비율을 20%, 25%, 30%로 할 것을 주장 - 또한 이중 부록 Ⅳ상의 4개군을 각각 12%, 15%, 18% 의무적으로 포함할것을 주장

0121

12-5

쟁 점	의 장 안	주요국 입장
	A. ( )년 1월 1일 - 본협정 대상품목 (부록 Ⅱ)을 기준, (90)년의 총 수입량중 (15%)에 해당하는 규제품목 - 수입국에 의해 복귀되는 품목에는 부록 Ⅳ의 4개 품목군의 품목이 포함됨 B. ( )년 1월 1일 - 본 협정대상 품목 (부록 Ⅱ)을 기준, (90)년의 총 수입량중 (20%)에 해당하는 규제품목 - 수입국에 의해 복귀되는 품목에는 부록 Ⅳ의 4개 품목군의 품목이 포함됨 C. ( )년 1월 1일 - 본 협정의 모든 규제가 철폐되고 섬유 부분이 GATT로 복귀됨	

2) 아국입장

o 현 의장안의 철폐 비율 수용에 무리없음

- 10년간의 잠정기간중 총 45%를 자유화 함으로써 점진적인 철폐와 부합되며 국내 업계에 대한 충격완화 및 구조 조정기간 확보 가능

o 단계별 기간 설정을 균등히 배분

- 철폐 비율의 단계별 증대와 단계별 기간 단축을 통해 최초 단계에서는 각국의 구조조정 기간을 좀더 배려하고 점진적으로 자유화 속도를 가속화 시키는 것이 바람직함 (1단계 4년, 2단계 3년, 3단계 3년)

o 협상안

- MFA 철폐, 갓트 복귀 실현을 가능케 하기위해 잠정기간중 총 복귀율이 50% 이상이 되어야 함을 중재안으로 제시

. 선진국이 제시한 복귀비율 30%, ITCB가 제시한 복귀비율 75%

0122

12-6

라. 잔존 규제 품목의 기초 수준 및 연 증가율

1) 쟁점 및 주요국 입장

쟁 점	의 장 안	주 요 국 입 장
o 잠정기간동안 규제가 계속중인 품목에 대한 연 증가율 문제 - 양자 협정상의 연 증가율을 기준으로 하는 데는 합의 o 한국, 홍콩이 현재 보유하고 있는 1% 미만 연 증가율 품목을 1%로의 최소 연 증가율 인정 여부	(6조 9항) : 기초 수준 o 6항에 언급된 잔여규제 품목의 기초 수준 (BASE LEVEL)은 (91.12) 현재의 실제 MFA상 규제에서 X% 증량된 수준으로 함 (6조 10항) : 년 증가율 o 본 협정 적용기간 동안 규제수준은 6항에 의해 철폐되고 GATT로 복귀 될때까지 매년 하기 증가율로 증대됨 ① 1단계 : (92)년부터 ( )년까지 (91)년의 양자협정상 각 품목 카테고리에 적용되는 기존 증가율에 (16%) 증가 ② 2단계 : ( )년부터 ( )년까지 1단계 동안 각 품목 카테고리에 적용된 증가율에 (21%) 증가 ③ 3단계 : ( )년부터 ( )년까지 2단계 동안 각 품목 카테고리에 적용된 증가율에 (26%) 최소 증가율 증가. 단, 현 양자 협정상 1% 미만의 증가율을 적용받는 모든 품목은 상기 증가율을 적용하기 전에 1%로 증대시킴	(기초수준) o 선진국은 현 MFA하 양자협정상의 물량을 기초수준으로 할 것을, 개도국은 이에 일정 비율 증가한량을 기초수준으로 할 것을 주장 (연 증가율) o 선진국은 단계별로 8%, 12%, 15% 증가율 적용 주장 - 1%로의 최소 증가율 인정에 반대 o 개도국은 각 단계별로 40%, 50%, 70% 증가율 적용 주장 - 아국 및 홍콩의 1% 최소 연 증가율 인정 주장

2) 아국 입장

o 현 MFA상 허용되었던 주요 수출국에 대한 차별적 증가율 적용 규정이 없으므로 단계별 증가율 자체는 상당한 개선으로 평가되나 1% 미만의 증가율을 가지고 있는 품목이 있는 아국으로서는 최소 증가율 1%가 관철되도록 노력

o 협상안

- 1% 최소 증가율 : UR의 기본 정신인 교역 자유화를 고려할때 최소 1% 증가율은 보장되어야 함

- 단계별 증가율 : 여타 개도국과 공동입장

0123

12-7

마. 잠정 Safeguards 규정

쟁 점	의 장 안	주 요 국 입 장
o 잠정기간동안 협정 대상 품목의 수입이 급증할 경우 갓트 19조가 아닌 Selectivity에 근거한 잠정 SG 발동 가능 - 발동조건, 기간 및 규제 수준등에 이견	(6조 4항) o 원칙적으로 특정 품목에 있어 보다 큰 시장 점유율을 갖고 있는 수출국이 잠정 SG 조치 적용을 받지 않으면 여타국은 규제받지 않음	o 주요 수출국에 비해 상대적으로 잠정 SG대상 품목이 많고 동 조치에 의한 규제 가능성이 높은 페루, 우루과이, 이집트 등 소규모 수출개도국들이 동 규정을 포함할 것을 주장하고 선진국들은 반대입장
	(6조 8항) o 협의를 통해 특정 수출국의 수출 제한에 대해 상호 합의할 경우, 동 규제 수준은 (① 협의요청일 이전 2개월 전부터 그 이전의 12개월간의 실제 수출 또는 수입수준), 또는 (②과거 3년간의 평균 실제 수출 또는 수입 수준중 낮지 않은 수준에서 결정되어야 함	o 선진국은 12개월간 수출 수준을 개도국은 과거 3년간 수출 수준을 기준으로 할 것을 각각 주장
	(6조 12항) o 본 조문에 의한 규제조치는 ①(연장없이 3년)(최대 2년 연장이 가능한 1년)또는 ② 동 품목이 본 협정의 적용대상에서 제외되는 시점중 빠른 기간동안 적용됨	o 선진국은 연장없이 3년 주장

2) 아국입장

o 6조 4항 관련 단순한 시장 점유율이 SG 조치의 발동 기준이 되는것은 합리적이지 못하므로 삭제해야 한다는 입장

- 수입국내 시장 교란은 시장점유율 이외에 여타 요소로 인해 발생 가능하다는 이유
- 다만 ITCB내 공동입장 유지 필요성등을 감안 적극적인 입장 표명은 자제

o 여타 쟁점은 타 개도국과 공동 입장 견지

12-8

0124

바. 특수한 공급국 우대

1) 쟁점 및 주요국 입장

쟁 점	의 장 안	주 요 국 입 장
o 면 및 모 생산국 소규모 공급국등 특수한 공급국에 대한 우대 방안 인정 여부 - 높은 연 증가율, 융통성, 기초수준 등	(4조 13항) o 면제품 수출에 주로 의존하는 면 생산 수출국에게는 상기 9항의 기본 쿼타량이 의미 있게 개선 될 정도로 증량시키고 융통성 조항은 ( )되고 10항의 증가율은 1단계에 ( )%로, 2단계에 ( )%로 3단계에서는 ( )%로 증가됨 (4조 14항) o 여타 수출국의 섬유수출 물량과 비교할때 전체 섬유 수출량이 소규모이고 동 수출이 특정수입국의 총 수입량중 1% 이내인 수출국에게는 상기 9항의 기본 쿼타량을 의미있는 개선이 될 정도로 증량시키고 융통성 조항은 ( )되고 10항의 증가율은 1단계에 ( )%로, 2단계에서 ( )%로, 3단계에서는 ( )%로 증가됨	o 선진국 : 전체 섬유수입 점유율 1% 미만으로 통용되는 소규모 공급국에 대한 일률적인 우대방안 반대. 단, 품목별 점유율 1% 미만인 품목은 품목별로 별도 우대 가능 (EC는 소규모 공급국에 대해 단계별 철폐 과정을 한 단계 앞서 적용하는 방안 검토용의 표명) o 개도국 : 페루, 우루과이, 이집트 등 소규모 수출국과 면 (인도, 파키스탄, 터어키, 이집트) 또는 모 (우루과이) 생산국등이 강하게 주장

2) 아국입장 및 대안

o 소극적 입장으로 대응

- 특수한 공급국 우대 방안이 아국 입장에 일치하지 않으나 ITCB 공동 입장을 고려 적극적인 반대입장 표명 자제

- 선진국의 반대로 포괄적인 특수한 공급국 우대 방안의 실현 가능성 희박

0125

12-9

사. 갓트 19조 적용 금지 기간

1) 쟁점 및 주요국 입장

쟁 점	의 장 안	주 요 국 입 장
o 단계별로 규제가 완전 철폐된 품목에 대해서는 갓트 19조에 의한 정식 SG 발동을 2년간 금지시킬지 여부	(6조 15항) o 2조의 점진적 규제철폐 계획에따라 모든 수량 규제가 철폐된 품목에 대해서는 철폐일로부터 2년간은 긴급수입제한조치가 적용되지 않음	o 선진국 : SG조치 정지기간 (MORATORIUM PERIOD)설정 반대 o 개도국 : 단계별 철폐계획에 따라 자유화된 품목은 철폐의 효율성을 위해 철폐일로부터 2년간은 GATT 19조의 SG 조치도 부적용 필요

2) 아국입장

o 2년간의 정지기간 설정은 아국에도 유리하나, GATT상의 권리 제약이며, 현실적으로 선진국과의 타협은 곤란할 것이므로 소극적 지지입장 유지

- UR/SG 협상에서 동일 품목에 대한 1-2년간의 재발동 금지 기간에 대해 논의되고 있는 문제를 MFA 규제 철폐후 일정기간 SG 조치 발동 금지 형태로 변경, 소규모 수출 개도국이 주장하고 있는 문제임

0126

12 - 10

아. 갓트 복귀의 이행 검증

1) 쟁점 및 주요국 입장

쟁 점	의 장 안	주 요 국 입 장
o UR/섬유협상 Mandate에 MFA 철폐하고 갓트로 복귀하되 "강화된 갓트 규정 및 원칙 (SGRD)"으로 복귀한다고 규정되어 있음을 이유로 선진국이 강력히 주장하는 쟁점 - 잠정기간동안 특정국이 협정상 규정된 갓트의무 불이행시 동 국가에 대한 규제철폐 불인정 가능	(9조 10항) o 본 협정 이행 상황을 감시하기 위해서 (GATT 이사회)는 각 복귀 단계 과정 종료이전에 종합검토를 행함. 이를 위해 TMB는 각 단계 종료이전 적어도 5개월전에 검토대상이 되는 단계동안의 본 협정 이행 상황 특히, 복귀과정, 잠정 SG제도 발동상황, 본 협정 2조, 6조 및 8조에 규정된 GATT 규정 및 원칙의 적용과 관련된 이행 상황에 대한 종합 보고서를 (GATT 이사회)에 제출해야 함 (9조 11항) o (GATT 이사회)는 이를 검토후 본 협정에서 규정된 권리 및 의무의 균형이 침해되지 않도록 보장하기 위해 적절한 결정을 함. 동 결정 사항에는 본 협정 10조에 규정된 최종 시한에 영향을 주지 않는 범위내에서 어느 국가가 본 협정의 의무를 준수하지 않는 것으로 판명될 경우 갓트 복귀의 차기 복귀 과정의 이행과 관련 본 협정 규정을 조정 (adjustment) 하는것을 포함함	o 선진국 : GATT 규정의 준수 정도를 검증한 후 다음 단계로의 이행 여부를 결정해야 한다는 최소한의 안전장치를 마련코자 동 규정 강하게 주장 o ITCB : MFA 철폐 계획을 연기시키는 빌미가 될 것을 우려하여 UR 결과가 섬유에만 특별히 적용되는 것이 아님을 들어 GATT 규정 준수와 MFA 철폐를 상호 연계시키는 것에 반대

2) 아국 입장

o ITCB와 공동 입장을 취하되,

- 협상 타결을 위한 현 의장안 지지여부는 정치적으로 유보 (GATT 이사회에서 이를 결정할 경우, 선진국의 일방적인 남용은 상당히 억제될 것임)

0127

12-11

o 추후 검토 가능한 협상 대안

- 현 의장안 내용을 아래 요지로 수정 제의

. GATT 이사회에서 특정 회원국의 관련 GATT 의무 불이행이 사실로 표명될 경우 동 국가에 대한 다음 단계로의 MFA 철폐 계획을 잠정적으로 정지하고 GATT 의무이행 방법에 관한 관련 당사국이 일정기간 동안 협의할 것을 결정한후, 동 기간동안 상호 만족할 만한 합의에 도달하지 못할 경우 최종 복귀완료 시점을 침해하지 않는 범위내에서 본 협정의 규정에 따른 다음 단계로의 복귀 과정을 조정하는 결정을 하도록 함

0128

12-12

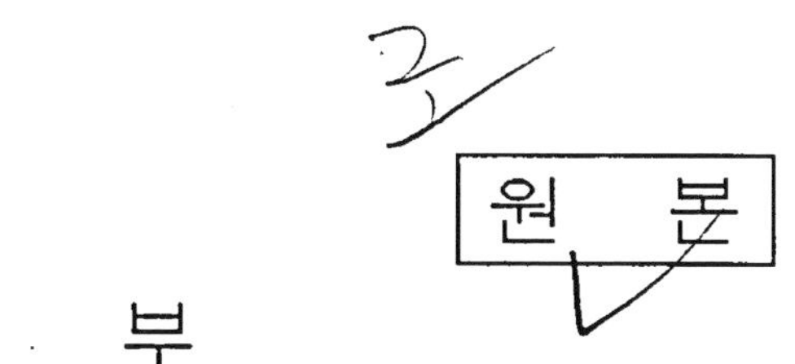

외 무 부

종 별 :

번 호 : GVW-1878 일 시 : 91 1001 1800

수 신 : 장관(통이,경기원,상공부)

발 신 : 주 제네바 대사

제 목 : UR/섬유 협상(5)

표제회의가 10.1 DUNKEL 의장 주재로 속개되어 지난주에 이어 브랏셀 협정안(W/35/REV.1)의 나머지 부분(3조, 4조 및 5조)에 대해 논의하였음.(상공부 김사무관 참석)

1. MFA 이외의 규제 문제(제 3조)

0 EC 는 현 협정안 3조의 1-3 항은 갓트 일치 여부에 관계없이 모든 MFA 이외의규제 조치의 통보 문제를 다루는 절차적인 규정인데 반해,4항은 갓트에 불일치하는 MFA 이외의 규제조치에 대한 철폐문제를 다루는 실체적인 규정이므로, 이를 분리 규정해야 한다고 주장함

0 이에 대해 인도, 파키스탄 등 개도국은 현 4조의 구조는 3조의 MFA 상 규제 조치의 철폐 규정과 유사한 구조로 되어 있으며, 이는 몬트리얼 중간평가(MTR)이 언급된 UR/섬유 협상의 목표가 MFA 규제와 갓트에 불일치하는 MFA 이외의 규제를 철폐하는 것이라는 합의사항에 따른 규정이므로 구조상 아무런 문제가 없다고 주장함.

0 미국은 1-3 항에 따라 갓트에의 일치 여부에 관계없이 섬유 감독기구(TMB) 에통보하고 그내용에 대해 TMB 에서 갓트 일치 여부를 검토하여 불일치할 경우 철폐토록 하는 것이므로, 현 4조구조에 문제가 없다고 주장함.

2. 규제의 관리문제(제 4조)

0 일본은 4조 1항의 쿼타 관리를 수출국이 하도록 되어 있는 규정에, '원칙적으로 (IN PRINCIPLE)'이라는 단어를 추가할것을 제의하여 많은 개도국으로 부터 반발을받음.

0 ITCB 는 3항에 현재 괄호상태로 미제시되어있는 수입국의 품목 분류 변경에 따른 당사국간 협의 기간을 30일로 제시하였고, 인도,파키스탄은 동 조항과 관련 수입국의 잠정기간중 품목 세분류가 있어서는 않된다는 점을 강조함.

통상국 2차보 경기원 상공부

PAGE 1 91.10.02 08:59 DQ

외신 1과 통제관

0129

3. 제 5조(우회 수출)

0 중국은 제 4항에 규정된 내용중, 원산지관련 우회문제가 발생하였을 경우 쿼타수준을 조정토록 한 규정에 괄호로 묶인 내용인 '실제상황과 진정한 원산지 국가의관여 여부를 고려'토록 된 내용의 괄호를 삭제할 것을 주장하고 파키스탄, 인도는 3항에 규정된 우회 여부를 조사키위해 수입국이 수출국 현장 조사(PLANTS VISITS)를인정할 수 없다는 입장을 표명함.

0 일본은 3항 서두의 '수출 수입국이 우회 수출방지를 위한 조치에 합의한다'는내용의 단서에' 국내법규에 일치하는(CONSISTENT WITH DOMESTIC LAWS AND REGURATIONS)범위내에서' 라는 규정을 추가할것을 제안함.

0 미국, 카나다는 현재의 5조 내용 자체도 우회 수출문제를 다루는데는 불충분한상태이므로 현규정을 약화시킬수 없다며, 특히 우회등으로 인한 섬유의 TRANS SHIPPING 물량이 미국 전체 섬유수입의 10 퍼센트에 달한다며, 우회 수출 방지규정의 중요성을 강조함.

4. 던켈 의장은 표제회의를 명일(10.2) 속개하여 협정 부속서상의 품목 COVERAGE 문제등을 논의키로 함. 끝

(대사 박수길-국장)

PAGE 2

0130

관리번호 91-649

원 본

외 무 부

종 별 :

번 호 : GVW-1902 일 시 : 91 1004 1800

수 신 : 장관(통기,경기원,상공부)

발 신 : 주 제네바 대사

제 목 : UR/섬유협상(7)

일반문서로 재분류(1991 .12. 31.)

표제회의가 10.2 던켈 의장 주재로 속개되어 협정 부속서에 대해 논의한바,요지하기 보고함.(상공부 김영학 사무관 참석)

1. 품목 대상 범위(ANNEX II)

0 던켈 의장은 갓트 복귀 및 SELECTIVITY 가 인정되는 잠정 SAFEGUARDS 의 대상이 되는 협정 대상 품목의 범위는 협정안 2 조의 갓트 복귀 비율 및 잔존 규제 품목의 연증가율과 연계되어 있다며, 선진수입국이 섬유 협상 타결 이후 확고한 MFA 철폐 및 복귀의 의지를 보여 주기 위해서는 품목 대상을 좁게 정할수도 있지 않느냐는 견해를 제시함.

0 이에 대해 미국은 현 협정안에 규정된 대상품목 범위가 비록 일부 현재 비규제 중이라 할지라도 현 MFA 상 규제를 발동할수 있는 품목을 대상으로 한 것이며, 또한 동 대상 품목의 일정 비율을 단계별로 복귀시킨다는 것은 현 MFA 상 규제를 발동할수 있는 권리를 포기하는 것이므로 현재 규정된 품목 대상 범위는 미국으로서 수용할수 있는 최저의 수준이라고 주장함.

또한 미국은 던켈의장이 지적한 품목 대상 범위와 갓트 복귀율 및 연 증가율과의 연계 가능성을 인정하여 품목 대상 범위가 줄어들 경우 갓트 복귀 및 연 증가율은 낮아질수 밖에 없다고 언급함.

0 EC 는 던켈 의장이 지적한 연계 가능성을 인정하고, 개도국은 품목 대상 범위에 관계없이 현재 제시된 잔존 규제 품목에 대한 연 증가율로 인해 괄목할 만한 자유화 효과를 누릴수 있을 것이라고 강조함.

0 아직은 이에 대해 현재 연 증가율이 1 퍼센트도 안되는 다수의 품목에 대해서는 상기 EC 가 지적한 연 증가율을 적용한다 하더라도 자유화 효과를 실현할수 없다고 지적한바 EC 는 이에 대해 이같은 품목은 수입국 시장에서의 민감성등을 고려 특수한

통상국	장관	차관	2차보	분석관	청와대	경기원	상공부

91.10.05 07:46

외신 2과 통제관 BS

0131

경우라고 주장함.

0 던켈의장은 현 협정안에 수록된 품목에 따라서는, 1 개 수입국이 1 개 수출국에 대해서만 규제를 하고 있는 품목도 있는바, 이같은 품목을 다자 협정에 포함시키는 것은 UR 협상의 다자주의(MULTILATERALISM)을 무시하는 것이라고 의문을 표시한바 이에 대해 미국은 현재 규제하는 품목인지 여부에 관계없이 현 MFA 상 정의에따라 품목을 논의하자고 지적함.

0 또한 던켈 의장은 섬유와 같이 갓트에서 벗어난 농산물 분야에서는 비관세를 철폐하고 관세화하여 이를 단계별로 인하코자 하는 협상이 진행되고 있음을인용하고 농산물 협상에서 미국이 관세화(TARIFFICATION)의 예외를 전혀 인정할수 없다고 주장하는 것도 다자주의의 예외를 인정할수 없기 때문이 아니냐고 지적함.

2. 던켈 의장은 금일 회의를 종료하고 10.15 다시 회의를 개최하여 금일 논의한 품목 대상 범위에 대한 추가 논의를 끝냄으로서 사무국이 새로운 협정안을 작성할수 있는 개략적인 DRAFTING GUIDLINE 을 제시해야 할 것이라고 설명함.

3. 평가 및 전망

0 금번 회의를 통해 던켈 의장이 약속한 11 월초까지의 각 협상 그룹별 협정안(W/35/REV. 2)작성을 위한 1 차 REVIEW 를 끝냄.

0 금번 회의를 모두 던켈 의장이 직접 주재함으로써 개도국의 최대 이해가 걸려 있는 분야인 섬유 협상에 대한 던켈의장 자신의 관심을 표명함을써 협상 타결을 위한 의지를 나타냄.

0 대부분 국가가 금번 회의시 본부의 섬유 협상 전문가를 참여시킴으로서 관심을 타나내었음에도 불구하고 미국, EC 등 협상을 주도하고 있는 국가를 비롯모든 협상 참가국이 협상 타결을 위한 타협안은 전혀 제시하지 못하고 각국이 기존 입장만을 되풀이 하는 정도에 그침.

0 던켈의장 자신도 금번 협의를 통해 타협을 모색하는 것 보다는 자신이 약속한 새로운 협정안을 작성하기 위한 수단의 일환으로 회의를 진행한 것으로 판단됨. 끝

(대사 박수길-국장)

예고 91.12.31. 까지

UR/섬유협상 참가

1. 회의 결과

o 섬유는 던켈 사무총장이 향후 협상 계획을 제시한 이후 첫번째 회의를 개최한 협상 분야로서 던켈 의장이 9.23~10.2간 매일 직접 회의를 주재하여 현 협정안 (브랏셀 text, W/35/Rev.1)의 11개 조문에 대한 1차 Review를 실시 하였음

o 금번 회의시 대부분 각국의 본부에 섬유협상 전문가가 참여하여 회의 분위기는 다소 활기를 띠었으나 주요 미결 쟁점에 대해서는 여전히 각국이 기존의 입장을 되풀이 하므로써 타협은 이루어지지 못함

- 주요국의 협상 참가자 현황

. EC (keck 집행위 국장), 일본 (아네자끼 섬유국 심의관), 홍콩 (Tzing 무역청장 및 Footman 부청장), 카나다 (Goster 무역성 섬유협상 담당관), 미국 (Shepard USTR 공사), 한국 (강상훈 상무관 및 국제협력과 사무관)

o 주요국은 던켈 총장이 제시한 11월초 최종 협상안에 최대한 자국 입장을 반영하기 위하여 의도적으로 maximum한 입장을 견지한 것으로 판단되며, 또한 던켈 의장 자신도 금번 회의에서 주요 미결 쟁점에 대해 타협을 목표로 한 것은 아닌 것으로 판단됨

- 단지 11월초 새로운 협상안을 자신의 책임하에 작성하기 위한 구실을 위해 각국의 대립된 입장을 노출되도록 금번 회의를 진행하였음

0133

2. 금번 회의시 부각된 주요 쟁점 (각 조문별 토의 내용은 별첨)

가. 잠정 세이프가드 조치 발동 가능 국가 (제 6조)

o 현 협정안에는 "Any parties"도 잠정 기간동안 Selectivity가 인정되는 잠정 SG를 발동할 수 있도록 되어 있음

o 현 MFA 가입국이면서도 MFA상 규제를 발동치 않고 있는 일본은 현재 MFA하에서 규제를 발동치 않은 국가라도 일정한 조건하에서 본 협정상의 잠정 SG를 발동할 수 있는 권리를 보유할 수 있다고 주장하고, 미국이 이에 동조함 .

o 이에 대해 개도국중 인도, 파키스탄등 국가는 현 MFA하에 규제를 하고 있는 국가만이 잠정 SG를 발동할 수 있다는 입장을 보인 반면, 멕시코는 개도국도 수입국 입장에서 잠정 SG 발동 권리를 보유할 수 있어야 한다는 입장을 보임

o 아국은 갓트 18조 B를 졸업하였으며 현재 섬유 수입규제가 없는 국가로서, 선진국과 불균형이 없어야 한다고 발언하고, 일본이 제안한 구체적인 발동 대상 국가에 대해서는 입장을 유보하였으나, 추후 세부 검토가 필요한 부분임

나. 추가적인 무역조치 금지 규정 인정 여부 (제 7조)

o 개도국은 잠정 기간중 본 협정에 따라 규제가 발동중인 품목에 대해서 반덤핑, 상계관세 조치를 취하는것은 2중 규제라며 이를 금지하는 명문 규정을 두어야 한다는 기존 입장을 강조한 반면,

o 미국, EC, 카나다등 수입국은 갓트상 정당한 권리인 반덤핑, 상계관세 조치 발동을 금지하는것은 갓트상 인정된 권리를 제한하는 것이라며 강한 반대 입장을 보임

0134

다. 잠정 협정 대상 품목 범위와 단계별 갓트 복귀 및 연 증가율 (제 2조 및 부속서)

o 금번 회의를 통해 미국, EC등 선진 수입국은 본 잠정 협정의 품목 대상 범위를 줄일 경우 단계별 갓트 복귀 비율 및 규제가 계속중인 품목에 대한 연 증가율은 낮은 수준이 될 수 밖에 없다며 그 연계성 (linkage)을 강조함

o 따라서 향후 아국으로서는 동 연계성에 기초해 입장을 재검토 해야 할 것으로 판단됨

- 품목 대상 범위와 갓트 복귀 및 연 증가율중 어느것이 아국 입장에 유리한지 여부에 대한 검토 필요

3. 평가 및 전망

o 금번 회의를 통해 던켈 의장은 자신이 제시한 협상 계획에 따른 협상 진행 의지를 확인하기 위해, 개도국의 최대 관심 협상 분야인 섬유 협상에 많은 관심을 나타냈음

o 던켈 의장은 회의 진행 과정에서 섬유와 농산물의 linkage 가능성을 자주 인용하므로써 11월부터 전체 협상을 package로 몰고 가겠다는 의지를 나타냄

- (예) 미국이 섬유에서 큰 양보를 할 수 없는 상황에 비추어 농산물에 거는 지나친 기대 수준도 낮추어야 한다는 점 (또는 역으로 미국이 농산물에 거는 기대 수준 만큼 섬유에서도 많은 양보를 해야 한다는 논리)

o 현재 대부분 국가는 던켈 의장이 제시할 최종 협상안의 내용에 큰 관심을 나타내고 있으며, 동 협상안이 향후 섬유협상 타결의 기본 frame을 형성할 것이라는 점에는 이견이 없음

- 이와 관련 Shepard USTR 제네바 공사 (섬유협상 전담자)는 내주 워싱턴으로 일시 귀국해 미국의 대책을 논의할 것이라 함

0135

o 여타 협상 분야와 마찬가지로 섬유 분야에서도 11월초 제시될 협상안 (W/35/Rev.2)은 Consensus Paper가 아닌 Blacket이 축소된 Chairman's text가 될 것으로 보이며, 본격적인 협상 타결 시도는 동 text가 제시된 후 여타 협상 분야와의 linkage를 통해 전개될 것으로 예상됨

o 차기 회의는 10월 21일 주간에 7-8개국이 참여하는 Small Group 형태로 던켈 의장이 제시한 paper에 대해 논의할 전망임

4. 아국의 대책

o 던켈 의장의 새로운 text에 대비하여 아국의 중점 분야에 대한 검토 필요

- 아국이 중점을 두고 검토해야 할 대상 분야

. 현 양자 협정상 1% 미만의 연 증가율을 갖고 있는 품목에 대한 1%로의 최소 연증가율 인정 문제

. 품목 대상 범위와 단계별 갓트 복귀 비율 및 연 증가율의 연계를 전제로하여 아국에 유리한 입장 정립

. 잠정 기간중 주종 공급국에 대한 cut-back 가능성 최대 억제 (현 협정안 2조 12항 관련)

. 잠정기간중 아국이 본 협정상의 Selectivity에 근거한 잠정 SG 발동 권리 보유 여부 (동 권리 보유에 따른 일정한 의무 이행 문제 포함)

. 잠정 기간중 규제중인 품목에 대한 반덤핑, 상계관세 발동 억제 규정 관철, 문제등

o 상기 검토 입장에 근거하여 섬유수출개도국기구 (ITCB)의 공동 입장에서 독자적인 입장을 보유해야 할 분야 및 세부 협상 대응 전략 검토

0136

o UR 협상을 전체 package로 하여 주요국과의 양자 협상시에 대비한 양보 또는 관철해야 할 입장 및 그 수준 검토

※ 금번 회의 기간중 일본 대표와의 양자 접촉시에 양국의 협력 가능 방안을 논의 하였음

- 일측은 자국의 관심사항인 잠정 SG 발동권리 문제를, 아국은 1% 최소 연 증가율 문제에 대한 일본의 공식 지지 가능성을 검토키로 합

<첨부 : 조문별 세부 토의 내용>

0137

〈첨 부〉 UR/섬유협상 각 조문별 주요 토의 내용

조 문	주 요 쟁 점	토 의 내 용
1. 서문	o 던켈의장은 현 협정안의 서문이 8개 항목으로 지나치게 복잡하게 되어 있는바, 본 협정이 MFA를 철폐하고, 갓트 복귀를 실현하기 위한 과도기적 성격의 협정이므로 서문을 간단 명료하게 축소할 필요가 있음을 제안 - 현 서문의 1-3항 및 6-8항 삭제 제안	o ITCB 국가 (페루, 인도, 파키스탄)은 섬유가 개도국 경제에 미치는 중요성을 강조한 2항의 필요성 주장 o EC는 섬유교역의 점진적인 갓트복귀 및 갓트규정 및 원칙의 강화를 규정한 6항 및 7항의 필요성 주장 o 본 협정이 갓트의 제반원칙 및 목적을 고려한다는 8항과 관련 현재 MFA 가입국이지만 갓트 비가입국인 중국에 대한 동 조항의 법적 문제가 제기됨
2. 제 1조	o MFA 철폐 및 갓트복귀 목표를 규율할 일반 규정	o 협정 가입국의 규제 조기 철폐 가능성을 규정한 2항에 대해 개도국은 동 조항이 규제 철폐 가능성만이 규정되어 있으므로 "restriction" 다음에 "and/or integrating products into GATT"를 추가할 것을 주장 o 본 협정의 규정은 갓트상의 권리.의무에 영향을 미치지 않는다는 제 4항의 규정과 관련 현재 MFA 가입국이면서도 MFA상의 규제를 발동치 않는 국가 (예 : 일본, 스위스)가 제 6조상의 잠정 SG를 발동할 수 있는 권리가 있는지 문제가 논의됨 - 미국, 일본등은 동 국가들이 갓트상의 권리 또는 본 협정상의 권리중 선택할 수 있다는 입장을 보인 반면 - 인도, 파키스탄은 갓트상의 권리만을 보유한다는 입장을 보임
제 2조 (MFA 규제)	o 모든 섬유에 대한 수량 규제는 본 협정에 적용토록 함 (제1항) o MFA하 규제의 단계별 갓트 복귀 방법 (제4항 - 8항) - 잔존 규제 품목에 대한 년 증가율, 융통성 (9-11항) - 쿼타, 증가율, 융통성의 상호 조정 규정 (제 12항) - 특수한 공급국 우대 (13-14항) - 갓트 복귀 품목의 갓트 19조 적용 금지기간 부여 규정 (15항) : Moratorium 기간 필요	o 수량규제의 명확한 정의가 필요함 o EC는 제 2조가 1-3항은 MFA하 규제 처리 절차 규정, 4-8항은 복귀절차 규정, 9-14항은 잔존 쿼타 처리 규정등 각각 상이한 성격의 내용들이 포함되어 있으므로 non-MFA 규제를 규정한 제 3조를 포함하여 이를 재 구성해야 함을 주장 - 개도국은 동 EC 주장에 진의가 무엇인지 몰라 일단 comment를 유보함 (일부 국가는 EC가 제 3조의 non-MFA 규제의 대상에 개도국의 갓트 18조 B의 BOP 규제도 어떤 형태로든 문제를 삼으려 하고 있다는 우려 표명) o 홍콩, 아국은 제 12항이 일부국에 대한 쿼타 삭감을 초래할 우려가 있다며 삭제 주장 - 이에 대해 이집트, 터이키는 제12항의 필요성을 주장하여 개도국간 이견 대립

0138

조 문	주 요 쟁 점	토 의 내 용
		- 미국은 쿼타 조정은 갓트 복귀의 첫 단계에 이루어질 수 있다며, 미소진 쿼타를 타 쿼타로 전용하는 가능성을 언급함 o 개도국은 공동으로 제 15항의 Moratorium 기간 설정 필요성을 강력히 주장 - 현 MFA상 규제 품목이 갓트 복귀된후 수입국이 즉시 갓트 19조를 발동할 경우를 우려 . punta 선언에 갓트 규정 및 원칙의 강화를 규정한것도 이같은 이유임을 강조 - 미국, EC는 동 개도국 주장이 갓트 체약국의 갓트상 권리.의무를 제약하는 것이라며 강한 반대 입장 표명
제 3조 (여타규제)	o MFA 이외의 섬유류 규제조치에 대한 갓트 통보 및 철폐 계획을 규정 - 갓트 일치, 불일치 여부에 관계없이 모든 섬유류, 규제조치를 갓트에 통보하고 (제 1항) - 모든 갓트 불일치 조치는 1년내 또는 본 협정의 잠정 기간내에 갓트복귀 또는 철폐 (제 4항)	o EC는 non-MFA 규제 철폐를 규정한 제 3조는 MFA상 규제 철폐를 규정한 제 2조와 같이 세밀히 규정되어 있지 않다고 불만 제기 o Raffaelli TSB 의장은 제 3조의 갓트에 불일치하는 non-MFA 조치의 철폐는 MFA 조치보다 더욱 엄격히 이루어져야 한다는 의견 제시 o 미국은 MFA 비가입국의 갓트 불일치 조치는 보다 철저히 규정해야 함을 주장
제 4조 (규제의 행정 문제)	o 쿼타 관리 주체는 수출국임을 규정 (제 1항) o 섬유 제품의 카테고리 변경등 품목 분류 변경시 쿼타 조정등 관리 문제 규정 (2-3항)	o 수출국은 여하한 경우에도 쿼타 관리 주체는 수출국이 되어야 함을 주장 - 수입국은 특별한 이의 제기 않함 o 수출국은 품목 분류 변경시 당사국간 협의 기간을 30일로 제시
제 5조 (사기,우회 수출 문제)	o 사기 및 제 3국을 통한 우회 수출의 경우 당사국간 협의 및 현장조사등을 통한 쿼타조정 절차 규정	o 수출국은 수입국이 수출국 업체에 현장 조사를 규정한 제 2항 규정에 반대 o 미국, 카나다는 현 5조의 규정 자체가 사기, 우회 수출 방지를 위한 최소한의 규정이므로 이보다 완화된 규정은 수락할 수 없다는 주장 o 수출국은 제 4항에 괄호로 되어있는 [after] [as agreed in]중 후자를 주장, 선진 수입국은 반대 o 중국은 4항의 괄호를 삭제할것을 주장 카나다가 이에 반대

조 문	주 요 쟁 점	토 의 내 용
제 6조 (잠정 세이프가드)	o 개념적인 문제로서 잠정 SG의 성격이 독립적인 (Self-Standing) 것인지 복귀조항 (integrate provision)의 하나인지 문제	o 미국, 카나다, EC, 일본은 잠정 SG가 잠정 기간동안 발생하는 수입국 시장의 교란을 구제하기 위한 독립된 개념으로 보아야 한다며 이와같은 개념 규정은 SG의 발동 기준, 내용 및 기간등 제반 기술적 내용을 규정하는데 기준이 되어야 함을 강조함 - 이에대해 인도, 홍콩은 잠정 SG는 본 잠정 협정의 일부로서 갓트 복귀의 일환으로 보아야 한다고 주장함
	o 6조 1항 관련 현 협정안에는 Any Party도 본 협정 대상 품목에 대해 잠정 SG를 발동 할 수 있다고 규정되어 있음	o 일본은 잠정 SG 발동권한을 보유코자 하는 국가는 협정 2조 4항 - 8항의 의무를 이행함으로서 발동권한을 보유할 수 있다고 주장하고 이에 대해 미국은 잠정 SG는 모든 MFA 국가가 모든 국가를 상대로 발동 가능 하지만 단 2조상의 갓트 복귀 절차를 이행해야 한다고 주장함 - 인도, 파키스탄은 MFA상의 규제국만이 발동 가능하다는 입장을 표명함 - 아국은 갓트 18조 B를 졸업한 국가로서 MFA 규제를 발동치 않는 국가인데 6조의 잠정 SG가 아닌 갓트 19조만을 발동 할 수 있다면 형평에 어긋난다고 주장한바 일본은 2조 4-8항의 의무는 단순히 갓트상 복귀 계획을 통보하는 것이라고 언급하고, 스위스는 현 MFA 규제를 발동치 않고 있는 나라는 갓트 19조와 협정 6조의 잠정 SG를 선택적으로 할 수 있어야 함을 주장 - EC는 잠정 SG 발동 권리를 보유한 국가는 협정안 2조 4-8항의 의무만을 부담토록 되어있는 일본 제안에 대해 협정안에는 2조뿐 아니라 협정의 많은 다른 의무를 부담해야 한다고 주장함 - 멕시코는 현재의 수출국이 일정기간후 섬유 수입국의 입장에서 잠정 SG를 발동해야 할 경우가 있을 수 있다는 입장을 표명함
	o 6조 2-4항의 잠정 SG 발동 기준과 관련 특정 제품이 수입 증가로 국내 산업에의 피해 입증 및 수출 급증된 특정국에 대한 선별적 규제 발동등 절차 규정	o ITCB 국가들은 6조 2항의 내용이 총 수입 증가를 SG 발동 기준으로 규정함으로써 현 MFA상 규정보다 SG 발동 기준을 완화시켰다면서 반대 입장을 표명한바, 이에 대해 미국, EC는 총수입 물량의 증가를 SG 발동 기준으로 함으로써 오히려 개별국가의 수출증가가 가능하다는 점을 들어 SG 발동 기준이 현 MFA 보다 강화된 것이라고 주장함

0140

조 문	주 요 쟁 점	토 의 내 용
		- ITCB 국가는 6조 3항에 피해 판정 기준으로 포함된 수출국의 임금수준 및 가격 개념은 삭제되어야 한다는 점과 6조 4항 말미의 시장점유율을 기준으로 한 SG 발동 금지 문항의 필요성을 강조한바, 미국, EC는 이를 수락할 수 없다고 대립함
6조 6항	o 소규모 공화국, 면, 모생산국 등 특수한 공급국에 우대 원칙 규정	o ITCB 국가들은 새로운 수출국 (new entrants), 소규모 공급국, 면생산국등의 우대 필요성을 주장한데 대하여 - EC는 현 MFA에 이들 국가에 대한 우대 규정이 있다는 점과 정치적인 이유등으로 이를 인정할 수는 있으나, 구체적인 인정 방법은 협정 2조와의 관련성 및 소규모 공급국과 특수한 공급국의 정의등 기술적인 검토가 필요하다고 주장 - 이에 대해 던켈 의장은 기본적으로 잠정 협정은 갓트 복귀를 통한 섬유교역의 자유화를 실현하는 과정이라는 점을 염두에 두어야 하는 한편, 현재의 소규모 공급국이 잠정기간동안 계속 소규모 공급국에 머무를 수 없다는 점도 고려해야 한다고 언급
6조 8항	o 잠정 SG 발동시 규제수준 결정 문제	o 제 8항의 SG 발동시 규제 수준과 관련 미국, EC, 카나다는 3년 평균 수출 실적을 기준으로 하는 것이 수출국의 예측 가능성을 보장하기 위해서도 필요하다고 주장한 반면, ITCB 국가는 과거 1년간 수출 실적을 기준으로 할 것을 주장함 o 제10항의 규제량 결정 기준 시점에 대해 ITCB 국가는 수출 시점을, 수입국은 수입시점을 각각 주장하였고, 제 14항의 융통성 문제와 관련, 수입국은 잠정 SG 발동시 기존 품목과의 전용 (swing)을 인정할 수 없음을 들어 삭제를 요청함
제 7조 (추가 무역 조치)	o 본 협정상의 섬유 규제 이외에 추가적인 규제 조치를 취할 수 없으며 반덤핑, 상계관세 조치를 발동할 수 없음	o 미국은 7조의 내용이, 본 협정은 GATT 체약국의 권리. 의무를 침해하지 않는다는 제 1조 제 4항의 규정과 어긋나므로, 동 자문 자체를 삭제할 것을 일본. EC는 현 MFA 9조상의 표현을 그대로 규정할 것을 주장

0141

조 문	주 요 쟁 점	토 의 내 용
		- ITCB 국가들은 동 조항이 2중 규제를 방지코자 하는 현실적인 이유에 근거한 것이라고 주장한바, 던켈 의장은 동 조항은 최종협상 단계에서 여타 협상 분야를 고려 UR 전체 package 차원에서 다룰 것을 제의
제 8조 (갓트규정 및 원칙)	o 본협정 가입국은 섬유 교역의 갓트 복귀 실현 및 UR 결과 commitment에 따라 제반 갓트상 의무를 이행해야 함을 규정	o EC는 동 조문이 갓트 복귀를 원활히 실현시키기 위해 필요하다는 점을, - 브라질 등 개도국은 동 조문 자체는 MFA 철폐, 갓트 복귀에 직접 관련이 없다며 삭제할 것을 주장
제 9조 (감시,분쟁 해결등)	o 섬유 감독기구 (TMB)의 갓트 복귀 감독, 분쟁해결등의 절차 규정 - 특히 제 11항에 특정국이 갓트상 제반 의무를 이행치 않을 경우 이를 TMB에 통보 갓트 복귀의 차기 단계로의 이행을 지연시킬 수 있음을 규정	o 제 11항의 이행 검증 문제와 관련 인도는 현재, 갓트 패널에서 조차 "결정"이 아닌 "권고"만을 할 수 있다는 점을 들어 이사회가 "결정"토록 할 수 없다고 주장 - EC는 동 조항이 비록 이행 과정에서 분쟁의 소지가 있다고 할지라도 EC 업계로서는 타국의 갓트의무 불이행을 갓트에 제기함으로써 공식화 하는것이 중요하며, 또한 갓트 복귀의 신뢰성 (credibility) 확보를 위해서도 필요하다고 주장 - 의장은 동 조항 시행의 법적 측면에 대해 갓트의 법률 자문에게 의견을 구하겠다고 언급하고 동 조항에 대한 추가 논의를 유보
제 10조 (시한)	o 본 협정의 발효시한 (갓트 복귀 시한)	o 별다른 논의가 없었음
제 11조 (최종규정)	o 본 협정의 발효 시기등 절차	o 별다른 논의가 없었음
부속서 II (협정 대상 품목)	o 본 협정의 대상 품목으로서 제 2조의 갓트 복귀 및 6조의 잠정 SG 발송 대상 품목임	o 던켈 의장은 갓트 복귀 및 selectivity가 인정되는 잠정 safeguards의 대상이 되는 협정 대상 품목의 범위는 협정안 2조의 갓트 복귀 비율 및 잔존 규제 품목의 연 증가율과 연계되어 있다며, 선진수입국이 섬유협상 타결 이후 확고한 MFA 철폐 및 복귀의 의지를 보여 주기 위해서는 품목 대상을 좁게 정할수도 있지 않느냐는 견해를 제시함 o 이에 대해 미국은 현 협정안에 규정된 대상 품목 범위가 비록 일부 현재 비규제 중이라 한지라도 현 MFA상 규제를 발동할 수 있는 품목을 대상으로 한 것이며, 또한 동 대상 품목의 일정 비율을 단계별로 복귀시킨다는 것은 현 MFA상 규제를 발동할 수 있는 권리를

0142

조 문	주 요 쟁 점	토 의 내 용
		포기하는 것이므로, 현재 규정된 품목 대상 범위는 미국으로서 수용할 수 있는 최저의 수준이라고 주장함. 또한 미국은 던켈 의장이 지적한 품목 대상 범위와 갓트 복귀율 및 연 증가율과의 연계 가능성을 인정하여 품목 대상 범위가 줄어들 경우 갓트 복귀 및 연 증가율은 낮아질 수 밖에 없다고 언급함 o EC는 던켈 의장이 지적한 연계 가능성을 인정하고, 개도국은 품목 대상 범위에 관계없이 현재 제시된 잔존규제 품목에 대한 연 증가율로 인해 괄목할 만한 자유화 효과를 누릴 수 있을 것이라고 강조함 o 아국은 이에 대해 현재 연 증가율이 1% 도 안되는 다수의 품목에 대해서는 상기 EC가 지적한 연 증가율을 적용한다 하더라도 자유화 효과를 실현할 수 없다고 지적한 바 EC는 이에 대해 이같은 품목은 수입국 시장에서의 민감성등을 고려 특수한 경우라고 주장함 o 던켈 의장은 현 협정안에 수록된 품목에 따라서는, 1개 수입국이 1개 수출국에 대해서만 규제를 하고 있는 품목도 있는바, 이같은 품목을 다자 협정에 포함시키는 것은 UR 협상의 다자주의 (multi-lateralism)을 무시하는 것이라고 의문을 표시한 바 이에 대해 미국은 현재 규제하는 품목인지 여부에 관계없이 현 MFA상 정의에 따라 품목을 논의하자고 지적함

0143

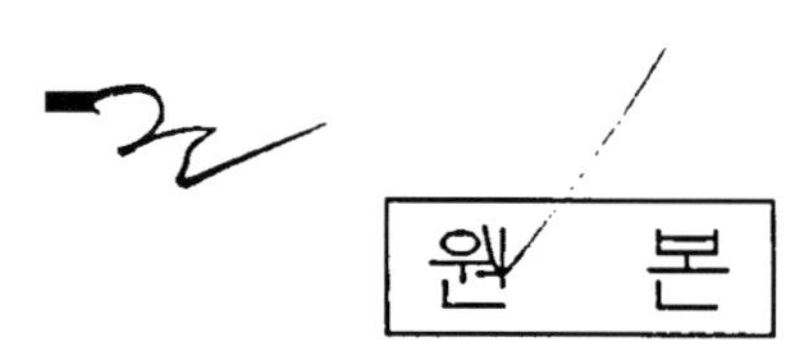

원 본

외 무 부

종 별 :

번 호 : GVW-1953 일 시 : 91 1010 1100

수 신 : 장 관(통기,상공부)

발 신 : 주 제네바대사

제 목 : UR/섬유협상(비공식)

10.15(화) 개최예정인 표제회의 의제 별첨 FAX 송부하니 참고 바람.

첨부: 섬유(비공식) 회의 의제 1부.

(GVW(F)-0399).끝

(대사 박수길-국장)

통상국 2차보 상공부

PAGE 1

91.10.11 08:16 WH

외신 1과 통제관

0144

GVW(F)-0399 11010 1100
" GVW-1853 첨부"

From: Arif Hussain
GATT, Geneva

Signature:

To:		FAX. NOS.
	H.E. Mr. F. Jaramillo (Colombia)	791 07 87
	H.E. Mr. R. Barzuna (Costa Rica)	733 28 69
	H.E. Mrs. L. Saurel (El Salvador)	738 47 44
	H.E. Mr. H. Kartadjoemena (Indonesia) (ITCB)	793 83 09
	H.E. Mr. Jesús Seade (Mexico)	733 14 55
	A. Wong (Hong Kong)	733 99 04 OR 740 15 01
	P. Favro (Argentina)	798 72 82
	J. Potocnik (Austria)	734 45 91
	M. Talukdar (Bangladesh)	738 46 16
	A. Prates (Brazil)	733 28 34
	P. Gosselin (Canada)	734 79 19
	M. Matus (Chile)	734 41 94
	Wang Shichun (China)	793 70 14
	A. Shalaby (Egypt)	731 68 28
	J. Beck (European Communities)	734 22 36
	K. Luotonen (Finland)(Nordics)	740 02 87
	A. Ivanka (Hungary)	738 46 09
	A. Sajjanhar (India)	738 45 48
	P. Coke (Jamaica)	738 44 20
	Y. Ishimaru (Japan)	788 38 11
	S. Kang (Korea)	791 05 25
	M. Supperamanian Manickam (Malaysia)	788 09 75
	A. Lecheheb (Morocco)	798 47 02
	M. Ahmad (Pakistan)	734 80 85
	A.M. Deustua (Peru)	731 11 68
	L. Pemasiri (Sri Lanka)	734 90 84
	W. Meier (Switzerland)	734 56 23
	S. Rastapana (Thailand)	791 01 66
	Y. Dincmen (Turkey)	734 52 09
	R. Shepherd (United States)	749 48 85
	G. Venerio (Uruguay)	731 56 50
	E. Vukovic (Yugoslavia)	46 44 36

YOU ARE INVITED TO ATTEND AN INFORMAL MEETING TO BE HELD IN THE CENTRE WILLIAM RAPPARD, ROOM "B", ON TUESDAY, 15 OCTOBER (3.00 P.M.) TO DISCUSS QUESTIONS RELATING TO ARTICLE 2 AND ANNEX II OF THE DRAFT AGREEMENT ON TEXTILES AND CLOTHING (MTN.TNC/W/35/REV.1).

PLEASE NOTIFY US IMMEDIATELY IF YOU DO NOT RECEIVE ALL THE PAGES

** OUR FAX EQUIPMENT IS HITACHI HIFAX 210 (COMPATIBLE WITH GROUPS 2 AND 3) AND IS SET TO RECEIVE AUTOMATICALLY **

1 -1

0145

원 본

외 무 부

종 별 :

번 호 : GVW-1967　　　　일 시 : 91 1011 1540

수 신 : 장관(통기,경기원,상공부)

발 신 : 주 재네바 대사

제 목 : ITCB 회의

10.15 (화) 개최 예정인 주요국 비공식 섬유협상에서 논의될 의장 TEXT 제 2조에대한공동입장 모색을 위한 표제회의가 개최되었는바, 요지 하기 보고함.

1. 제 (1) - (3) 항과 제 (4) 항의 연계 및 통합의 기초에 관한 논의

0 인도, 파키스탄등은 제 (1) - (3) 항과 제(4)항과를 연계시켜, 과도기간중 통합대상품목은 각 수입국이 현재 MFA 하에 규제하고있는 품목만을 기초로 하여야 한다고 주장하고 이를위해 제 (4)항 둘째줄 PRODUCTS 다음에'COVERDED BY RESTRICTIONS NOTIFIED UNDER PARAGRAPH(2)를 추가하자고 주장함.

0 이에 대해 아국은 상기의 경우 현재 MFA규제를 하고 있지 않은 나라들이 잠정세이프가드를 발동할수 있는 근거가 없어지므로 수입국(특히 일본)과의 협상이 어려워질것 이라는점, 페루는 자국의 수입 자유화 조치에 따라 향후 잠정 세이프가드 발동권한 을 보유하여야 할필요성이 있는점을 지적함.

2. 제 12항의 존치 여부

0 아국, 인도, 파키스탄 등은 양국간 합의에 의한 기본 쿼타, GROWTH RATE 및 융통성의 혼합비중을 달리할수 있도록 본 조항은 교섭력이 강한 수입국이 교섭력이 약한 수출국에게 희생을 강요할수 있는 근거를 제공하는 쌍무적 요소이므로 다자 협정문에서는 삭제되어야 함을 주장함.

0 이에 대해 스리랑카, 자마이카, 이집트 등은 본조항은 소규모 쿼타 보유국에게쌍무협정을 통해 쿼타를 증가시켜줄 가능성을 제공할 수 있으므로 계속 존치되어야함을 주장함.

3. 차기 회의

0 다음 회의는 10.14(월) 재개키로 하였는바, 동회의에서는 의장 TEXT 제 2조 및ANNEX II전반에 대한 공동 입장 모색을 논의키로 함.끝

통상국　2차보　구주국　청와대　안기부　경기원　상공부

PAGE 1　　　　91.10.12　05:17 FN

외신 1과 통제관

0146

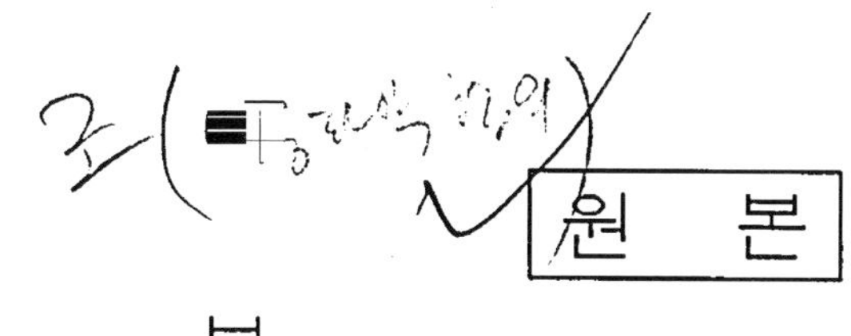

원 본

외 무 부

종 별 :

번 호 : GVW-1992 일 시 : 91 1014 1830

수 신 : 장 관(통기,경기원,상공부)

발 신 : 주 제네바 대사

제 목 : ITCB 회의

10.15(화) 개최 예정인 주요국 비공식 섬유협상에서 논의될 의장 TEXT 제 2조에대한 공동입장모색을 위한 표제회의가 금일 개최되었는바 요지 하기 보고함.

1. 현 MFA 규제와 GATT 통합과의 연계 명료화

0 과도기간중의 통합대상품목은 수입국이 현 MFA 하에 규제하고 있는 품목만을 기초로 할 것을 분명히 하기 위하여 제 4항 둘째줄 및 제 6항 A.B.세째줄 PRODUCTS 다음에 'COVERED BYRESTRICTIONS NOTIFIED UNDER PARAGRAPH 2' 를 삽입할것을 제안키로 함.

0 또한 ANNEX IV 상 4가지 가공 단계별 품목이 통합대상 품목에 균등히 포함되도록 제 4항 마지막 문장 및 제 6항 A.B 마지막 문장 FROM 다음에 'EACH OF'를 추가제의키로 함.

0 한편 본협정 시행과 동시에 통합되는 품목 및 제거되는 규제와 관행을 규정하고 있는 ANNEXIII 를 보다 명확히 하기 위해 4항 AND 'ELIMINATE' 이하를 'PRODUCTS TO BE IMMEDIATELY INTEGRATED, RESTRICTIONS AND RESTRICTIVE PARACTICES TO ELIMINATED ASLISTED IN ANNEX III' 로 수정 제의키로 함.

2. 제 12항의 존치여부

0 아국, 인도, 파키스탄, 홍콩등은 양국간 합의에 의한 기본 쿼타, GROWTH RATE및 융통성의 혼합비중을 달리할 수 있도록 규정한 본 조항은 교섭력이 강한 수입국이 교섭력이 약한 수출국에게 희생을 강요하여 특정품목에 있어서 기본 쿼타의 CUT BACK 을 가능케 할수 있는 쌍무적 요소이므로 삭제되어야 함을 주장한 반면, 페루, 자마이카등 은 본 조항은 소규모 쿼타 보유국에게 쌍무협정을 통해 쿼타 증가의 가능성을 제공할 수 있으므로 계속 존치해야 함을 주장하여 합의에 이르지 못함. 의장은 이에 대해 상기 2가지 입장을 주요국 비공식 회의시 제기하여, 양 입장이

통상국 경기원 상공부

PAGE 1

91.10.15 08:17 FO

외신 1과 통제관

0147

동시에 반영될수 있도록 동 조문에대한 기술적 검토가 필요함을 지적키로 함.

3. 기타

0 여타 조항에 대해서는 기존의 ITCB 입장을 최대한 반영키로 하였으며, 특히 융통성 조항인제 11항 및 수량규제가 해제된 품목에 대해서는 2년간 긴급조치 발동을하지 못하도록 규정한 제 15항의 유지가 중요하다는데 인식을 같이함.끝

(대사 박수길-국장)

PAGE 2

0148

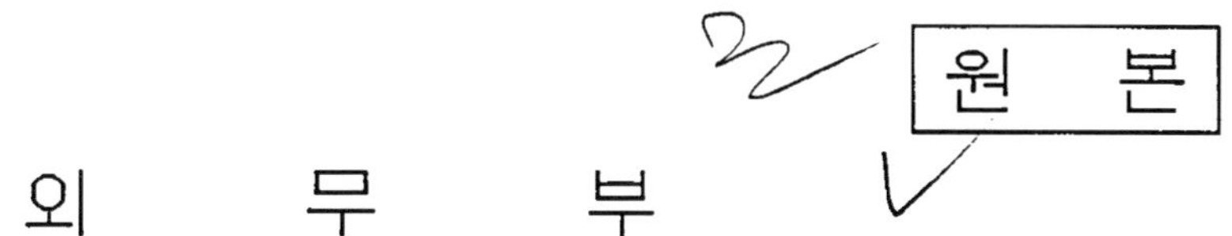

외 무 부

종 별 :

번 호 : GVW-2014 일 시 : 91 1016 1100

수 신 : 장관(통기,경기원,상공부)

발 신 : 주 제네바대사

제 목 : UR/섬유 협상(비공식)

DUNKEL 의장 주재로 10.15(수) 15:00-17:30 표제회의가 개최되어 의장 TEXT 2 조 및ANNEX II에 대해 논의하였는 바, 요지 하기 보고함.

0 인도네시아 HASSAN 대사는 ITCB 를 대표하여 현의장안중 품목대상, 통합비율 및 GROWTH RATE등의 조항 내용이 섬유 분야의 갓트 통합 및 자유화 목적을 충족시키지 못하는 불만족스러운 것이라고 지적하였으며(동 STATEMENT 별첨 FAX송부), 동 조문의 기술적 사항으로 10.14 ITCB회의에서 논의한 내용(GVW-1992)이 동 조문에 반영되도록 할 것을 주장함.

0 EC 는 상기 ITCB 의 제안 내용(ITCBSTATEMENT)을 수락할수 없음을 분명히 하였으며, ITCB 는 ANNEX II, GROWTH RATE 및 통합비율등이 상호 연관(INTERLINKAGE)이있음을 고려치 않고 있다고 반박함. 미국은 EC 입장을 지지하면서 본 협정은 UR 전체 PACKAGE의 일부분임을 강조함.

0 GATT 통합 품목 대상으로 '제 2항의 규정에 의해 통보된 규제 품목(PRODUCTS COVERED BYRESTICTIONS NOTIFIED UNDER PARAGRAGH 2)' 이란 표현추가에 대해, 스위스는 동 표현에 의할 경우 현MFA 체제하에 규제를 하지 않고 있는 국가가 제6조의 잠정 S.G 를 발동할 권리가 유보될수 있음을 이유로 반대하였으며, 일본, 멕시코, 브라질이 이에 동조 하였음.

0 상기 논의에 대해 던켈 의장은 GATT체약국에는 수출국 및 수입국, MFA 국가 및NON-MFA 국가등이 혼재하고 있음을 염두에 두어야 할 것이며, 각 통합 단계에서 ANNEX II, 통합비율 및 GROWTH RATE 간의 균형있는 배합이 중요함을 강조하였는 바, 브라질은 상기 3요소이외에 TIME SPAN 도 고려해야 함을 지적함.

0 차기 회의는 10.23(수) 15:00 개최키로 잠정 결정되었는바, 던켈 의장은 동 회의에서는 그동안 비공식 회의에서 논의한 주요 쟁점사항(MAJOR ISSUES)에 대해

통상국 2차보 경기원 상공부

PAGE 1 91.10.17 07:49 WH

외신 1과 통제관

0149

입장정립을 해나가기를 희망한다고 언급함. 끝

첨부: GVW(F)-421)

(대사 박수길-국장)

GVW(F)-0421 11016 1100

STATEMENT OF POSITION ON TEXTILES "GVW-2014 첨부"

Points which I wish to highlight in the informal textiles meeting on 15 October, 1991 are the following:

1) the economic provisions as presently appear in the text of W/35/rev.1 are very unsatisfactory. They do not meet the objective of integrating textiles into GATT and liberalizing textiles trade.

2) The are unsatisfactory from the point of view of:

- product coverage;
- integration ratio;
- growth factor;

Let me outline each of these points briefly.

Product Coverage

3) The composition of the product coverage as appears in the present Annex II does not constitute an approriate basis for a genuine integration. In the present Annex II, there are products which are either:

- not currently under MFA restriction by any country;
- not covered by Art. 12:1 of MFA or are excluded in terms of 12:3 on account of their being handmade items;

1

3-1

0151

- products which are currently restricted under the MFA but the volumes imported are of such small quantities as to make it unneccessary to impose restrictions;

- there are also products which are simply not products of the textiles industry and are restricted only in one country,

The inclusion of these products leads to an inflation of product coverage, leading to an optical illusion of integrating products which should not have appeared in the list for integration in the first place.

Our figures show that the inflation of the product coverage to be the following:

Austria: 46 %
Canada: 45 %
EC: 40 %
Finland: 53 %
Norway: 50 %
USA: 36 %

These figures significantly inflate the product coverage.

Integration

4) On top of the unsatisfactory product coverage as the starting point of the integration porgram, the integration program itself, as it presently appears in the text, is unsatisfactory. The the figures of the integration ratios themselves are not credible.

2

3-2

0152

If the present program were to be implemented a substantial portion of the products in Annex II would not have been integrated by the end of the transitional period. At the end of the transitional period, only 45 % of the products would have been integrated. This would place the reform process at a risk because the burden of reform would be concentrated at the very end.

A backloading of the integration process would put the whole program in jeopardy because at the end of the transition period a significant portion of the products under restriction would not have been integrated.

growth factors

6) The growth factors as presently appear in the text are also not satisfactory. The median of growth rate for products under restrictions is 3 %. With the growth factors being applied, our calculation would show that the actual growth after 10 years would be 59 %. That is a low figure. A credible growth rate would be a 7% compounded growth rate in the average. That would lead to a doubling of the quotas over 10 years. It would have the effect that at the end of the integration period, quotas would have no more bite, which is consistent with a credible program of liberalization.

H.S. Kartadjoemena,
Ambassador
Chairman of ITCB

UR/섬유협상 대책 자료

('91. 10.)

상 공 부
국제협력관실

0154

1. 협상 진전 현황

o 던켈 의장의 협상안 (W/35/Rev.2) 작성을 위한 1차 협의를 통해 브랏셀 협상안 (W/35/Rev.1)에 대한 1차 Review를 끝냄

o 동 1차 Review에서 선.개도국간 타협안이 모색되지는 못했고 다만 각국의 기존 입장을 확인하는 정도에 그침

o 던켈 의장은 동 1차 Review를 끝내고 11월중 자신의 txt를 제시하기전 현 협상안의 주요 쟁점에 대한 절충안을 모색코자 본격적인 2차 협의를 진행할 것으로 보임

2. 협상 전망

o 던켈 의장은 10.23 회의부터 주요 쟁점별 자신의 타협안을 제시하는 식으로 회의를 진행하여 최종 협상안의 윤곽을 잡아갈 것으로 예상됨

o 동 협상 과정에서 농산물을 비롯한 여타 협상 분야와의 연계를 통한 타협 과정도 거칠 것으로 보이며 7-8개국만이 참석하는 Drafting Group을 운영할 가능성도 있음

o 최종 협상안의 형태는 농산물등 여타 협상 분야와 마찬가지로 Bracket이 없는 clean text로 최종안을 제시할 수 있을지 여부는 미정임

0155

3. 아국입장

가. 기본입장

o 현 MFA 하에서 섬유 주종 수출국으로서의 아국의 위치를 감안, 현 MFA하의 섬유 교역의 기본 체제를 급격히 변화시키지 않고 점진적으로 MFA를 철폐하고 갓트로의 복귀를 실현함

o 현 협상안 (W/35/Rev.1)이 기존 MFA 체제를 기본으로 하고 있는 만큼 현 협상안의 기본 골격을 유지한채로 아래 쟁점에 대해 우선 순위를 두고 대응토록 함

- 1%로의 최소 연 증가율 보장
- 협정 대상 품목 범위와 갓트 복귀 및 연 증가율의 연계 문제
- 잠정기간중 잠정 Safeguards 발동 권리
- 잠정기간중 쿼타 수준에 대한 상호 합의 문제
- 잠정기간중 규제중인 품목에 대한 반덤핑, 상계관세 발동 금지

나. 주요 쟁점별 입장

1) 1%로의 최소 연 증가율 보장

o 금번 섬유협상이 10년 (잠정)의 잠정기간후 현 MFA상 규제를 철폐하고 섬유 교역을 갓트로 복귀시켜 자유화하는 것인 만큼 현 양자 협정상 1% 미만의 증가율을 갖고 있는 품목은 1%로의 최소 연 증가율이 보장되어야 함

- 동 품목이 수입국 시장에서 민감한 품목이라 하더라도 잠정기간후 동 품목도 갓트로 복귀되어 자유화 시켜야 하는 만큼 수입국 입장에서도 잠정 기간동안 점진적으로 수입을 늘려 나가야 함

- 현재 1% 미만의 증가율을 갖고 있는 품목에 대해서 잠정 기간동안 실질적으로 자유화 효과를 배제 한다는 것은 선진 수입국의 UR 협상을 통한 섬유 교역의 갓트 복귀 및 자유화 실현 의지에 대한 credibility를 의심케 함

0156

※ 미국에 대해 0%의 증가율 (증가율 동결)을 갖고 있는 품목

. cat 443 (모소재 남성용 양복 : M & B suits of wool)

- '87-'89 평균 소진율이 107.4%로 수출 양호 품목임

- 미국의 동 품목 쿼타의 평균 연 증가율이 0.5 - 1%로 매우 민감한 품목이며, 아국의 다량 쿼타 보유국임

<쿼타량 비교> ('91년)

	아 국	중 국	홍 콩
연 증가율	0.0%	1.0%	0.5%
쿼 타 량	322,056	128,533	56,664

. cat 845 (Ramie, Linen 소재 스웨터 : Sweaters of non-cotton vegetable fibres)

- '86. 9 신규 규제 품목으로 당시 미국의 요청으로 연 증가율 동결

(쿼타량 비교)

	아 국	중 국	홍 콩
연 증가율	0.0%	2.8%	0.2%
쿼 타 량	2,315,056	2,281,384	3,728,158

2) 협정 대상 품목 범위와 갓트 복귀 및 연 증가율

o 지난번 회의에서 미국, EC등 선진 수입국은 협정 대상 범위를 줄일경우 단계별 갓트 복귀 비율 및 연 증가율은 낮은 수준이 될 수 밖에 없다며 그 연계성을 강조함

o 양 개념의 연계성이 불가피하다고 할 경우, 아국으로서는 섬유 주종 수출국으로서 아국의 수출 관심 품목이 품목 대상 범위에서 제외될 가능성은 상대적으로 희박하며 따라서 아국은 현 규제 품목의 연 증가율을 좀 더 확보하는 방향으로 대응토록 힘

0157

- 즉 규제 대상 품목의 축소 보다는 규제중인 품목에 대한 높은 연 증가율 확보가 현실적으로 아국에 유리하다는 판단

- 반면 인도, 파키스탄등 강경 개도국은 품목 대상 범위의 축소를 통해 잠정 SG 발동으로 인한 추가적인 규제 발동 여지를 축소코자 하는 전략으로 협상에 임할 것으로 예상됨

3) 잠정 기간중 잠정 Safeguards 발동 권리

o 아국이 잠정 기간중 잠정 SG를 발동해 섬유 수입을 규제할 가능성은 희박하지만 아국이 갓트 18조 B를 졸업한 국가로서 섬유 수입규제가 없는 국가로서 권리의 형평상 권리 보유가 필요함

o 다만 아국은 현재 섬유 주종 수출국의 위치에 있는 만큼 적극적으로 잠정 SG 발동 권리가 필요하다고 주장하기 보다는 일본, 미국등의 입장을 소극적으로 지지하므로써 아국의 권리도 확보토록 함

- 동 문제는 일본이 UR/섬유협상에서 최대의 노력을 경주하고 있는 사안이고 개도국의 반대하는 강도가 크지 않은 실정이므로 아국이 소극적으로 대응해도 아국의 잠정 SG 발동 권리가 보장될 가능성이 큼

4) 잠정 기간중 기초 쿼타량에 대한 상호 합의 가능 여부

o 현 협정안 제 2조 12항에는 가입국은 기초수준, 연 증가율 및 융통성의 다른 혼합 (different mix)에 대해 상호 합의할 수 있다고 규정되어 있음

o 미국, EC는 동 조항이 잠정 기간중 발생할지 모르는 섬유 유행 pattern의 변화등에 따라 수출국의 희망에 따라 상호 합의하여 특정 품목의 쿼타량과 연 증가율, 융통성등을 조정할 필요성이 있다는 입장이고 개도국중 터어키, 이집트 등이 지지하고 있음

o 아국은 홍콩과 협조하여 동 조항이 섬유 주종 수출국에 대한 쿼타 삭감 (cut-back)의 수단으로 악용될 우려가 있다는 점을 들어 반대하며, 선진국 및 일부 개도국이 주장하는 이유는 2조 11항의 융통성 조항을 통해 해결할 수 있음을 강조

0158

5) 규제중인 품목에 대한 반덤핑, 상계관세 발동 금지

o 미국, EC뿐 아니라 모든 선진 수입국은 동 규정이 본 협정과 갓트와의 관계등 법적인 성격에 관련된 문제라며 동 규정은 갓트상 인정된 정당한 권리인 반덤핑, 상계관세 발동 권리를 침해하는 것으로 강한 반대 입장을 보이고 있음

o 아국, 홍콩 및 인도등 일부 개도국은 동 규정은 2중 규제를 금지해야 한다는 실제적인 이유에서 필요한 규정 이라고 주장하고 있음

o 동 규정에 반덤핑, 상계관세 금지라는 명시적으로 표현될 가능성은 희박하며 단지 현 MFA 9조의 표현을 그대로 규정할 가능성이 큼

o 아국은 협상 전략상 반덤핑, 상계관세를 부과하는 것은 2중 규제라며 현 MFA상의 사례를 인용하여 주장하되 최종 단계에서는 현 MFA 9조의 표현을 수락토록 함

0159

원 본

외 무 부

종 별 :

번 호 : GVW-2062　　　　일 시 : 91 1018 2030

수 신 : 장관(통기,경기원,상공부)

발 신 : 주 제네바 대사

제 목 : UR/섬유협상 관련

섬유협상 관련 당관 강상무관이 9.17 GATT 의SORRENSEN 섬유 담당 국장을 만나 면담한 내용을 하기 보고함.

1. 섬유 협상 전망

0 SORRENSEN 국장은 섬유 협상 타결에 대해서는낙관적이라고 하고 새로 제시된 TEXT 의 구체적내용이나 ( )이 얼마나 있을지는 현재 자신도 알수없으나 통합비율, 쿼타 증가율과 같은 숫자에는 () 이 있을 것이라고 하고 섬유 협상의 가장 큰쟁점은 품목범위, 통합비율, 쿼타 증가율, 잠정긴급 조치라고 함.

0 중국의 섬유 협정 참여문제에 대해서는 이는 SINGLE UNDERTAKING 과 관련되어있는 것으로 미국은 갓트 회원국만이 섬유 협정에도 참여할수 있다는 입장이라고함.

0 칠레, 베네주엘라, 쿠타등(현재 MFA 참여국가가아니며 섬유에 대한 규제를 받지 않고 있는나라)과 본 섬유협정과의 관계도 SINGLEUNDERTAKING 의 문제로서 UR 최종단계에서 다루어질 문제라고 함

0 일본, 페루, 멕시코, 스위스, 스웨덴등과 갑이 MFA 규제를 하지는 않고 있으나 과도기간중 잠정 세이프가드 조치 발동 권한을 보유하고자 하는 나라에 대한 사무국 견해및 이에 관련된 제 2조4항과 6조와의 관계에 대한 아국의 질의에 동인은권리, 의무의 균형이라는 관점에서 섬유협정에 참여하는 모든 나라가 동등한 권한을가져야 할 것이라는 견해를 피력하고 제 2조 (4)항과6조는 법적을 연계되지 않는것으로 본다고 함.

2. 아국 입장 전달

0 아국은 섬유 협상에 있어서 현 의장 TEXT 를 협상의 좋은 기초로 본다는 점,그러나 UR전체의 타결을 위해 수입국의 양보가 필요하다는점을 전제하고 아국의

통상국　2차보　경기원　농수부

PAGE 1　　　　91.10.19　08:02 DU

외신 1과 통제관

0160

주요 관심 사항에 대해 구체적 의견을 개진하였는바, SORRENSEN 은 이를 상부에 보고하겠다고 하였음.

0 아국은 섬유 교역 자유화를 추진하는데는 통합비율을 높히는 것과, 쿼타 수준을 증가시키는 두 방안이 있을수 있으나 수입국으로서는 연증가율에 양보하는 것이통합 비율에 양보하는 것보다는 용이할 것이라고 하고 최저 증가율 보장필요성을 강조함.

0 수출, 수입국간 합의에 의해 연 증가율, 융통성조항등을 달리 할수 있는 제 2조 12항과 관련 아국은 동 조항의 수입 선진국에 의한 남용 소지및 다자체제에 대한잠재적 위험을 강조함.

0 갓트로 통합된 품목에 대해 일정기간 갓트19조에 의한 잠정조치 발동을 금지하는 제 2조12항과 관련 이의 필요성을 설명하고 일반 세이프가드 협상결과를 고려할필요가 있음을 언급함.

0 섬유 협정 기간동안 적용될 잠정 세이프조치발동 권한을 보유하는 국가의 범위에 관해서는(제 6조 2항), 권리, 의무의 형평을 위해 모든국가가 동일한 권리를 가져야 한다는 점, 현 MFA가입국중 어떤 나라(예: 일본등) 가 MFA규제를 발동하지 않았다고 하여 그 국가가 해당 품목을 갓트로 이미 통합시킨 것으로 볼수는 없으므로 모든 국가가 제 6조 2항에 의해 잠정 조치권한을 보유한다고 하여 이것이 섬유 교역 자유화를 후퇴시키는 것이 아님을 설명함.

0 본협정에 의한 수입 제한을 하고 있는 국가가 반덤핑이나 상계관세 조치를 취하지 못하도록 규정한 제 7조에 대해서는 두번째 문안을 지지하고 수입국의 반대로 이것이 불가능할 경우에도 현 MFA 상 관련 조문보다는 그 내용이 개선되어야할 것임을 주 장함.

0 갓트 의무 이행과 섬유교역 자유화 진전을 연계시키고 있는 제 9조 11항에 대해서는 수입국에 의한 남용 가능성, 섬유 교역 자유화를 지체하기 위한 구실로 사용될수 있는 점등 위험성을 지적하고 갓트 의무 이행과 섬유 교역자유화의 직접적연계는 부당하다는 견해를 밝힘. 끝

(대사 박수길-국장)

원 본

외 무 부

종 별 :

번 호 : GVW-2161 일 시 : 91 1028 1800

수 신 : 장 관(통기,경기원,상공부)

발 신 : 주 제네바대사

제 목 : ITCB 회의

표제회의가 10.25.HASSAN 의장 주재로 개최되어 협정안 6조 1항의 잠정 세이프가드발동권리 보유문제를 위주로 토의한바 아래 보고함.(상공부 김영학 사무관, 김상무관보 참석)

1. 멕시코, 터키, 이집트, 우루과이, 자마이카등 대부분 국가는 섬유수입국과 수출국의 권리, 의무의 균형과 수출국도 10년의 잠정기간중 수입국의 입장에서 잠정 SG 를 발동해야 하는 경우가 있을 수 있다며 수출국도 6조 1항의 권리를 보유토록 해야 한다고 주장함.

2. 인도, 파키스탄은 수출국의 6조 1항의 권리를 보유할 경우 이것이 협정 품목대상 범위 및 갓트 복귀율등에 영향을 미칠수 있으므로 신중을 기해야 한다는 입장을보임.

3. 한편, 중국, 홍콩은 ITCB내 대세에 따르겠다는 신축적인 입장이고, 아국은 수출국도 6조 1항의 권리를 보유해야 한다는 입장을 표명함.

4. 인도네시아는 현 협정안의 6조 1항과 2조 4항의 갓트 복귀규정은 논리적으로아무런 연관이 없으며 현 MFA 규정에 의하더라도 'ANY PARTIES'에 수출국도 포함되므로 현 6조 1항의 규정과 2조 4항의 규정을 수정치 말자고 주장함.

5. ITCB 사무국은 차기 ITCB 정규 이사회를 12.16주간 독일의 COLOGNE 에서 개최할 것을 유럽 대외 무역협의(FOREIGN TRADE ASSOCIATION)가제 의하여 왔다고 전하고이에 대해 각국의 의견을 구한바 홍콩등 일부국은 12.16이 UR협상 진행과 관련 시기적으로 적당한지 여부에 대해 검토가 필요하다고 지적함.끝

(대사 박수길-국장)

통상국 2차보 경기원 상공부

PAGE 1 91.10.29 07:32 WH

외신 1과 통제관

0162

관리번호	91-687

원 본

외 무 부

종 별 :

번 호 : GVW-2101 일 시 : 91 1023 1100

수 신 : 장관(통기,경기원,재무부,상공부)

발 신 : 주 제네바 대사

제 목 : UR/분야별 협상대책(섬유분야)

연: GVW-2083

일반문서로 재분류 (1991.12.31.)

1. 주요쟁점 사항

0 품목대상 범위

- 수출국: MFA 규제하의 품목에 한정

- 수입국 : MFA 규제품목 보다 넓은 범위

0 통합 비율 및 연증가율

- 수출국 : 현 의장안의 대폭 개선 주장

- 수입국: 현 의장안 고수

0 잠정 세이프가드 조치

- 수출국: 현 MFA 보다 강화된 기준.요건 주장

- 수입국: 현 MFA 와 유사한 기준.요건 주장

0 섬유관련 GATT 규정강화

- 수출국 : 연계 반대

- 수입국: GATT 의무이행과 자유화 추진과의 연계주장

0 특수한 수출국 우대

- 수출국: 최빈개도국, 소규모공급국, 신규참여국 등에 대한 특별 고려 주장

- 수입국: 최빈개도국을 제외한 여타 국가에 대한 일률적 특별 취급 배제

2. 향후 협상 전망

0 섬유협상은 수입.수출국간 적절한 타협이 이루어질 것으로 일반적으로 관측

0 품목범위, 통합비율, 쿼타증가율간의 TRADE-OFF 가 향후 협상의 관건임

0 기타 잠정 세이프가드 조치 및 GATT 상 의무이행과 자유화 조치의 연계문제도 변수로 작용할 가능성 상존

통상국	장관	차관	1차보	2차보	경제국	외정실	분석관	청와대
안기부	경기원	재무부	상공부					

PAGE 1

91.10.23 21:40

외신 2과 통제관 FM

0163

0 최근에 부각된 주요 이슈는 통합의 기초 및 잠정 세이프 가드 조치 발동국가의 범위에 관한 사항임.

3. 아국의 관심분야

0 최소 쿼타 증가율(MINIMUM GROWTH RATE)

- 현 양자협정상 연증가율이 1 퍼센트 미만으로 되어있는 품목의 경우 최소1 퍼센트의 연증가율 보장

0 DIFFERENT MIX 조항 삭제

- 양자 협정에 의해 기본쿼타, 연증가율 및 융통성의 상이한 혼합을 가능케하는 조문(2 조 12 항)은 수입국에 의한 남용소지가 있으므로 동 조문 삭제

0 2 중 규제 금지조항 존치

- 통합기간 동안 반덤핑 조치를 포함한 추가 무역조치 발동을 금지케 하는 조문(7 조 1 항) 존치

0 잠정 세이프가드 조치 발동권리 보유

- 아국은 현재 MFA 규제를 하고 있지 않으나 통합기간중 GATT 로 통합된 품목의 수입급증에 대해 잠정 세이프가드 조치 발동권리 신중히 고려

4. 아국 관심사항 반영 방안

0 원칙적으로 ITCB 와의 공동 전략 수립을 통해 아국입장을 반영

0 협상 요소별로 공동 이해국(혹은 GROUP)과의 연대 및 보조 강화를 협상력 증강

- MINIMUM GROWTH RATE: 홍콩과 공동 보조

- DIFFERENT MIX 조항 삭제: 인도, 파키스탄, 홍콩등과 공동보조

- 2 중 규제 금지 조항 존치: ITCB 와 공동 보조

- 잠정 S.G. 조치 발동 권리 보유문제: 일본, 스위스, 브라질, 페루, 멕시코등과 공동 보조

0 GATT 사무국 담당자 및 동 협상그룹 의장과 접촉을 통한 아국입장 반영 모색

0 협상의 LEVERAGE 활용

- 타국관심 사항 협력에 대한 댓가로 아국 관심사항 지지 요청

. 예: 현 MFA 규제 국가가 아닌 국가의 경우도 잠정 S.G. 조치 발동 권리를보유하여야 함을 주장하는 일본을 지지하는 대신 일본으로 하여금 아국의 관심사항인 MINIMUM GROWTH RATE 의 증가 지지 유도.끝

(대사 박수길 - 국장)

PAGE 2

0164

예고 : 91.12.31. 까지

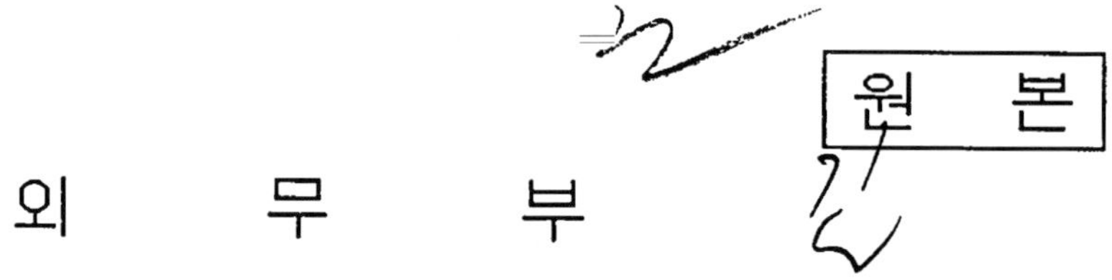

외 무 부

종 별 :

번 호 : GVW-2123 일 시 : 91 1024 1230

수 신 : 장 관(통기,경기원,재무부,상공부)

발 신 : 주 제네바 대사

제 목 : UR/섬유협상

표제 회의가 10.23.던켈 갓트 사무총장 주재로 개최된바, 요지 하기 보고함.(강상무관, 상공부김영학 사무관 참석)

1. 현재까지의 협상진전 평가

0 던켈 의장은 현재 각국이 기존입장을 견지하면서 기다리는 게임(WAITING GROUP)을 하고있어 협상 진전 결과가 매우 부진하며, 많은쟁점에 대해 이견이 지속되고 있을뿐 아니라 매우 단순한 쟁점조차 해결치 못하고 있는바,어려운 분야인 농산물에서의 진전에 비추어 섬유분야에서 전혀 진전이 이루어지지 않고 있다고말함.

0 EC 는 섬유 분야 진전을 지연시키고 있지않다며 이미 섬유분야는 브랏셀 회의 TEXT 를 통해 섬유업계에 타결 윤곽이 알려져 있으므로 이를 대폭 수정하는 안은 수락할 수 없다고 주장함.

0 일본은 작년 브랏셀의 경험에 비추어 단기간내에 타결될 수 있을 것이라는 점을,인니는 브랏셀 TEXT 가 협상의 기초가 된다는점을, 각각 지적함.

0 던켈총장은 현재까지의 협상을 통해 확인된 바에 의하면

- 수출국들은 (1) ANNEX II 의 품목 대상범위에 강한 불만을 갖고 있다는 점, (2) 2조의 갓트복귀 및 연증가율이 갓트 복귀 및 섬유교역 자유화에 전혀 영향을 주지못한다는 점을 강조하고있고

- 수입국들은 (1) ANNEX II 의 품목대상 범위 및 갓트 복귀율은 동시에 검토해야한다는 점, (2)브랏셀 TEXT 에 새로운 변경을 가하는 것은 불가하다는 점에 각각 중요성을 부여하고 있다고설명함

2. MFA 비가입국의 처리문제

0 던켈 의장은 섬유협상 결과 도출될 잠정섬유협정이 UR 협상의 일환으로단일채택(SINGLE-UNDERTAKING)되어 GATT 의일부로 흡수될 경우 현재 MFA

통상국 2차보 구주국 청와대 안기부 경기원 재무부 상공부

PAGE 1 91.10.25 00:46 FN

외신 1과 통제관

0166

가입국이나 GATT체약국이 아닌 국가(중국) 및 MFA 비가입국이나 GATT 체약국인 국가(칠레, 모로코등)에동협정을 적용할 경우 법률적인 문제가 있음을 지적하면서 동 문제의 합리적인 처리를 위해 법률전문가와 협의할 것임을 언급함.

0 호주, 스위스등 MFA 규제 비발동국가들은 잠정기간중 동 잠정협정에 의한 권리발동권한을 보유해야 한다고 주장하고 페루, 멕시코등은 자국이 잠정기간중 섬유규제를 할 가능성과 의도는 없으나 타국이 자국에 새로운 규제를 가할 경우 자국도 권리를 보유해야 한다고 주장함.

0 파키스탄은 잠정섬유 협정이 SINGLE UNDERTAKING으로 갓트의 일부가 되어 갓트자체를 오염시킬우려가 있다는 점을, 인도는 잠정협정이 갓트복귀를 위한 절차적인시한부 규정임을 지적함.

3. 향후 협상진행

0 덩켈 의장은 그동안 자신이 진행한 협상결과에 비추어 각국이 극한 입장을 되풀이 하고있는 상황에서 다시 현 협정을 검토하는 것은중단하겠다고, 하고 다만 각국이 본국정부의 정치적 결정이 필요한 쟁점에 대한 LIST 를 작성하기 위해 주요국과의개별적인 비공식협의를 진행하겠다고 함.

0 또한 던켈의장은 상기 쟁점 LIST 가작성되면, 동 LIST 에 대해 타협을 위한회의를 개최하든지, 아니면 의장이 독자적으로TEXT 를 제안하든지 자신이 추후 결정통보하겠다고 하고 회의를 종결함.

0 상기 던켈의장의 제안에 따라 추후 사무국과 각국과의 개별협의가 진행될 것으로 보이며 따라서 아국도 추후 사무국을 접촉 아국의 입장을 전달 협의할 계획임.끝

(대사 박수길-국장)

UR／섬유협상 참가 결과 보고

1991. 11.

국 제 협 력 관 실

0168

I. 출장 개요

1. 출 장 자 : 김 영학 국제협력관실 사무관

2. 출장기간 : 91.10.23 ~ 10.31

II. 회의 참석 결과

1. 협상 진행 분위기

o 던켈 의장의 최종 협상 text 작성에 대비하여, 선.개도국이 기존의 강경한 입장을 되풀이 하므로써 타협을 이루지 못함

- 던켈 의장은 각국이 협상의 최종 단계에서 자국에 유리한 협상 leverage를 확보키 위해 기다리는 게임 (waiting Game)을 하고 있다고 지적하고, 각국간 양자 및 복수국간의 협의를 진행할 것을 제의하고 자신이 주재하는, 공식적 성격의 회의는 개최치 않았음

o 이에따라 주요국간의 양자 및 복수 협의를 진행 하였는 바 이러한 협의에서도 현재까지 이견이 좁혀지지 못하고 있음

- 갓트 사무국과 주요국 및 주요국의 본부대표 또는 제네바 주재 협상 대표간의 비공식 협의를 진행하고 있음

o 현지 분위기는 11월말경에야 던켈 총장의 새로운 text가 제시된 것으로 예상하고 있으나, 동 text도 현 브랏셀 text와 같이 많은 Bracket이 포함된것 이라는 것이 지배적인 관측임

0169

2. 주요 쟁점 및 협의결과

(갓트 사무국 및 주요국과의 양자 및 다자 접촉 결과)

가. 갓트 복귀율 및 연 증가율

o 최종 협상 타결 단계에 가서야 합의가 시도될 것으로 보이며 금번 협의시는 선.개도국간 구체적인 숫치에 대해서 논의조차 이루어지지 못함

나. 품목 대상 범위

o 선진 수입국은 현 의장안상의 품목 대상 범위에서 전혀 양보할 의사를 보이지 않고 있어 타협 가능성이 보이지 않음

다. 잠정기간중 잠정 Safeguards 발동 권리

o 아국을 비롯한 대부분 개도국이 잠정기간중 개도국도 Selectivity가 인정되는 협정상의 SG 발동 권리를 보유해야 한다는 입장이고 선진국도 이를 지지하고 있으나

o 개도국중 인도, 파키스탄은 본 협정이 현 MFA상 규제만을 대상으로 해야 한다는 명분론을 내세워, 반대하고 있음

라. 본 섬유 협정의 법적 성격

o 미국, EC등 선진국은 금번 섬유협상 결과가 UR 전체 협상 결과의 일원으로 단일채택 (Single undertaking) 되어야 하며 따라서 현 MFA 비 가입국도 갓트 체약국인한 당연히 본 잠정 섬유 협정의 대상이 되어야 한다는 입장

o 반면 현 MFA 비가입 개도국인 칠레, 모로코등은 UR 전체 협상 결과중 본 잠정 협정은 수용치 않겠다는 입장 표명

o 또한 미국은 현 MFA 가입국이지만 갓트 비 가입국인 중국에 대해서도 중국이 갓트 가입하여 UR 전체 결과를 수용하기 전에는 본 잠정 협정 대상이 아니라는 입장 표명

0170

마. 잠정 기간중 기본 쿼타량에 대한 상호 합의 문제

o 아국, 홍콩은 동 조항이 선진 수입국의 남용으로 주종 수출국에 대한 쿼타의 삭감 (cut-back)을 초래할 수 있다며 반대 하였고 인도, 파키스탄, 인도네시아가 이를 강력히 지지함

o 미국, EC는 동 조항을 내심 환영하고 있는 터어키, 이집트, 페루등 소규모 공급국을 겨냥하여, 동 조항이 수출국의 이익을 위해 필요한 조항이라고 주장함

※ 홍콩은 동 조항에 대한 새로운 Drafting을 작성하여 아국, 인도, 파키스탄, 인니등과 협의한 후 선진 수입국 및 여타 개도국에 배포함 (별 첨)

사. 규제중인 품목에 대한 반덤핑, 상계관세 발동 금지 문제

o 미국, EC등 선진 수입국은 본 협정이 Single Undertaking으로 갓트 협정의 일부라는 입장으로서 본 협정대상 품목에 대해 갓트상 정당한 권리인 반덤핑, 상계관세 부과를 금지할 수는 없다는 강한 반대 입장을 견지함

o ~~이에 대해~~ 아국 및 홍콩은 동 조항이 쿼타 규제와 반덤핑 규제의 2중 규제를 현실적으로 방지하자는 목적이라고 주장함

- 금번 협의시 홍콩은 반덤핑, 상계관세 발동을 직접적으로 금지시킨 현 협정안을 수정하여, 선진국이 반덤핑, 상계관세 발동시 입증 책임 및 협의절차등 요건을 엄격히 하는 수정 문안을 작성 제시한 바 아국도 이를 적극 지지함 (수정문안 별첨)

아. 기타 금번 협의시 제기된 쟁점

1) 미국, EC등 선진 수입국은 기존 MFA상의 용어를 인용한 현 협정안의 "Parties"를 갓트상의 용어인 "Contracting Parties"로 수정 제의하여 본 잠정 협정이 갓트협정의 일부가 되어야 한다는 입장을 분명히 함

0171

2) 소규모 공급국 우대 문제와 관련, 미국, EC는 소규모 공급국의 정의를 현 협정안에 규정된 "수입국 시장 점유율 1% 미만 국가"를 반대하고 "수입국의 총 규제 물량중 1% 미만의 규제 물량을 갖고 있는 국가"로 수정 제의함

※ 이렇게 된 경우 이집트, 마카오, 페루등 많은 국가가 소규모 공급국의 지위를 상실케 됨

3) 홍콩은 오스트리아, 놀웨이, 핀랜드 등 EFTA 국가가 향후 잠정기간중 EC 회원국으로 통합될 경우에 대비하여 쿼타 물량을 결정하는 방법등을 본 협정에 규정해야 한다는 주장을 함

o 이에 대해 EC 및 EFTA 국가들은 동 규정을 두는 것은 현 갓트 24조상에 인정된 통합 협상을 예단하게 된다며 반대함

3. 향후 협상 전망

o 던켈 의장은 현재 계속되고 있는 사무국과 주요국 및 주요국간의 비공식 협의를 어느정도 지켜본 후, 미국, EC 및 1-2개 개도국과의 Drafting Session을 진행하여, 자신의 text를 제시할 것으로 예상됨

o 결국 던켈 의장은 미국, EC의 입장을 상당 부분 반영한 text를 자신의 책임으로 제시할 것으로 보이나, 동 text는 이전히 주요 쟁점에 대해 많은 Bracket 상태일 것으로 예상됨

o 따라서 던켈 의장의 text가 제시된 후 많은 개도국은 던켈 의장의 text가 자국의 이익을 반영치 못했다며 반발할 것으로 보이며, 따라서 결국 섬유는 여타 협상 분야와 정치적인 linkage를 통한 package로서 양자적인 타결이 시도될 것으로 전망됨

0172

4. 향후 대책

o 현재 아국등 주요 개도국이 주장하는 잇슈중, 선진 수입국의 입장에서 수락 가능성이 희박한 잇슈에 대해 차선의 대안 준비

- (예) 1%로의 최소 연 증가율, 품목 대상 범위의 축소, 반덤핑/상계관세 발동 금지 문제등

o 최종 단계에서 미국, EC등과 개도국과의 개별적인 양자 접촉을 통한 타결이 시도된 것에 대비하여, 현지에서 주요국의 동향을 철저히 파악토록 하고, 주요 쟁점별 입장이 우리와 유사한 국가와의 긴밀한 접촉 활동 강화

o 아국섬유 업계와의 사전 대응 활동을 강화하여, 예상되는 협상 결과에 대한 업계의 사전 대응 노력 제고

0173

Ⅲ. UR 협상 진전 동향

1. 협상 분위기

o 던켈 총장의 제안이 처음 제시 되었을 때 보다 협상 분위기는 다소 침체된 상태인데, 이는 각국이 최종 협상 단계에서의 정치적인 package에서 되도록 자국에 유리하도록 강한 입장을 지속하고 있기 때문으로 보임

o 현재 일부에서는 던켈의 paper 제시 계획이 일종의 Dilemma에 빠져 있다는 지적도 있는데 이는

- 던켈이 자신이 공언한 바와같이 무리한 clean text를 낼 경우 협상이 자칫 교착 상태에 빠질 가능성이 있으며

- 따라서 던켈은 최소한 주요국의 의견을 어느정도 수렴하여 text를 작성해야 하는데 현재 이같은 의견이 수렴되지 않고 있는 상태로 보임

o 이같은 상황에서 현재 회의는 주요 잇슈별로 4-5개 국가간의 타협 방안을 모색하는 협의 형태로 진행되고 있으나, 현재까지 별반 진전을 보지 못하고 있는 것으로 관측됨

2. 던켈 총장의 협상초안 제시 시기 및 전망

o 당초 던켈 총장이 언급했던 11월초 까지는 여하한 형태의 협상 초안도 제시되기 어려울 전망이며, 따라서 그 시기는 11월말경이 될 것으로 전망됨

o 던켈 총장은 10.30 (수) 주요국 대사와의 협의에서 현재 협상이 표류하고 있다며 각국의 신축적인 입장을 촉구하고 11월말까지 최종 단계의 협상 타결 노력을 가속화 시키겠다고 언급함

o 그러나 11월중 협상은 각 분야별로 10여개국 이상이 참여하는 공식적 성격을 띤 회의 보다는 의장이 주요 쟁점별로 3-4개 이해 당사국과 접촉하는 형태로 진행될 것으로 보임

0174

3. 관찰 및 평가

o 현재로서는 UR 협상이 내년 3-4월까지 타결될 수 있을지 여부가 불투명하다는 것이 이곳 관측임

- 현재 던켈 총장의 협상 계획으로 협상이 다소 활기를 띄고 있고, 특히 정치적인 레벨에서의 타결 기류가 형성되고 있기는 하나, 실제로 세부적인 협상 쟁점에 대해서는 진전이 미미한 상태임

o 한편 일부에서는 내년 3-4월경 UR 협상 결과를 Small Package로 하여 Political level (각료회의)이 아닌 Negotiator level (실무 수석회의)에서 채택하여 협상을 종결시킬 가능성과, 내년 3-4월경까지 일부 분야에서 협상 결과를 도출, 시행하고 나머지 분야는 새로운 Deadline을 정해 협상을 계속토록 할 가능성도 배제할 수 없다고 분석하고 있음

o 일부에서 거론된 바 있던 내년 2월 모로코 통상장관회의 개최건과 관련, 그 개최 가능성에 대해 회의적으로 보고 있음

- 동 회의는 갓트 또는 주요국간 비공식으로도 협의된 바 없으며, 단지 모로코 정부가 지난해 UR 협상 결과를 최종 조인하기 위한 각료급 갓트 총회를 개최할 의사가 있음을 거론한 바 있는데 이것이 와전된 것이라 함 (주 제네바 모로코대사 확인)

o 아국은 농산물을 비롯한 극히 일부 분야를 제외하고는 대부분 분야에서 협상의 대세에 영향을 미칠 수 있을 정도의 협상력이 미국, EC, 일본등 major에 비해 상대적으로 약한것이 현실임

o 따라서 아국은 향후 막바지 협상에서 주요국과의 양자 접촉을 강화하여 major간의 협상 동향을 면밀히 파악해 나가면서, 우리 입장을 관철시키는데 노력을 기울여야 할 것으로 판도됨

0175

o 한편 협상을 이끌고 있는 사람으로서 다소 무리한 협상 계획을 제시하고 있는 던켈 총장의 협상 전략에 대해 아국은 다소 과민하게 반응하고 있는 것으로 보이며, 따라서 아국은 일본 및 여타 개도국의 반응을 좀더 예의 주시하여 평가해야 할 것으로 보임

- 특히 농산물과 관련 던켈 총장은 미국, EC간 타협이 이루어지지 않은 상태에서 아국 및 일본에게 예외 없는 관세화를 수용토록 강조하고 그 결과를 추후 미국, EC간 타협의 수단으로 활용코자 하는 것으로도 분석됨

- 실제로 현재 EC내 독일의 신축적인 입장 전환에도 불구하고 미국, EC간 보조금 분야에서 구체적인 타협 방안이 전혀 보이지 않는 상태임

0176

2. 纖維

主 要 爭 點	檢討意見 및 우리의 立場
① 纖維協定의 대상이 될 品目의 範圍	- 현재 MFA에 의해 규제받고 있는 品目을 대상으로 해야 함. * 先進國 : MFA상 규제품목보다 확대된 품목 * 開途國 : MFA상 규제품목
② 暫定期間中 단계별로 纖維品目이 GATT로 統合되는 비율	- 現 議長案의 統合比率(10%, 15%, 20%)을 수용할 수 있음. * 先進國 : 5%, 10%, 15% * 開途國 : 20%, 25%, 30%
③ GATT로 통합되지 않고 暫定期間中 계속 규제를 받는 品目의 쿼타 증가율	- 年增加率 1% 미만인 품목은 최소 1%의 연증가율이 확보되어야 함. * 先進國 : 8%, 12%, 15%을 주장하고 1%의 최소 年增加率 認定에 반대 * 開途國 : 40%,50%,70%를 주장하고 홍콩도 1%의 最小年增加率 주장
④ 纖維協定의 適用期間(GATT 복귀기간)	- 10年 主張 * 美國을 비롯한 대부분의 先·開途國 : 10년 * EC : 12~15년 * 印度, 파키스탄 : 6~8년

0177

主 要 爭 點	檢討意見 및 우리의 立場
⑤ 暫定期間中 발동되는 세이프가드조치(S.G)의 범위	어느국가든 暫定期間中 S.G를 발동할 수 있음(멕시코 同調) * 先進國 : 갓트복귀절차를 履行하는 國家만이 발동가능 * 印度, 파키스탄 : MFA상의 규제를 하고 있는 國家만 발동가능
⑥ 纖維에 대한 MFA이외의 規制措置의 처리	- 纖維에 대한 MFA이외의 規制措置를 GATT에 통보하고 GATT 규정에 위반되는 모든 規制措置는 1년내 또는 暫定期間內에 GATT로 통합하거나 철폐할 것을 규정한 現 議長案을 受容할 수 있음. * 先進國 : MFA 非加入國의 GATT규정에 위반되는 모든 規制措置를 철저히 規定하여 엄격히 다루어야 함.
⑦ 사기 및 우회수출의 처리 (Article 5 Fraud and Circumvention)	- 사기 및 제3국을 통한 우회수출의 경우 當事國間 협의를 통해 쿼타를 調整해야 함. * 先進國 : 輸出國의 現場調査를 통해 쿼타조정 * 開途國 : 輸出國과 輸入國의 協議에 의해 쿼타조정

0178

主 要 爭 點	檢討意見 및 우리의 立場
⑧ 特定輸出國에 대한 優待措置	- 특정한 輸出國(소규모 수출국, 면 또는 모생산국) 優待方案이 우리의 입장에 일치하지 않으나 ITCB 共同立場을 고려 적극적인 반대입장표명을 자제 * 先進國 : 일률적인 優待方案에 반대하고 품목별 점유율 1% 미만인 國家는 品目別로 별도 우대가능 * 開途國 : 소규모 수출국(페루, 우루과이, 이집트), 綿(印度, 파키스탄, 터키, 이집트) 또는 毛(우루과이)생산국등이 강력하게 주장
⑨ 暫定期間中 쿼타규제를 받는 품목에 대한 反덤핑, 相計關稅 發動禁止	- 韓國과 홍콩이 주장 * 先進國 : GATT상 권리이므로 반대
⑩ 모든 數量規制가 철폐된 품목에 대해 철폐후 일정기간동안 GATT 19조에 의한 S.G 發動을 2년간 금지시킬지 여부	- 소규모 輸出開途國이 주장하는 2년간의 禁止期間設定은 권리제약이며 현실적으로 先進國과의 타협이 곤란할 것이므로 소극적 지지 입장 * 先進國 : 禁止期間設定에 반대

0179

主 要 爭 點	檢討意見 및 우리의 立場
⑪ GATT規定 및 原則을 준수하지 않는 국가에 대해 纖維協定의 適用을 유예할 것인지 여부	- GATT 規定遵守와 MFA 規制撤廢를 상호 연계시키는 것에 반대 * 先進國 : GATT 규정의 준수 여부를 輸入國이 검증한 후 다음단계로의 規制撤廢 履行與否를 결정 * 開途國 : GATT 規定遵守와 MFA 規制撤廢를 상호 연계시키는 것에 반대 * 議長案 : GATT理事會에서 검증 및 履行與否를 결정

0180

2. 섬 유

가. 품목 대상 범위, 갓트복귀율, 인증가율 및 협정기한이 소위 "economic package"의 중요 쟁점임

나. 그밖에 아래 쟁점이 나머지 중요한 쟁점임

o 현 MFA 가입국이 UR 참여국의 1/3 수준도 못된다는 점과 본 MFA 복귀 협정은 UR 협상결과의 단일 체택 (Single Undertaking) 대상이라는 점을 어떻게 조화시킬 것인지 문제로서 이와 관련

- 잠정 Safeguards 의 발동국
- 비-MFA 규제의 처리 문제
- 사기(fraud) 및 우회 문제

o 잠정 Safeguards 조항과 관련, 심각한 피해 규정 문제, 실제 규제 발동수준, 규제 물량 설정기준, 발동기간, 인증가율 및 융통성 문제등임

o 특별한 공급국 우대문제

o 여타 갓트상의 권리.의무 및 절차에 관련된 문제로서

- 반덤핑과 같은 추가적인 규제 발동 금지 문제
- 일정기간 갓트 19조 발동금지 기간 설정 문제
- 갓트 규정 및 원칙에 불일치 하는 조치를 취한 국가에 대한 본 협정의 일부 적용 배제 가능성
- 본 협정에 따라 설치된 기구의 역할과 위상 및 조속한 분쟁 해결 절차 인정 여부 등

9

0181

관리 번호	91-184

원 본

외 무 부

종 별 :

번 호 : GVW-2286 일 시 : 91 1108 1900

수 신 : 장관(통기,경기원,상공부)

발 신 : 주 제네바 대사

제 목 : UR/TNC 던켈 총장 보고서 협상 분야별 분석평가(섬유)

연: GVW-1514

연호 섬유 분야에 대한 당관 분석 평가 하기 보고함.

0 동 보고서는 섬유 분야의 핵심 쟁점 사항으로 품목 대상범위, 각 단계별 통합 비율, 연 증가율 및 협정의 존속 기한을 들고 있으며, 기타 쟁점 사항으로 잠정 세이프 가드 조치 관련 사항, 특수한 수출국 우대 문제, GATT 상 권리, 의무와 본 협정과의 관련 사항등을 열거함.

0 동 보고서는 기존의 쟁점 사항을 재확인 한 것으로써 쟁점사항에 대한 새로운 우선 순위나 방향제시를 한것은 아님.

0 핵심 쟁점 사항으로 ECONOMIC PACKAGE (품목 대상 범위, 통합 비율, 년증가율등)을 열거하고 있는 것은 동 쟁점 사항이 고도의 정치적 결정을 필요로 하는 것으로 UR 마지막 단계에서 UR 전체 PACKAGE 와 관련 해결될 것으로 보는 일반적인 견해를 재확인한 것으로 보임.

0 섬유 협상에서 아국이 중점을 두고 있는 연 증가율(특히 최소 연증가율),통합 기간중 반덤핑 등 추가 무역 규제 금지 문제 및 잠정 세이프 가드 발동 권리 유보 문제등이 쟁점 사항으로 언급되어 있는바, 향후 협상에서 상기 쟁점 사항에 대해 이해를 같이하는 국가(혹은 그룹)와 공동 보조를 취함으로써 아국의협상력 증가를 계속적으로 도모해야 할 것임. 끝

(대사 박수길-국장)

예고 91.12.31. 까지

일반문서로 재분류 (1991 . 12 . 31 .)

통상국	장관	차관	1차보	2차보	경제국	외정실	분석관	청와대
안기부	경기원	상공부						

PAGE 1

91.11.09 07:05

외신 2과 통제관 BD

0182

원 본

외 무 부

종 별 :

번 호 : GVW-2389 일 시 : 91 1120 1930

수 신 : 장 관(통기,경기원,상공부)

발 신 : 주 제네바대사

제 목 : ITCB 회의

브랏셀 의장 TEXT(W/35/REV.1) 에 대한 ITCB입장을 재 정립하기 위해 표제 회의가 11.19(화)개최되었는바 요지 하기 보고함

1. 최근의 협상 동향

0 ITCB 의장이 최근 던켈 사무총장과 접촉한바에 의하면 던켈총장은 섬유협상의걸림돌은 소위 ECONOMIC PACKAGE 인 품목대상범위, 연증가율, 통합비율에 대한 구체적 숫치를 정하는 사항과, UR 협상의 SINGLE UNDERTAKING문제 관련 본협정의 가입국가범위 및 협정가입국의 권리, 의무관계라 생각하는 바, 상기사항들은 UR 협상의 최종단계에서 타협상그룹의 진전사항과 연계되어 정치적으로 결정되어야 할 요소로 인식하고 있다고 하면서, 타협상 그룹에 비해 비교적 용이하게 협상결과를 도출할 것으로 기대 되었던 섬유 협상그룹이 상기와 같은 요인매문에 협상의 진전에 어려움을 겪고 있다고 하였다 함

0 한편 던켈총장은 섬유협상이 조속히 결실을 거두기 위해 각국 정부는 실무협상자들에게 쟁점사항에 대해 구체적 지침을 주기를 희망한다고 언급하였다 함.

2. ITCB 공동 제안서

0 ITCB 의장은 동제안서는 지난 브랏셀 회의이후 의장 TEXT(W/35/REV.1)에 대해그동안 ITCB내부에서 토론한 내용을 정리한 것으로, ITCB내부의 공동입장 도출을 위한GUIDELINE 이며, 추후 보완, 수정되어 최종 입장이 조만간 도출되어야 할 것임을언급함

0 이에 따라 금일 서문 및 제 1조에 대해 논의함.(동 제안서 FAX 송부)

3. 서문

0 UR 협상 결과에 대한 SINGLE UNDERTAKING관련, 최종 의정서에도 'CONTRATING PARTIES'가아닌 PARTICIPANTS' 로 되어 있으므로 본 협정상용어도 현재의 'PARTIES'

통상국 2차보 경기원 상공부

PAGE 1

91.11.21 10:46 WH

외신 1과 통제관

0183

가 아닌 'PARTICIPANTS'로 되어 있음로 본협정상 용어도 현재의 'PARTIES'가 적절함

0 기타 서문의 내용을 간소화 시킴

4. 일반조문(제 1조)

0 현의장 TEXT 제 1조 제 1항에는 규제의 조속한 제거가 가능하도록 되어 있는바여기에 '품목의 조속한 GATT 로의 통합'도 가능하는 문구를 삽입

0 본 협정과 GATT 상의 권리, 의무와의 관계를 보다 명확히 하기위해 관련하여 본 협정에 ' 다리 구체적으로 언급된바 없으면(UNLESS OTHERWISE SPEIFIED) 이란 표현을 삽입함.(4항)

0 통하 기간중 잠정 세이프가드 조치를 보유 하기를 원하는 국가는 본협정의 통합 계획에 따라 품목의 통합절차를 밟는 경우 동 권리를 보유할수 있도록 다음과 같이명문의 규정을 추가키로 함

'PARTIES WHICH WISH TO RETAIN THEIR RIGHT TO INVOKETRANSITIONAL SAFEGUARD UNDER THE PROVISIONS OF ARTICLE 6SHALL INTEGRATE INTO GATT PRODUCT CONTAINED IN ANNEX II, INTERMS OF HIS LINES OR CATEGORIES, FOLLOWING THE PROGRAMMEAND PROCEDURES OF ARTICLE 2 PARAGRAPHS 4-8 '

5. ITCB 예산

0 92년 ITCB 예산 추정을 위한 회의가 개최되었는 바, 달러와 스위스프랑과의 환율, 제네바이외의 지역에서 92년도 이사회를 몇번(1번혹은 2번)개최할지 여부가 미확정되어 추가 논의키로 하였는 바, 동 예산 내용 FAX 송부함

0 한편 동 회의에서는 각국이 기여금을 스위스 프랑으로 납부할 수 있는지에 대해 논의하였으나 각국이 국제기구에 기여금을 납부하는 통화가 다를수 있으므로 동 사항도 추후 검토키로 함

첨부: 1. ITCB 공동입장 1부

2. 92년 예산(추정) 1부

(GVW(F)-0520).끝

(대사 박수길-국장)

GUW(주)-0520 11120 1130 "GUW-2389 첨부"

BUDGET ESTIMATES FOR THE FINANCIAL YEAR 1992

A. INTRODUCTION

(i) Financially the year 1991 has been a very comfortable year for the ITCB. The 1991 budget estimates were made at a rate of US$ 1.00 = SF 1.30 when the US dollar was very weak against the Swiss Franc. Since March 1991 however, the dollar started to gain against the Swiss Franc and continued to do so until September. Though it has lost some of its momentum in the last month and has started to weaken again, for the most part of 1991 the exchange rate for transactions was about US$ 1.00 = SF 1.45. At the time of writing the bank operational rate was (US$1.00 = SF 1.43.

(ii) Coupled with the relative increase in the value of the dollar against the Swiss Franc the Secretariat continued to economise on expenditure with the result that at the end of 1991 the ITCB should be able to reflect an estimated savings of approximately US $ 76,842.62.

(iii) It should however be noted that these savings are dependent on all contributions for 1991 and previous years being received in full. Contributions totalling US$ 12,744 are due from some members for the years 1988, 1989 and 1990 and contributions of US$ 50,940 are due for 1991. If these contributions are not received by 31 December, the actual cash surplus of the Bureau will be approximately US$ 13,158.62.

(iv) There was an income of US$ 2,009.66 from the sale of the brochure on "A Decade of Coordination among developing countries exporters of Textiles and Clothing" and the ITCB study "Textiles Trade from 1982 to 1990 and prospects for the nineties".

(v) The Budget Committee created during 1991 became operational during the latter half of 1991. It met on two occasions, the first in September to review the expenditure during 1991 and the second time in mid November to consider the proposals for 1992.

B. 1992 BUDGET ESTIMATES

(i) The Executive Director hereby submits his budget proposals concerning the expenses and income of the Secretariat for the financial year 1992.

(ii) The 1992 budget estimates have been calculated at a rate of US$ 1.00 = SF 1.42. As will be seen from the following budget proposals, efforts have been made to keep expenditure levels for 1992 at a minimum, though certain annual increases cannot be avoided. Efforts will continue to be made in 1992 to economise on expenditure.

(iii) This proposed budget amounts to US$527,070.00. As compared with the approved 1991 budget of US$ 523,180 it shows an increase of US $ 3,890 (0.74%).

0185

20-1

1991-11-20 20:40 KOREAN MISSION GENEVA 2 022 791 0525 P.06

-2-

(iv) Increases in the 1992 budget proposals as compared to the estimated expenditure in 1991 are on account of the following: Salaries: US$ 38,250(13.56%), Other staff costs US$ 4,730 (8.7%), meetings US$ 44500, Overheads US$ 3,186(6.59%) and operational expenditure US$ 250 (2.71%).

(v) The provision for salaries and allowances included in these budget estimates represent US$ 320,040. Professional staff salaries have been increased to take into account normal increments to higher steps in grade for staff members. With the approval of the Budget Committee the estimates include an upgrading of one professional post to P2 level. The estimates also include US$ 15,000 to cover any eventual reclassification of salaries or post adjustment scales (United Nations rules require that for every 5% increase in the cost of living index post adjustments and salaries be accordingly modified to reflect these increases).

(vi) On the recommendation of the budget committee provision for representation and hospitality have been increased for 1992.

(vii) An amount of US$ 46,000 has been proposed for expenditure for Council sessions to be held either in Geneva or outside. This is intended to cover transportation and per-diem plus other incidental expenditure in conjunction with a Council meeting. This section also includes a provision of approximately US$ 5,000 for travel of the Executive Director on conferences or seminars to which he may be invited.

(viii) In order to meet the increased requests for technical assistance the provision for purchase of reference material and statistical data for the library has been increased.

(xi) The budget also reflects and increase in rental costs for the premises of the Bureau. The department of Travaux Public increased the rent for the Bureau from SF4,488 to 4,766 per month, resulting in an increase in rental costs of SF3,336 per month.

(x) A contingency fund of US$ 10,000 has been provided.

. ESTIMATED EXPENDITURE FOR 1991 IN RELATION TO THE APPROVED BUDGET FOR 1991

i) The 1991 expenditure is estimated (on the basis of actual expenditure for 10 months and estimates for 2 months) at US$ 448,460.46 against an approved budget of US$ 523,180.

ii) The estimated expenditure for 1991 as compared with the approved budget reflects the following savings and increases. Savings were reflected in: Salaries US$ 32,830, Other staff costs US$ 10,109, meetings US$ 24,500, Public Relations US$ 2,600, ...

0186

(iv) With the approval of the budget committee these savings were reapportioned to cover increased expenditure for equipment and library materials. The office had 2 very old computers with small capacities for storage of data and 2 printers one of which broke down. The creation of the statistical data base necessitated the replacement of these computers with computers with larger storage and working capacity along with the printers. The Budget Committee agreed in principle to the replacement of these machines during the current year as well as the next year. Since IBM had computers on a special offer to celebrate 10 years of Personal Computers the Bureau purchased two new computers and printers. The special offer resulted in a savings of approximately US$ 1,500 on each computer.

(v) The Budget Committee had requested the Secretariat to look into the possibilities of linking the three machines in the Secretariat to one printing machine. Quotations were invited and it was found that it was not economical for the Secretariat to undertake this venture at present. Furthermore the Secretariat was also advised that the linking of all computers to one printer was rather risky in the event of a breakdown when all the machines would be out.

(vi) Provident fund contributions were maintained below the anticipated levels as the refund on the insurance premium in the fund was applied towards part of the costs.

(vii) As will be seen from these estimates the fixed expenditure on salaries and other staff costs and rental of premises and related costs account for approximately 86.6% of the expenses of the Bureau. A great effort for economy was made in the remaining areas resulting in substantial savings.

D. CASH SITUATION AT THE END OF 1991

The projection for 1991 based on the present level of contribution and expenditure indicates an estimated cash surplus of US$13,158.62 at the end of December. Contributions received in 1991 amount to US $ 485,244.65, other income was US$ 3,488.82 and the opening balance at the bank was US$ 32,642.10 resulting in a total income of US$ 521,319.22. $ 56.35 was lost in exchange conversions. Expenditure in 1991 is estimated at US$508,160.60 which will result in an excess of receipts over payments of US$ 13,158.62 . Contributions due for 1988,1989, 1990 and 1991 amount to US $ 63,684.00. Total savings in 1991 if all contributions are received will amount to US$ 76,842.62. This is accounted for as follows:

Contributions due 1988 - 1990	12,744
Contributions due 1991	45,777
Other contributions 1991	5,163
Cash Surplus	13,158.62
Anticipated total savings	76,842.62

0187

STATEMENT OF ACCOUNTS

Opening Balance 1.1. 1991		32,642.10
Income Contributions		485,244.65
Other Income		3,488.82
Total Income		521,375.57
Loss in Exchange		56.35
Income in 1991		521,319.22

Expenditure

Obligated Previous years	4,860.35	
1989 Expenditure in 1991	16,283.76	
1990 Expenditure in 1991	38,556.03	
Expenditure to date 1991 (31.10.91)	374,061.70	
Anticicpated to 12.12.1991	74,398.76	
Total Expenditure		508,160.60
Anticipated cash savings 12.12.1991		13,158.62

Contributions Due

1988-1990	12,744.00	
1991	50,940.00	
Total Contributions due	63,684.00	
Anticipated carry over if all contributions are received		76,842.62

0188

ACTUAL EXPENDITURE 1990 AND ESTIMATED EXPENDITURE 1991

BUDGET PROPOSALS 1992

	Actual Expendi. 1990	Approved Budget 1991	Actual Expend 1991	Revised Estimates Dec.91	Difference approved budget 91	% change approved Budget 91	Budget Proposals 1992	Difference over revised Estimates 91	% change revised estimates 91
	1	2	3	4	5	6		8	9
's and Allowances									
or	110860.11	119350.00	94853.40	102687.55	-16662.45	-13.96	111800.00	9112.45	
tant	36000.00	36000.00	30000.00	36000.00	0.00	0.00	36000.00	0.00	
mme Officer	55833.80	59400.00	47979.26	51851.45	-7548.55	-12.71	56600.00	4748.55	
mme Officer	46856.54	53530.00	43008.92	46571.90	-6958.10	-13.00	51100.00	4528.10	
mme Officer	42653.99	46700.00	37532.74	45039.29	-1660.71	-3.56	49900.00	4860.71	
ion for changes in post adjustment multiplier					0.00		15000.00	15000.00	
tal	292204.44	314980.00	253354.32	282150.19	-32829.81	-10.42	320400.00	38249.81	13.56
staff costs									
ent F	38150.55	50000.00	33903.76	40684.51	-9315.49	-18.63	43200.00	2515.49	
Allowance	4169.78	10000.00	8861.73	9348.17	-651.83	-6.52	8000.00	-1348.17	
l	6315.07	7000.00	5048.02	6057.62	-942.38	-13.46	6500.00	442.38	
Costs	1800.00	1000.00	1500.00	1800.00	800.00	80.00	4920.00	3120.00	
tal	50435.40	68000.00	49313.51	57890.31	-10109.69	-14.87	62620.00	4729.69	8.17
Travel									
ation					0.00			0.00	
iation	460.25				0.00			0.00	
l					0.00			0.00	
n			3267.62	3267.62	3267.62			-3267.62	
/h.leave/					0.00			0.00	
/termin.	8850.87	7000.00	4347.59	4347.59	-2652.41	-37.89		-4347.59	
d leave					0.00			0.00	
tal	9311.12	7000.00	7615.21	7615.21	615.21	8.79		-7615.21	
gs									
Meetings	20648.06	19000.00		1500.00	-17500.00	-92.11	30000.00	28500.00	
n/meetings	19438.34	7000.00			-7000.00	-100.00	16000.00	16000.00	
tal	40086.40	26000.00	0.00	1500.00	-24500.00	-94.23	46000.00	44500.00	

0189

6

em	Actual Expend 1990	Approved Budget 1991	Actual Expend 1991	Revised Estimates Dec.91	Difference Approved Budget91	% change approved Budget 91	Budget Proposals 1992	Difference over revised estimates 91	% change revised estimates 91
:presentation/									
›spitality	9676.08	2000.00	2358.70	2800.00	800.00	40.00	2500.00	-300.00	
ıblic Rels.		5000.00	102.67	600.00	-4400.00	-88.00	5000.00	4400.00	
ıb total	9676.08	7000.00	2461.37	3400.00	-3600.00	-51.43	7500.00	4100.00	
uipment									
·ase	5725.14	9900.00	6088.82	7306.58	-2593.42	-26.20	3500.00	-3806.58	
ırchase	2514.41	2000.00		17630.98	15630.98		3000.00	-14630.98	
ıintenance&Repair	4642.09	6000.00	4989.71	5803.26	-196.74	-3.28	6000.00	196.74	
ıterials		1000.00		400.00	-600.00	-60.00	1000.00	600.00	
ıb total	12881.64	18900.00	11078.53	31140.82	12240.82	64.77	13500.00	-17640.82	-56.65
brary	3129.74	3000.00	3130.70	4467.20	1467.20	48.91	5000.00	532.80	
urnals/Period.	689.19	1000.00	1443.64	1445.00	445.00	44.50	1000.00	-445.00	
b total	3818.93	4000.00	4574.34	5912.20	1912.20	47.81	6000.00	87.80	1.49
·erheads									
·nt &Chgs.Office	38618.46	42000.00	32095.82	38514.98	-3485.02	-8.30	41350.00	2835.02	
rking	3020.99	3500.00	2559.39	3071.27	-428.73	-12.25	3200.00	128.73	
·ctricity	1031.11	800.00	559.65	872.00	72.00	9.00	800.00	-72.00	
:aners	2747.30	2800.00	2636.43	3163.72	363.72	12.99	3200.00	36.28	
surance	2176.41	2300.00	2741.65	2742.00	442.00	19.22	3000.00	258.00	
b total	47594.27	51400.00	40592.94	48363.97	-3036.03	-5.91	51550.00	3186.03	6.59
·erational Expenditure									
lephone/Fax	6351.87	6000.00	3032.91	4549.37	-1450.63	-24.18	5000.00	450.63	
stage	910.20	900.00	486.44	700.00	-200.00	-22.22	500.00	-200.00	
·ationery/supp.	3182.51	2000.00	513.65	1000.00	-1000.00	-50.00	1000.00	0.00	
dit	6851.46	7000.00		3000.00	-4000.00	-57.14	3000.00	0.00	
b total	17296.04	15900.00	4033.00	9249.37	-6650.64	-41.83	9500.00	250.63	2.71
ntingency	285.94	10000.00	1038.48	1238.40	-8761.60	-87.62	10000.00	8761.60	
tal	483590.26	523180.00	374061.70	448460.46	-74719.54	-14.28	527070.00	78609.54	17.53

20-6

0190

Contributions due 1988 - 1990

Egypt (1988 -1990)	10,477
Uruguay (1990)	2,267

Contributions due 1991

Bangladesh	8,573
Brazil	10,177
Egypt	4,311
Pakistan	20,604
Peru	2,757
Uruguay	2,055
Costa Rica	4,361
El Salvador	802

0191

CONTRIBUTIONS TO THE ITCB BUDGET FOR 1992

Country	Share of Imports	%	Contributions
Total Imports	45,594.50	100	527,070.00
Estimated Carry over			76,842.00
Budget Request for 1992			450,228.00
Bangladesh	879.18	1.93	8,689.00
Brazil	796.19	1.75	7,880.00
China	10,927.11	23.97	107,920.00
Colombia	262.18	.58	2,611.00
Costa Rica	421.16	.92	4,142.00
Egypt	423.52	.93	4,187.00
El Salvador	79.25	.17	765.00
Hong Kong	9,443.29	20.71	93,242.00
India	3,451.96	7.57	34,082.00
Indonesia	1,950.96	4.27	19,225.00
Jamaica	271.48	.60	2,701.00
Korea	7,274.57	15.95	71,812.00
Macau	1,100.06	2.41	10,851.00
Maldives	16.93	.04	180.00
Mexico	1,072.59	2.35	10,580.00
Pakistan	2,060.59	4.52	20,350.00
Peru	240.60	.53	2,386.00
Sri Lanka	751.27	1.65	7,429.00
Turkey	2,984.09	8.74	39,350.00
Uruguay	187.51	.41	1,846.00

Source: UN Statistical Office COMTRADE Data Base

2-8

0192

18 November 1991

INTERNATIONAL TEXTILES AND CLOTHING BUREAU

POSITION PAPER ON THE BRUSSELS TEXT

The Brussels text of the textile agreement forms part of the Draft Final Act, embodying the results of the Uruguay Round in document MTN.TNC/W/35 Rev.1. The Final Act may consist of four annexes of which Annex I would deal with the agreements on trade in goods including the textiles. Annex II would deal with trade in services, Annex III with trade related aspects of intellectual property and Annex IV with institutional arrangements.

Taking into account that the Round is a single undertaking, it is yet to be decided whether the participants are required to accept all the agreements without exception (para 8 of the draft Final Act).

The institutional structure for the operation of the Uruguay Round is yet to be finalised (para 5 of the draft Final Act and Annex IV).

It should be noted that the draft Final Act refers to "participants" and not "Contracting Parties."

The textiles agreement was drafted under the assumption that it would be finalised at the Brussels Ministerial meeting and would be available for implementation on 1 January 1992. This date and others related to it may require suitable modifications in the textile agreement in the light of the new date of implementation, when agreed upon. Hence, these modifications are not being pointed out while dealing with the Articles.

PREAMBLE

P.1 The intention is to shorten the Preamble to three paragraphs consisting of para 4 and splitting the two sentences in para 5 into separate paragraphs. This proposal may be supported by the ITCB.

P.2 A suggestion has been made to retain para 2 which reflects the language in Article 1 of the MFA. Since the objective of the transition arrangement is the phase out of the MFA restrictions which are directed mainly against the developing countries, the Preamble could "recognise the great importance of the textile sector for many developing countries in the expansion of their export earnings".

P.3 The last sentence in the Preamble containing "Parties to this Agreement" should be retained because it is in line with the phrasing in the Final Act. This would avoid problems for non Contracting Parties like China, which is a participant in the MFA as well as the Uruguay Round.

ARTICLE 1: GENERAL PROVISIONS

1.1 Para 2 does not provide for early integration of products. For this purpose, the words "and/or integrating products into GATT" should be inserted after "maintained by it". In order to prevent any disturbance to the trade flows by immediate or early elimination/integration, the words "following the procedures of Article 2 paragraph 7" should be added at the end of the sentence. The text will thus read:

> 2. Nothing in this Agreement shall prevent a party from eliminating restrictions maintained by it, and/or integrating products into GATT, with immediate effect or earlier than specifically provided for in this Agreement, following the procedures of Article 2 paragraph 7.

1.2 Para 3 has been borrowed from Article 1:4 of the MFA. It was important in the context of the separate safeguard system. Its direction needs to be re-oriented in the light of the projected integration. It would be sufficient to say "in order to facilitate the integration of the sector into GATT, participants should encourage continuous autonomous industrial adjustment and increased competition in their markets."

1.3 Para 4 has a built in contradiction with Article 2:15, Article 6, Article 7 etc. To remove this problem, this paragraph needs to be qualified by the addition of the words "unless otherwise specified" at the end or the beginning of the sentence.

1.4 A suggestion has been made for inclusion of a paragraph on small suppliers in the nature of a chapeau. Since this is not an operative area, the chapeau could provide a definition of small suppliers for the purposes of Articles 2 and 6. The language suggested in the non paper (IC/UR/W/24) is innocuous. It cannot, however, be a substitute for substantive treatment in Article 2 and 6.

ARTICLE 2: MFA RESTRICTIONS

2.1 The question of restructuring Articles 2 and 3 has already been dealt with in the commentary on the Brussels Text (IC/UR/W/11, p.2).

2.2. The quantitative restrictions should be defined as specific limits in place on 31 December 1992 and should exclude group and aggregate limits as well as DCLs, MCLs and GALs. The United States has always described the latter in the TSB as indicative levels and not as specific limits.

2.3 The treatment of unilateral restrictions under Article 3 of the MFA needs particular attention because of their shorter duration compared to the limits in bilateral agreements. If they are carried over into the transition arrangement, they might continue till the end or until the concerned products are integrated. It would be desirable to have some specific language on the following lines in a new paragraph:

> "Any unilateral measure taken under Article 3 of the MFA prior to 1 January 1993 shall be allowed to remain in effect for the duration specified therein, but in no case exceeding 12 months".

0194

2.4 It would be recalled that in the first sentence of para 4, the ITCB had agreed to the insertion of the words "covered by restrictions notified under para 2" after the words "GATT products" (IC/31(91).

2.5 The ITCB had earlier agreed to insert the words "each of" in the second sentence after "a range of products from". USA/ITA has suggested instead the words "equally from each of the four groups" which seems to be better. The sentence should therefore read as follows:

> "The products to be integrated by the importing parties shall encompass a range of products equally from each of the four groups which make up Annex IV of this Agreement."

2.6 In the indent under para 4, there is no mention of the contents of Annex IIIA. Of these items, it seems advisable to retain paras 2 (handloom products), 3 (non-section XI items) and 4 (children's clothing) in the indent.

2.7 The modified phraseology of para 4 needs to be repeated in para 6 as well.

2.8 In the last sentence of para 7, it seems necessary to clarify that bilateral agreements will not deviate from the multilaterally agreed prescriptions and will be limited to the administration of the quotas. It might be useful to add, after the second sentence, "These arrangements shall not modify in any manner any of the provisions of this Article". The last sentence should also provide that the notified arrangements are reviewed by the TMB. It should say "Any such arrangement shall also be notified to the TMB for review and recommendations as appropriate."

2.9 The quantum of uplift has to be determined in para 9. It could be a common figure applicable to all quotas and all suppliers. An alternative could be to raise the levels in force on 31 December 1991 by the applicable growth rates in the existing bilateral agreements.

2.10 Para 9 should be followed by the addition of two new paragraphs dealing with the changes in quota levels on account of the enlargement of the restraining countries and for transforming the split year base levels to calendar years. These proposals have been circulated in document IC/UR/W/13.

> "9A Parties agree that if the territory of any party is extended during the period of this Agreement, such a Party shall promptly seek consultations with other parties whose exports to that Party are subject to restrictions under this Agreement with a view to agreeing mutually increases to the levels of such restrictions. Such increases shall not be lower than the higher of
>
> (a) the highest level of trade with the newly included territory achieved in a recent twelve month period or
>
> (b) any existing relevant restrictions under this Agreement on exports to the newly included territory.

0195

Growth rates and flexibility provisions shall be not less than the provisions of this Article and/or Article 6 as appropriate.

9 B Parties to this Agreement agree that when a twelve month period of restrictions under the MFA does not coincide with the calendar year it will be necessary for the relevant Parties mutually to agree arrangements to accommodate the differences between the relevant twelve-month period and the calendar year and/or to bring the relevant twelve month period of restrictions in to line with the calendar year, in order to implement the provisions of paragraphs 4,6,9, 10 and 11 of this Article. Relevant Parties agree promptly to enter consultations upon request from other affected Parties with a view to reaching such mutual agreement. Any such agreements shall be on terms which fully reflect, on a pro rata basis if necessary, the provisions of paragraphs 9, 10 and 11 of this Article; shall take into account, inter alia, seasonal patterns of shipments, and shall not result in periods of restrictions of less than one year,. Any such agreements, or Parties' failure to reach such agreements, shall be reported to the TMB."

.11 The growth factors in para 10 will have to be finalised. e have always held that the factors are too low and that they hould be increased so that quotas cease to have restrictive ffects, making the products ready for integration. If the actors in brackets cannot be improved, one way could be to onvert the application of factors from stages to annually, as uggested by RITAC (IC/UR/W/21).

.12 The brackets on the proviso at the end of para 10 need to e removed.

.13 Para 12 should be deleted because from the beginning the TCB approach has been against bilateralism in any form in the ntegration process. This provision provides a loop hole to ntroduce cutbacks in base levels by the back door. There might e an attempt to reduce the quota levels to the utilisation level n order to permit increased access to certain suppliers. There s the recent instance of increased access for Czechoslovakia in he United States which was balanced by restrictions on rgentina, Costa Rica and Colombia.

.14 The question of special treatment for cotton producers has o be resolved in para 13.

.15 Of the two options for the treatment of small suppliers in ra 14, one of them has to be chosen.

.16 Para 15 is considered by the ITCB members to be a very portant provision and has to be retained. Many products in veral exporting countries have been under restrictions since e beginning of the MFA and in some cases even from the eginning of the LTA in 1962. It is necessary to provide an pportunity for the trade to stabilise after integration before ATT safeguards are applied. The ITCB view has been that the MFA estrictions should not be replaced by Article XIV actions. It

0196

was for this reason that the Beijing Council in 1986 stressed the need for strengthened GATT rules and disciplines in integration, which figures in the Punta del Este Declaration. A moratorium is also being discussed in the Safeguards group.

ARTICLE 3: OTHER RESTRICTIONS

3.1 Para 4 does not prescribe a programme of integration as has been done in Article 2. It leaves it to the concerned party to prepare its own programme of phase out. There is thus more discretion available to the restricting party. The treatment of GATT inconsistent restrictions should be more stringent compared to the MFA ones. There is need for the TMB to review the programme and make recommendations to the parties. The last sentence should be modified to this effect.

ARTICLE 4: ADMINISTRATION OF RESTRICTIONS

4.1 A redraft of Article 4 has been circulated in document IC/UR/W/23. It modifies the three paragraphs on the following lines:

"1. Restrictions referred to in Article 2, and those applied under Article 6, shall be administered by the exporting parties. Importing parties are not obliged to accept shipments in excess of the levels of restraint provided for in Article 2 and 6, including flexibility.

2. Parties agree that introduction of changes, such as changes in practices, rules procedures and categorisation of textile products including those changes relating to the Harmonized System, in the implementation or administration of restrictions in place in 199(2) could upset the balance of rights and obligations between the parties concerned under this Agreement or could frustrate the implementation of this Agreement. They, therefore, agree that any such changes may only be made as set out in paragraph 3, below.

3. Parties agree that introduction of changes, such as changes in practices, rules procedures and categorisation of textile products, including those changes relating to the Harmonised System, in the implementation or administration of restrictions under this Agreement, should not adversely affect the access levels available to a party under this Agreement; impede the full utilisation of such levels, upset the balance of rights and obligations between the parties concerned; disrupt trade under this Agreement. When such changes are necessary, moreover, parties agree that the party initiating such changes shall, wherever possible, inform and initiate consultations with the affected parties prior to the implementation of such changes, with a view to reaching a mutually acceptable solution regarding appropriate and equitable adjustments. Parties further agree that where consultation prior to implementation is not feasible, the party initiating such changes will consult as early as possible, and in any case within 60 days, if at all possible, with the parties concerned with

a view to reaching a mutually satisfactory solution regarding appropriate and equitable adjustments. If a mutually satisfactory solution is not reached, any party involved may refer the matter to the TMB for recommendations as provided in Article 9.4".

4.2 This proposal adds a new para 4 which is borrowed from Article 5 of the MFA:

"4. Restrictions on imports of textile products under the provision of this Agreement shall be administered in a flexible and equitable manner, and over categorisation shall be avoided. Parties shall through appropriate arrangements, facilitate full utilisation of the restraint levels. They shall take full account of such factors as established tariff classification and quantitative units based on normal commercial practices in export and import transactions, both as regards fibre composition and in terms of competing for the same segment of the domestic market.

ARTICLE 5: FRAUD AND CIRCUMVENTION

5.1 China has proposed the insertion of words "and falsification of export licences" after "place of Origin" in paras 1 and 2.

5.2 Para 2 provides for consultations between the parties. The field of consultations has been extended to include false declarations which was mentioned separately in para 17 of the 1986 Protocol. The consultations are required to take place within thirty days. In the absence of a mutually agreed solution it provides for a reference to the TMB.

5.3 Para 3 defines the scope of cooperation which will encompass investigation exchange of documents, information etc. and plat visits. This will be in accordance with national laws on a case-by-case basis. The provision of plant visits and contacts is a new feature. The paragraph also provides for the parties to determine the respective roles of exporters and importers which is an important aspect for the exporting countries.

5.4 After establishing the existence of circumvention, para 4 permits appropriate action in the form of denial of entry to circumvented goods or debit of the goods to the quota of the country of true origin. There is a bracket on taking into account the circumstances and the involvement of the country of true origin in debiting the goods. The brackets should be removed because the previous paragraph requires clarification of the respective roles of the exporters and importers involved. This role will be very relevant in the debit to the quota. It is possible that in certain situations, the country of true origin may be a totally innocent party and it would be improper to adjust its quota without taking into account its actual involvement. If this is not done, the procedure would be arbitrary.

5.5 Another disputed point in para 4 is whether an action could be taken unilaterally without the consent of the concerned

2-16 0198

parties. The main thrust of the ITCB in the transitional arrangement is to curb unilateralism. Actions should therefore be taken only with the agreement of the concerned parties. If no mutual solution is found, the matter should be referred to the TMB.

5.6 Para 5 recognised that in some cases the transit countries may not be able to exercise control over circumvention taking place through their territories. This recognition is particularly valuable for those countries which do not have their own rules of origin or do not exercise control over shipments since there are no quotas. It may also be useful for countries which have established free trade zones with a separate system of controls.

5.7 Para 6 deals with false declarations and the procedures to be followed in such cases.

5.8 A new paragraphs has been proposed for addition in the document IC/UR/W/22 on the following lines:

> "7. Parties agree that falsifications of Export Licences, out of the territory of exporting party, cause great difficulties to both import and export administrations, and give rise to chaos in importation and exportation. Should any party discover any falsification, it should promptly inform the party concerned. Parties concerned should cooperate closely to investigate into the case and take appropriate action against such falsification. Under no circumstances should action be taken against parties having no actual involvement in the falsification."

ARTICLE 6: TRANSITIONAL SAFEGUARDS

6.1 In para 1 there needs to be some similarity in the coverage of products between the current and new restrictions. For this purpose, the words "following the current category system" may be inserted after "this Agreement".

6.2 The transitional safeguards should not be weaken that the provisions of Annex A of the MFA. Indeed, an effort should be made to make the criteria more stringent and the procedures more disciplined. With this objective in view, the following modifications are being proposed.

6.3 Para 2 should therefore be modified to reflect the MFA position:

> "2. Safeguard action may be taken under this Article when it is demonstrated that a particular product <u>from a particular source</u> is being imported into its territory in such increased quantities as to cause serious damage, or actual threat thereof, to the domestic industry producing like and/or directly competitive products. Serious damage or actual threat thereof must demonstrably result from a <u>sharp and substantial</u> increase in <u>such</u> imports and not from technological changes, changes in consumer preference, <u>or similar factors</u>."

0199

6.4 Para 3 describes the factors to be taken into consideration in determining serious damage. A comparison with Annex A shows that the volume of disruptive and other imports do not find a place in this paragraph. This factor is important because a sharp and substantial increase can take place from a very low base of imports. This distortion can be rectified by taking into account the actual volume of disruptive imports.

There are two new factors which appear in this paragraph, wages and domestic prices. The relevance of wages in the determination of serious damage is not understood. It would not be appropriate to compare the domestic wages with those prevailing in the disrupting country, because of the differences in wage structure and the general level of earnings. It is also seen that the labour in the importing countries have secured wage increases outstripping the productivity gains. That is one of the causes of the problems of the domestic industry. If the wage levels show a decline, it will signify a return to competitiveness in which case there should be no damage. It would be advisable to delete this factor.

On the question of domestic prices, our view is that the price differentials are the very foundation of international trade. The aspect of substantially low prices was introduced in the textile arrangements in order to practice discrimination against the developing countries. The ITCB framework did not consider the price factor worth continuing.

Apart from these additions and deletions, it seems desirable to revert to the language of Annex A. Para 3 should be redrafted on these lines:

> "3. The existence of serious damage, or actual threat thereof, as referred to in paragraph 2 above, shall be determined based on an examination of the effect of those imports on the state of the particular industry, as reflected in changes in such relevant economic variables as output, productivity, utilisation of capacity, inventories, market share, volume of disruptive imports, exports, employment, profits and investment; none of which, either alone or combined with other factors, can necessarily give decisive guidance."

6.5 It is noticed that an increasing volume of imports are taking place by the concerned segment of the industry itself alleged to be suffering from serious damage. It is apparent that such imports cannot be a cause of serious damage. To this extent, a new paragraph is suggested:

> "3A In making a determination of serious damage or actual threat thereof, the volume of imports of the product made by the domestic industry historically producing line and/or directly competitive products shall also be taken into account because such imports will not be deemed to cause serious damage or actual threat thereof."

6.6. Para 4 (except the last sentence) as it is has been drafted with a view to introduce cumulative disruption. Therefore, there is no need of any other provision except the

0200

first and the last sentence. In the last sentence, the words "in principle" and the brackets should be removed.

6.7 There should be transparency in procedures for determining serious damage in order to avoid arbitrariness. Similar procedures are under consideration for the GATT safeguard measures. A new paragraph needs to be added on the following lines:

> "4A. The determination of serious damage or actual threat thereof shall be made on the basis of an investigation by the competent authorities of the importing party concerned. The investigation shall provide for reasonable opportunity to all interested parties such as importers, exporters, domestic producers, retailers, consumers etc. to present evidence and views as to whether a safeguard measure would be in the public interest. The competent authorities shall publish their findings and conclusions."

6.8 The treatment of certain categories of suppliers will have to be negotiated with the importing countries.

6.9 In the second sentence of paragraph 7 there would be no need for the portion under (b) which may be deleted. A new sentence may be added after the second sentence to the effect: "In respect of requests made under this paragraph, the information should be related as closely as possible to identifiable segments of production and to the reference period set out in paragraph 8 below."

6.10 The reference period should follow in para 8 the lines of Annex B of the MFA. Hence the option (a) may be chosen in preference to (b).

6.11 The TMB should not only examine under para 9, the conformity of the action with the criteria, but it should also ensure that the prescribed procedures have been followed.

6.12 In para 10, since the quotas would be administered by the exporting countries as provided in Article 4:1, the application of restraints should be by the date of export rather than that of imports.

6.13 In view of the highly unusual and critical circumstances in para 11 to permit provisional measures, it would be desirable to fix a shorter time limit than in para 7 for consultations to take place and for reporting their outcome to the TMB.

6.14 Among the alternatives in para 12 for the duration of the measures, the preference should be for an initial period of one year with possible annual extensions for a maximum of two years.

6.15 In para 13, the ITCB preference should be for the first option.

6.16 In para 14, the growth factors should also be applicable. For this purpose an addition may be made after "6 percent per annum" to say "increased in accordance with Article 2 para 10." There is no justification for an exceptional rate for wool

0201

products which may be deleted. The rates of flexibility should be multilaterally agreed and incorporated in the paragraph. In the case of countries with no previous restraints, there will be no bilateral agreements. Hence the text itself should contain the rates.

ARTICLE 7: ADDITIONAL TRADE MEASURES

7.1 The main issue is to prevent double jeopardy. The restraining parties may chose either anti-dumping/countervailing measures or safeguard actions, but not both.

7.2 With this end in view, the following redraft of the Article has been circulated in IC/UR/W/17:

"1. In view of the safeguard provided for in this Agreement parties shall refrain from taking additional trade measures against textiles which have not bee integrated into the GATT under the provisions of this Agreement before exhausting the relief measures provided under this Agreement.

2. Where a party, having exhausted the relief measures provided under this Agreement, nevertheless takes action which could lead to such additional trade measures, that party shall bear the burden of establishing both the necessity for such measures and the reasons why such measures do not nullify and impair the balance of rights and obligations under this Agreement. That party shall take full account of any measures in place under the Agreement against exports of the relevant products from relevant exporting parties in considering whether the additional problem has occurred and in considering what level of relief, if any should be provided. In particular that party shall evaluate the level of protection already afforded to its domestic industry by any quantitative restraints in place under this Agreement on relevant products from relevant exporting parties and shall be required to establish that such a level is inadequate in itself to address the additional problem identified as requiring the additional trade measure. The total of protection provided under this Agreement and under any additional trade measure shall not exceed that necessary to address the additional problem identified. Where quantitative restraints are in place under this Agreement, that party shall consider the impact, on its domestic producers of such products, of relevant imports from relevant exporting parties individually and shall consider only whether there is a significant absolute increase in imports, and not whether there is an increase in imports relative to production or consumption in the importing party's territory.

3. If a party finds that its interests under this Agreement are being adversely affected by any additional trade measure taken by another party, that party may request the party applying such measure to consult with a view to remedying the situation. Such consultations shall be held promptly, and within thirty days where possible.

0202

4. In consultations held under paragraph 3, the party applying the trade measure shall have the burden of establishing that it has acted in accordance with the requirements of paragraph 2. If the consultations fail to achieve a mutually satisfactory solution with a period of sixty days the requesting party may refer the matter to the TMB, the party concerned being free to refer the matter to the TMB before the expiry of the period of sixty days if it considers that there are justifiable grounds for so doing."

ARTICLE 8: GATT RULES 7 DISCIPLINE

8.1 It is not possible at this stage to assess the specific commitments mentioned in para 1 because the negotiations in these areas have not been completed. The nature of the commitments would become apparent only at the closing stage of the Round.

8.2 However, it must be pointed out that para 1(iii) requires the avoidance of discrimination against the textile sector in the general trade policy measures. A general measure under Article XVIII:B would always necessitate certain priorities in imports. The textile products along with other consumer products are likely to receive lower priority compared to industrial raw materials, food products and capital goods. This commitment would always conflict with the needs of economic development. The sub-para (iii) should therefore be deleted.

8.3 The last sentence in para 1, when read with Article ':4 of the text would seem to imply that actions to fulfil the commitments are required to be undertaken notwithstanding the available GATT rights. It creates obligations exceeding those under the GATT and thus goes beyond the needs of integration into GATT. This sentence also deserves to be eliminated.

ARTICLE 9: MONITORING ETC

9.1 The role of the GATT Council in the implementation of the transition arrangement is dependent upon the institutional arrangements being worked separately to oversee the results of the Uruguay Round.

9.2 The propriety of the verification procedure in para 11 and the actions following therefrom is questionable. It amounts to cross retaliation and could upset the integration programme. The portion in brackets needs to be eliminated.

ARTICLE 10: TIME SPAN

10.1 The time span would depend upon the integration programme. If it leads to the progressive phase out of the MFA, a longer span, corresponding to the working hypothesis, could be considered. In any case, it cannot extend beyond the general period of implementation of the Round's results. In case, the programme does not achieve the progressive integration of restricted products, a shorter time span, say six years, should be considered.

0203

10.2 It must specifically be prescribed that at the end of the period, all the textile products are unequivocally returned to GATT and all MFA restrictions stand terminated. In other words, the transition has to be self destructive.

ANNEX I

The textile universe may consist of Annex II as it is constituted at present.

ANNEX II

The items enumerated in IC/UR/W/9 along with pure silk products (of chapter 50) and cotton carded or combed (5203.00) should be removed from Annex II.

ANNEX III

The items in part A do not figure in the main text. The treatment for these items needs to be decided.

ANNEX IV

The first paragraph which reflected the position in the ITCB framework could be deleted.

원 본

외 무 부

종 별 :

번 호 : GVW-2390 일 시 : 91 1120 1930

수 신 : 장 관(통기,경기원,상공부)

발 신 : 주 제네바대사

제 목 : UR/섬유협상 관련

9.20. 표제협상 관련 미국 USTR 의 SHEPHARD공사와 가진 협의 결과를 하기 보고함.(추준석상공부 국제협력관, 강상무관, 상공부 박과장참석)

0 미국은 브랏셀 TEXT 와 그이후의 작업결과를협상의 기초로 하려고 하나 인도,파키스탄과 같은 일부 수출 개도국이 거의 모든 분야에서 강경입장을 고수하고 있기때문에 협상이 어려워지고 있으며, 이제 DUNKEL총장이 소집한 주요국 비공식회의에서 DUNKEL 총장이 ECONOMICPACKAGE 마련을 위하여 각국이 협상 노력을 기울여줄것을 특별히 당부한 예를 보더라도 협상이 약간 진전되고는 있으나 여전히 대부분의 국가들이자국입장을 고수하고 있다고 평가함.

0 그러나 SHEPHARD 공사는 섬유협상은 타결될것으로 생각한다고 말하고 지금부터11월말까지 계속 집중적인 노력을 기울일 경우 12월 20일전후가 타결시기가 될 것으로 예상하면서, 섬유협상에 대한 아국의 입장을 문의함.

0 이에 대해 아국은 전반적으로는 큰 어려운 문제는 없으나 섬유산업이 아국에 매우 중요한 산업임을 강조하고 구체적인 관심사항으로서 1)품목대상 범위를 현 MFA규제품목에 한정하는 문제, 2) 연증가율이 1퍼센트 미만인 품목에 대해 최소 1퍼센트의 연증가율 부여문제,3) 양자협정에 의해 기본쿼타, 연증가율 및 융통성의 혼합비중을 달리할 수 있도록 규정한 조문 (DIFFERENT MIX) 의 삭제, 4) 잠정 세이프가드조치의 유예기간 설정, 5) 반덤핑등 2중 규제 금지조항 존치등에 대해 아국입장을 소상히개진 하였음.

0 이에 대해 SHEPHARD 공사는 아국입장을 충분히 이해하고는 있으나 자국으로서는 받아들일수 없는 어려움이 있다고 말하고 구체적으로

- 품목대상 관련, ANNEX 2의 품목대상범위를 축소화하는 경우 ANNEX 2에 포함되지 않는 품목은 즉시 GATT 로의 통합효과가 발생하므로 이문제는 정치적으로로 매우 수용

통상국 2차보 경기원 상공부

PAGE 1 91.11.21 10:43 WH

외신 1과 통제관

0205

하기 어려우므로ANNEX 2 를 수정하지 아니하고 연 증가율에서 융통성을 부여하는방안을 고려할 수는 있을 것이라고 말함. 한편 브랏셀 회의시 동사항 관련, 품목대상 범위 를 3-5 퍼센트 줄이거나 통합비율을 약간 상향 조정하는 방안이 논의된바 있음을 지적함

- 연증가율에 관해서는 현 MFA 하에서 국가별.민감품목별로 구분하여 쿼타증가에대해 다른 취급을 하고 있으며 한국의 해당 품목은 매우 민감한 품목이며 쿼타가 큰품목이기 때문에 상향조정 하기는 어렵다고 설명함.

- DIFFERENT MIX 에 관해서는 한국과 홍콩이 2-3년후 스스로 요청할 수 있는 문제이기도 하며 수출국으로서는 미소진 쿼타 품목을 삭감하는 대신 소진한 품목에 쿼타를 증가시키는 협상을 하는 것으로 필요 할 것이라고 하였으며, 이문제에 관하여 홍콩이 새로운 대안을 준비중인 것으로 알고 있으므로 앞으로 계속 논의할 수 있을 것이라고 언급.

- 그밖에 MORATORIUM PERIOD 와 2중 규제 조항에 관해서도 미국으로서는 받아들이기 어렵다고 언급함

0 이에 대하여 아국은 미소진 쿼타를 활용하는 것은 좋으나 과거의 경험에 비추어 미소진 쿼타는 삭감당하고 다른 쿼타 증가는 미미한 수준에 그쳤던 예가 많아 우려하고 있다고 말하고 금일 아국이 제기한 문제 및 UR 협상 전반의 아측 관심사항에 관하여 미측의 계속적인 협력을 요청함.끝

(대사 박수길-국장)

PAGE 2

0206

원 본

외 무 부

종 별 :

번 호 : GVW-2413 일 시 : 91 1122 1130

수 신 : 장 관(통기,경기원,상공부)

발 신 : 주 제네바 대사

제 목 : UR/섬유 비공식 회의

11.21 DUNKEL 총장 주재로 개최된 표제회의 결과하기임(김삼훈 차석대사, 상공부 추준석 국장,강상무관 참석)

1. 던켈 총장은 지금까지 여러수준에서 (AT EVERYLEVEL)협의가 있었다고 하고 UR 에서 섬유협상이 중요하다는 점을 강조하고, 많은 문제가 DRAFTING 문제이나 주요이슈에 대한 정치적 결정의 필요성, 명료성 확보를 강조함.

2. EC 는 브랏셀 회의 당시와 비교하여 EC 섬유산업의 국내 수요 및 수출 감소,수입증가등으로 더 어려운 상황이라고 하고 섬유 협상에서 부차적문제에서는 진전이 있었으나 주요 이슈에서는 진전이 없었다고 하고 특히 W/31/REV 1이 섬유협상의 기초로 합의되었는데도 일부 국가(인도, 파키스탄등을 의미하는 것으로 보임)가 이를협상의 기초로 삼지 않을려고 한다고 강한 어조로 비난함.

그리고 섬유 통합이 강화된 갓트 규정에 기초하여야 한다는 점을 강조하고, ANNEX II 와 잠정SAFEGUARD 에 있어서는 의장안에서 더이상 양보할수 없다고 함

3. 미국도 EC 와 같이몇 수출국가의 태도를 비난하고, 미국은 처음에 GLOBAL APPROACH 를 선호했으나 다른 나라들의 의견을 수용, 입장을 바꾼 사실을 상기시키면서미국도 ANNEX 11 에대해 만족하는 것이 아니라하고 점진적 통합의필요성 및 SINGLE UNDERTAKING 을 강조함. 또한 실질 내용의 변경없는 의장안 2조의 RESTRUCTURING 을주장함.

4. 이에 대해 인도, 파키스탄은 의장안이 협상의 기초이긴 하나 주요 쟁점에 대한 상당한 개선이 있어야 하며, 현 의장안에 의할 경우 자유화 및갓트 통합은 의미가없다고 미국, EC 를 반박함. 특히 파키스탄은 잠정 SAFEGUARD 에 대해 깊은 우려를표명하고 MFA TYPE 제한을 MFA제한과 같이 취급해서는 안된다고 함.

5. 자마이카, 페루, 모로코등은 소규모 공급국에 대한 우대 필요성을 강조하고 말

통상국 2차보 경기원 상공부

PAGE 1

91.11.23 08:58 WH

외신 1과 통제관

0207

메이지아, 인도네아, 이집트등은 섬유 협상에서 선진국의 양보를 강조함.

6. 아국은 의장안이 협상의 기초가 될수있음을 강조하고, 균형되고 공평한 협상결과를 위해 적극적으로 협상에 기여할 것이라는 점을 언급한후 구체적 관심사항으로연증가율, 잠정세이프가드 조치(ADDITIONAL MEASURE 사용문제), DIFFERENT MIX 등을 언급하였음.

7. 던켈 총장은 각국의 발언이 과거보다 더 BLUNT하다고 하고 농업분야에서 DRASTIC PROGRESS 가 있으므로 섬유에서도 비슷한 결과가 있어야 한다고 강조하고, 갓트밖에 있던 섬유 교역을 처음으로 갓트 체제내로 끌어 들이는 중요시기에 각국이 GIVE AND TAKE 의 자세로 협상에 임하여 92.1.1 이전에 협상을 종결하자고 하고 내주초다시 회의를 소집하겠다고 함. 끝

(대사 박수길-국장)

주 제 네 바 대 표 부

번 호 : GVW(F) - 0570　　년월일 : 11203　　시간 : 1200

수 신 : 장　　관 (통기, 상공부)

발 신 : 주 제네바대사

제 목 :

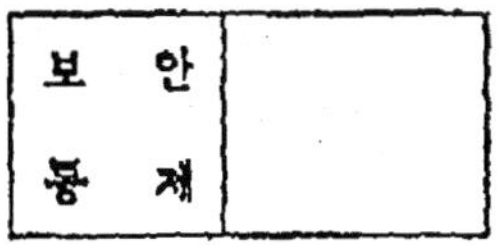
보 안
통 제

총 13 매(표지포함)

배부처	장관실	차관실	一차보	二차보	기획실	외정실	분석관	외전장	아주국	미주국	구주국	중아국	국기국	경제국	통상국	문협국	영교국	총무과	감사관	공보관	외연원	청와대	총리실	안기부	공보처	상공부
	/	/	/	/		/	/								0							/		/		/

외신과
통 제

570 - 13 - 1

0209

1991-12-03 13:09 KOREAN MISSION GENEVA 2 022 791 0525 P.02

INTERNATIONAL TEXTILES AND CLOTHING BUREAU

ROUTE DES MORILLONS 15 · 1218 GENEVA 8
TELEPHONE 7986711 / 7987342
FAX 7983939

25 November 1991

Excellency.

The ITCB had planned to hold its Fifteenth Council meeting in Cologne, Germany from 16 - 18 December 1991. Unfortunately, due to the heavy schedule of work envisaged for the Uruguay Round, this meeting had to be cancelled. However, the Council of the ITCB has to meet once before the end of the year to approve the Work Programme and Budget for 1992.

It is therefore proposed that a meeting of the Council of Representatives will take place on Monday 16 December 1991 at 10.00 hours in the ITCB offices.

The Agenda for this meeting along with the relevant documentation is enclosed.

Accept, Excellency, the assurances of my highest consideration.

H.S. Kartadjoemena
Ambassador
Chairman
International Textiles and Clothing Bureau

H.E. Mr. Soo Gil Park
Ambassador
Permanent Mission of Korea
Case Postale 566
1215 Geneva 15.

0210

570-13-2

CR/XV/Gva/01

Council of Representatives
Fifteenth Session
16 December 1991
Geneva, Switzerland.

PROVISIONAL AGENDA

1. Adoption of the Agenda
2. Approval of the Work Programme for 1992
3. Approval of the Budget for 1992
4. Adoption of the Audit Report for 1990
5. Annual Report of the Chairman for 1991
6. Election of Chairman and Vice Chairman for 1992
7. Other Business.

0211

CR/XV/GVA/02

Council of Representatives
Fifteenth Session
16 December 1991
Geneva, Switzerland

WORK PROGRAMME FOR 1992

1. The approved ITCB work programme in 1991 was the following:

(i) to coordinate positions among ITCB members on the Uruguay Round negotiations and other matters of common interest in international trade in textiles, including the possibility of one or two sessions of the ITCB Council;
(ii) to promote exchange of views and information among the different groups in developing countries, including business and industry circles;
(iii) to extend technical assistance to members on multilateral and bilateral matters;
(iv) to monitor, analyse and disseminate information on developments in international trade in textiles and clothing;
(v) to present the point of view of members to the executive and legislatures in the developed countries and to further collaborate with organisations of consumers, importers and retailers in the developed countries engaged in the fight against protectionism;
(vi) to maintain relations with international and national organisations and institutions and to further project the Bureau's identity.

2. At this time it is difficult to predict the outcome of the Uruguay Round. Once the Round is completed and the stage of implementation of its results is reached, it may become necessary to include in the work programme some aspects relating to implementation.

3. In view of the present position, it is proposed that the work programme of the current year should be continued in 1992. It is likely that a clearer picture of the Round and its results might be available by the time of the next Council meeting. The Current work programme could then be reviewed with a view to making any necessary modifications.

0212

57.-13-4

CR/XV/Gva/03

Council of Representatives
Fifteenth Session
16 December 1991
Geneva, Switzerland

BUDGET PROPOSALS FOR 1992

The following budget estimates for 1992 have been examined by the Budget Committee and are submitted to the Council for approval.

In finalising the proposals for 1992, the Budget Committee was of the view that the Budget Proposals should be calculated at the rate of US $ 1.00 = SF 1.40.

The Budget provisions contain a provision for two Council meetings outside Geneva. The Budget Committee was of the view that in approving the Budget, the Council should consider whether two meetings outside Geneva was necessary in 1992.

0213

BUDGET ESTIMATES FOR THE FINANCIAL YEAR 1992

A. INTRODUCTION

(i) Financially the year 1991 has been a very comfortable year for the ITCB. The 1991 budget estimates were made at a rate of US$ 1.00 = SF 1.30 when the US dollar was very weak against the Swiss Franc. Since March 1991 however, the dollar started to gain against the Swiss Franç and continued to do so until September. Though it has lost some of its momentum in the last month and has startod to weaken again, for the most part of 1991 the exchange rate for transactions was about US$ 1.00 - SF 1.46. At the time of writing the bank operational rate was US$1.00 = SF 1.4[illegible]

(ii) Coupled with the relative increase in the value of the dollar against the Swiss Franc the Secretariat continued to economise on expenditure with the result that at the end of 1991 the ITCB should be able to reflect an estimated savings of approximately US $ 76,842.62.

(iii) It should however be noted that these savings are dependent on all contributions for 1991 and previous years being received in full. Contributions totalling US$ 12,744 are due from some members for the years 1988.1989 and 1990 and contributions of US$ 50,940 are due for 1991. If these contributions are not received by 31 December, the actual cash surplus of the Bureau will be approximately US$ 13,158.62.

(iv) There was an income of US$ 2,009.66 from the sale of the brochure on "A Decade of Coordination among developing countries exporters of Textiles and Clothing" and the ITCB study "Textiles Trade from 1982 to 1990 and prospects for the nineties".

(v) The Budget Committee created during 1991 became operational during the latter half of 1991. It met on two occasions, the first in September to review the expenditure during 1991 and the second time in mid November to concidor the proposals for 1992.

B. 1992 BUDGET ESTIMATES

(i) The Executive Director hereby submits his budget proposals concerning the expenses and income of the Secretariat for the financial year 1992.

(ii) The 1992 budget estimates have been calculated at a rate of US$ 1.00 = SF 1.40. As will be seen from the following budget proposals, efforts have been made to keep expenditure levels for 1992 at a minimum, though certain annual increases cannot be avoided. Efforts will continue to be made in 1992 to economise on expenditure.

(iii) This proposed budget amounts to US$533,154.00. As compared with the approved 1991 budget of US$ 523,180 it shows an increase of US $ 9,974 (1.91%).

(iv) Increases in the 1992 budget proposals as compared to the estimated expenditure in 1991 are on account of the following: Salaries: US$ 43,536(15.43%), Other staff costs US$ 4,730 (8.7%), meetings US$ 48,630, Overheads US$ 3,186(6.59%) and operational expenditure US$ 250 (2.71%). It should be noted that the practice of obligating expenditure (as in other international organisations) from one year to another has been discontinued on the recommendation of the Budget Committee. This has resulted in increased outlay for meetings.

(v) The provision for salaries and allowances included in these budget estimates represent US$ 320,040. Professional staff salaries have been increased to take into account normal increments to higher steps in grade for staff members. The estimated also include US$ 15,000 to cover any eventual reclassification of salaries or post adjustment scales (United Nations rules require that for every 5% increase in the cost of living index post adjustments and salaries be accordingly modified to reflect these increases).

(vi) On the recommendation of the budget committee provision for representation and hospitality have been increased for 1992 from US$ 2,000 to US$ 2,500.

(vii) An amount of US$ 50,130 has been proposed for expenditure for two Council sessions in accordance with the Work Programme. This is intended to cover transportation and per-diem plus other incidental expenditure in conjunction with a Council meeting. This section also includes a provision of approximately US$ 5,000 for travel of the Executive Director on conferences or seminars to which he may be invited.

(viii) In order to meet the increased requests for technical assistance the provision for purchase of reference material and statistical data for the library has been increased from US$ 3,000 to US$ 5,000.

(xi) The budget also reflects and increase in rental costs for the premises of the Bureau. The department of Travaux Public increased the rent for the Bureau from SF4,488 to 4,786 per month, resulting in an increase in rental costs of SF 336 per month.

(x) A contingency fund of US$ 10,000 has been provided at the same level as for the current year.

C. ESTIMATED EXPENDITURE FOR 1991 IN RELATION TO THE APPROVED BUDGET FOR 1991

(i) The 1991 expenditure is estimated (on the basis of actual expenditure for 10 months and estimates for 2 months) at US$ 448,460.48 against an approved budget of US$ 523,180.

(ii) The estimated expenditure for 1991 as compared with the approved budget reflects the following savings and increases. Savings were reflected in: Salaries US$

32,930, Other staff costs US$ 10,109, meetings US$ 24,500, Public Relations US$ 3,600, over heads US$ 3,036, Operational expenditure US$ 6,650 and contingency US$ 8,761.

(iv) With the approval of the budget committee these savings were reapportioned to cover increased expenditure for equipment and library materials. The office had 2 very old computers with small capacities for storage of data and 2 printers one of which broke down. The creation of the statistical data base necessitated the replacement of these computers with computers with larger storage and working capacity along with the printers. The Budget Committee agreed in principle to the replacement of these machines during the current year as well as the next year. Since IBM had computers on a special offer to celebrate 10 years of Personal Computers the Bureau purchased two new computers and printers. The special offer resulted in a savings of approximately US$ 1,500 on each computer.

(v) The Budget Committee had requested the Secretariat to look into the possibilities of linking the three machines in the Secretariat to one printing machine. Quotations were invited and it was found that it was not economical for the Secretariat to undertake this venture at present. Furthermore the Secretariat was also advised that the linking of all computers to one printer was rather risky in the event of a breakdown when all the machines would be out.

(vi) Provident fund contributions were maintained below the anticipated levels as the refund on the insurance premium in the fund was applied towards part of the costs.

(vii) As will be seen from these estimates the fixed expenditure on salaries and other staff costs and rental of premises and related costs account for approximately 86.6% of the expenses of the Bureau. A great effort for economy was made in the remaining areas resulting in substantial savings.

D. CASH SITUATION AT THE END OF 1991

The projection for 1991 based on the present level of contribution and expenditure indicates an estimated cash surplus of US$13,158.62 at the end of December. Contributions received in 1991 amount to US $ 485,244.65, other income was US$ 3,488.82 and the opening balance at the bank was US$ 32,642.10 resulting in a total income of US$ 521,319.22. $ 58.35 was lost in exchange conversions. Expenditure in 1991 is estimated at US$508,160.60 which will result in an excess of receipts over payments of US$ 13,158.62 . Contributions due for 1988,1989, 1990 and 1991 amount to US $ 63,684.00. Total savings in 1991 if all contributions are received will amount to US$ 76,842.62. This is accounted for as follows:

Contributions due 1988 - 1990	12,744
Contributions due 1991	45,777
Other contributions 1991	5,163
Cash Surplus	13,158.62
Anticipated total savings	76,842.62

0216

STATEMENT OF ACCOUNTS

Opening Balance 1.1. 1991		32,642.10
Income Contributions		485,244.65
Other Income		3,488.82
Total Income		521,375.57
Loss in Exchange		56.35
Income in 1991		521,319.22

Expenditure

Obligated Previous years	4,860.35	
1989 Expenditure in 1991	16,283.76	
1990 Expenditure in 1991	38,556.03	
Expenditure to date 1991 (31.10.91)	374,061.70	
Anticicpated to 12.12.1991	74,398.76	
Total Expenditure		508,160.60
Anticipated cash savings 12.12.1991		13,158.62

Contributions Due

1988-1990	12,744.00	
1991	50,940.00	
Total Contributions due	63,684.00	
Anticipated carry over if all contributions are received		76,842.62

570-13-P

0217

Contributions due 1988 - 1990

Egypt (1988 -1990)	10,477
Uruguay (1990)	2,267

Contributions due 1991

Bangladesh	8,573
Brazil	10,177
Egypt	4,311
Pakistan	20,604
Peru	2,757
Uruguay	2,055
Costa Rica	4,361
El Salvador	802

ACTUAL EXPEDITURE 1990 AND ESTIMATED EXPENDITURE 1991

BUDGET PROPOSALS 1992

Item	Actual Expendi. 1990	Approved Budget 1991	Actual Expend 1991	Revised Estimates Dec.91	Difference approved budget 91	% change approved Budget 91	Budget Proposals 1992	Difference over revised Estimates 91	% change revised estimates 91
	1	2	3	4	5	6		8	9
Salaries and Allowances									
Director	110861.11	119350.00	94833.40	102687.55	-16662.45	-13.96	115961.00	13273.45	
Consultant	36000.00	36000.00	30000.00	36000.00	0.00	0.00	36000.00	0.00	
Programme Officer	55631.80	59400.00	47979.26	51851.45	-7548.55	-12.71	54005.00	2153.55	
Programme Officer	46851.54	53530.00	43008.92	46571.90	-6958.10	-13.00	53004.00	6432.10	
Programme Officer	42661.99	46700.00	37532.74	45039.29	-1660.71	-3.56	51715.00	6676.71	
Provision for changes in post adjustment multiplier					0.00		15000.00	15000.00	
sub total	29220[illegible].44	314980.00	253354.32	282150.19	-32829.81	-10.42	325686.00	43535.81	15.43
Other staff costs									
Provident F	38153.55	50000.00	33903.76	40684.51	-9315.49	-18.63	43200.00	2515.49	
Family Allowance	4166.78	10000.00	8861.73	9348.17	-651.83	-6.52	8000.00	-1348.17	
Medical	6311.07	7000.00	5048.02	6057.62	-942.38	-13.46	6500.00	442.38	
Other Costs	1801.00	1000.00	1500.00	1800.00	800.00	80.00	4920.00	3120.00	
sub total	50431.40	68000.00	49313.51	57890.31	-10109.69	-14.87	62620.00	4729.69	8.17
Staff Travel									
Installation					0.00			0.00	
Repatriation	46[illegible]25				0.00			0.00	
Removal					0.00			0.00	
Per diem			3267.62	3257.62	3267.62			-3267.62	
tickets/h.leave/					0.00			0.00	
recruit/termin.	885[illegible]87	7000.00	4347.59	4347.59	-2652.41	-37.89		-4347.59	
Accrued leave					0.00			0.00	
sub total	931[illegible]12	7000.00	7615.21	7615.21	615.21	8.79		-7615.21	
Meetings									
Travel Meetings	20648.06	19000.00		1500.00	-17500.00	-92.11	34130.00	32630.00	
Perdiem/meetings	19438.34	7000.00			-7000.00	-100.00	16000.00	16000.00	
sub total	40086.40	26000.00	0.00	1500.00	-24500.00	-94.23	50130.00	48630.00	

570-13-[illegible]

0219

em	Actual Expend 1990	Approved Budget 1991	Actual Expend 1991	Revised Estimates Dec.91	Difference Approved Budget91	% change approved Budget 91	Budget Proposals 1992	Difference over revised estimates 91	% change revised estimates 91
presentation/									
spitality	9676.08	2000.00	2358.70	2800.00	800.00	40.00	2500.00	-300.00	
blic Rels.		5000.00	102.67	600.00	-4400.00	-88.00	1000.00	400.00	
b total	9676.08	7000.00	2461.37	3400.00	-3600.00	-51.43	3500.00	100.00	
uipment									
[illegible]	5725.14	9900.00	6083.82	7306.58	-2593.42	-26.20	4202.00	-3104.58	
rchase	2514.41	2000.00		17630.98	15630.98		3000.00	-14630.98	
intenance&Repair	4642.09	6000.00	4989.71	5803.26	-196.74	-3.28	5700.00	-103.26	
terials		1000.00		400.00	-600.00	-60.00	1000.00	600.00	
b total	12881.64	18900.00	11078.53	31140.82	12240.82	64.77	13902.00	-17238.82	-55.36
brary	3129.74	3000.00	3130.70	4467.20	1467.20	48.91	5000.00	532.80	
urnals/Period.	689.19	1000.00	1443.64	1445.00	445.00	44.50	1000.00	-445.00	
b total	3818.93	4000.00	4574.34	5912.20	1912.20	47.81	6000.00	87.80	1.49
erheads									
nt &Chgs.Office	38618.46	42000.00	32095.82	38514.98	-3485.02	-8.30	41495.00	2980.02	
rking	3020.99	3500.00	2559.39	3071.27	-428.73	-12.25	3215.00	143.73	
ctricity	1031.11	800.00	559.65	872.00	72.00	9.00	800.00	-72.00	
aners	2747.30	2800.00	2636.43	3163.72	363.72	12.99	3306.00	142.28	
surance	2176.41	2300.00	2741.65	2742.00	442.00	19.22	3000.00	258.00	
tal	47594.27	51400.00	40592.94	48363.97	-3036.03	-5.91	51816.00	3452.03	7.14
erational Expenditure									
ephone/Fax	6351.87	6000.00	3032.91	4549.37	-1450.63	-24.18	5000.00	450.63	
stage	910.20	900.00	483.44	700.00	-200.00	-22.22	500.00	-200.00	
tionery/supp.	3182.51	2000.00	513.65	1000.00	-1000.00	-50.00	1000.00	0.00	
dit	6851.46	7000.00		3000.00	-4000.00	-57.14	3000.00	0.00	
b total	17296.04	15900.00	4033.00	9249.37	-6650.64	-41.83	9500.00	250.63	2.71
ntingency	285.94	10000.00	1038.48	1238.40	-8761.60	-87.62	10000.00	8761.60	
tal	483590.26	523180.00	374061.70	448460.46	-74719.54	-14.28	533154.00	84693.54	18.89

570-13-12

0220

CONTRIBUTIONS TO THE ITCB BUDGET FOR 1992

Country	Share of Imports	%	Contributions
Total Imports	45,594.50	100	533,154.00
Estimated Carry over			76,842.00
Budget Request for 1992			456,312.00
Bangladesh	879.18	1.93	8,807.00
Brazil	796.19	1.75	7,985.00
China	10,927.11	23.97	109,378.00
Columbia	262.18	.58	2,047.00
Costa Rica	421.16	.92	4,198.00
Egypt	423.52	.93	4,244.00
El Salvador	79.25	.17	776.00
Hong Kong	9,443.29	20.71	94,502.00
India	3,451.96	7.57	34,543.00
Indonesia	1,950.96	4.27	19,485.00
Jamaica	271.48	.60	2,738.00
Korea	7,274.57	15.95	72,782.00
Macau	1,100.06	2.41	10,997.00
Maldives	16.93	.04	182.00
Mexico	1,072.59	2.35	10,723.00
Pakistan	2,060.59	4.52	20,625.00
Peru	240.60	.53	2,418.00
Sri Lanka	751.27	1.65	7,529.00
Turkey	2,984.09	8.74	39,882.00
Uruguay	187.51	.41	1,871.00

Source: UN Statistical Office COMTRADE Data Base 1990

0221

170-13-13

원 본

외 무 부

종 별 :

번 호 : GVW-2447 일 시 : 91 1126 1500

수 신 : 장 관(통기,상공부)

발 신 : 주 제네바 대사

제 목 : UR/섬유 (비공식)

11.29(금) 개최 예정인 표재회의 일정 별첨 FAX송부함.

첨부: UR/섬유 (비공식) 일정 1부. 끝

(GVW(F)-539)

(대사 박수길-국장)

통상국 상공부

PAGE 1

91.11.27 08:49 FN

외신 1과 통제관

0222

GVW(3)-539 1126 1800
GVW-2447 첨부.

From: Arif Hussain
GATT, Geneva

Signature:

To:		FAX. NOS.
	H.E. Mr. F. Jaramillo (Colombia)	791 07 87
	H.E. Mr. R. Barzuna (Costa Rica)	733 28 69
	H.E. Mrs. L. Saurel (El Salvador)	738 47 44
	H.E. Mr. H. Kartadjoemena (Indonesia) (ITCB)	793 83 09
	H.E. Mr. Jesús Seade (Mexico)	733 14 55
	H.E. Mr. R. Parmanand (Trinidad & Tobago)	734 91 38
	A. Wong (Hong Kong)	733 99 04 OR 740 15 01
	P. Favro (Argentina)	798 72 82
	D. Smith (Australia)	733 65 86
	J. Potocnik (Austria)	734 45 91
	M. Talukdar (Bangladesh)	738 46 16
	R. Chavez Bustios (Bolivia)	738 00 22
	A. Prates (Brazil)	733 28 34
	P. Gosselin (Canada)	734 79 19
	M. Matus (Chile)	734 79 19
	Wang Shichun (China)	793 70 14
	M. Gosset (Cote D'Ivoire)	
	M. Ceijas de Jimenez (Cuba)	758 23 77
	A. Shalaby (Egypt)	731 68 28
	J. Beck (European Communities)	734 22 36
	K. Luotonen (Finland)(Nordics)	740 02 87
	A. Ivanka (Hungary)	738 46 09
	A. Sajjanhar (India)	738 45 48
	P. Coke (Jamaica)	738 44 20
	Y. Ishimaru (Japan)	788 38 11
	S. Kang (Korea)	791 05 25
	M. Supperamanian Manickam (Malaysia)	788 09 75
	A. Lecheheb (Morocco)	798 47 02
	P. Hamilton (New Zealand)	734 30 62
	M. Ahmad (Pakistan)	734 80 85
	A.M. Deustua (Peru)	731 11 68
	E. Els (South Africa)	735 20 32
	L. Pemasiri (Sri Lanka)	734 90 84
	W. Meier (Switzerland)	734 56 23
	S. Rastapana (Thailand)	791 01 66
	K. Khiari (Tunisia)	734 06 63
	Y. Dincmen (Turkey)	734 52 09
	R. Shepherd (United States)	749 48 85
	G. Venerio (Uruguay)	731 56 50
	O. Fornoza (Venezuela)	798 58 77
	B. Vukovic (Yugoslavia)	46 44 36
	C. Mbegabolawe (Zimbabwe)	738 49 54

YOU ARE INVITED TO ATTEND AN INFORMAL MEETING, CONCERNING THE NEGOTIATIONS ON TEXTILES AND CLOTHING, TO BE HELD IN THE CENTRE WILLIAM RAPPARD, ROOM "D", ON FRIDAY, 29 NOVEMBER 1991 (11 A.M.)

PLEASE NOTIFY US IMMEDIATELY IF YOU DO NOT RECEIVE ALL THE PAGES

** OUR FAX EQUIPMENT IS HITACHI HIFAX 210 (COMPATIBLE WITH GROUPS 2 AND 3) AND IS SET TO RECEIVE AUTOMATICALLY **

0223

원 본

외 무 부

종 별 :

번 호 : GVW-2442 일 시 : 91 1126 1230

수 신 : 장 관(통기,경기원,상공부)

발 신 : 주 제네바 대사

제 목 : UR/섬유 (비공식)

11.25(월) 후세인 사무차장보 주재로 아국등 14개국 비공식 회의가 개최되어 의장 TEXT 상 제 6조제 6항 및 제 7항에 대해 논의하였는바, 요지 하기 보고함.

(강상무관, 김상무관보 참석)

가. 제 6조 제 6항(잠정 세이프가드 조치 발동시 특별수출국 우대 조항)

0 의장은 브랏셀 의장 TEXT(W/35/REV.1) 가 협상의 기초가 되어야 함을 분명히 밝히면서 동 TEXT 의 구조를 변경시키지 않고 자구 수정을 위한 노력을 수출국.수입국양측이 기울여 줄것을 당부함.

0 페루등 소규모 공급국은 잠정 세이프가드 조치는 가능한 드물게 발동 되어야 한다는 6항 첫문장이 중요한 원칙으로 계속 유지되어야 한다는 점, 소규모 공급국 우대에 관한 6항 C 호가 중요하다는점을 강조함.

0 카나다는 시장 자유화 과정에서 균형(CHECK ANDBALANCE)이 중요한 요소이며 이런면에서 가능한 예외를 줄이는 것이 필요하다 하고 소규모 공급국 우대 조항인 C호와 신규 참여국 우대조항은 D호를 묶어 다음과 같은 제의를 하였으며, 여타 수출국우대 조항인 D,E,F 호에 대해서는 부정적인 견해를 표시함.

- CONTRACTING PARTIES WHOSE TOTAL VOLUME OF TEXTILE EXPORTSIS SMALL IN COMPARISON WITH THE TOTAL VOLUME OF EXPORTS OFOTHER PARTIES AND WHO ACCOUNT FOR ONLY A SMALL PERCENTAGE OFTOTAL IMPORTS OF THAT PRODUCT SHALL BE ACCORDED DIFFERENTIALAND MORE FAVOURABLE TREATMENT IN THE FIXING OF THE ECONOMICTERMS GOVERNING THE SAFEGUARD ACTION. FOR THOSE SUPPLIERS,DUE ACCOUNT WILL BE TAKEN OF THE FUTURE POSSIBILITIES FORTHE DEVELOPMENT OF THEIR TRADE AND THE NEED TO ALLOWCOMMERCIAL QUANTITIES OF IMPORTS.

0 인도, 파키스탄등은 면 생산국 및 모생산국에 대한 우대조항(C호 및 D호)은

통상국 1차보 경기원 상공부

PAGE 1 91.11.27 09:03 WI

외신 1과 통제관

0224

정치.경제적으로 양보할수 없는 사안임을 분명히하였고, 멕시코는 역외 가공무역에 대한 우대조항 (F호)이 자국에는 매우 중요한 사항임을 지적함.

0 한편, 6항 첫문장의 우치와 관련하여 동 문장은 잠정 세이프가드 조치 전체에관련되는 사항이므로 제 1항 마지막에 위치하여야 한다는 의견이 제시됨.

0 이러한 논의에 대한 의장은 본 조항 논쟁의 핵심은 면 및 모 생산국의 우대 문제 여부 및 6항 첫문장의 위치로 요약할수 있는바, 동 문제들은 추후 해결해야 할 사항임을 지적함.

나. 제 7항(잠정 세이프가드 조치 발동시 협의 및 TMB 통보 규정)

0 세이프가드 조치 발동시 관련국간의 협의를 위해 TMB 에 규제 수준까지 통보하도록 되어 있는 현 TEXT (7항 말미 문장)는 관계 당사국간 비밀에 속하는 사안까지관계국이 아닌 제 3국에 알리는 결과를 초래하므로 동 용어를 삭제하여야 한다는 카나다, EC 등의 주장과, 동 사실은 단지 TMB 에 통보되는 내용을 TMB 가 본협정의 시행을 관장하는 기관이므로 이를 통보 받을 필요가 있다는 수출 개도국의 입장이 맞서 별다른 의견 접근을 보지 못하였음. 끝

(대사 박수길-국장)

원 본

외 무 부

종 별 :

번 호 : GVW-2472　　　　　　　　일 시 : 91 1127 1830

수 신 : 장 관(통기,경기원,상공부)

발 신 : 주 제네바 대사

제 목 : UR/섬유협상 주요국 비공식

표제 회의가 11.27 HUSAIN 갓트 사무차장 주재로 개최되어 의장 TEXT (W/35 REV.1) 8 조 및 9조에 대해 논의한 바, 요지 하기임.(강상무관 참석)

0 EC 는 8조 및 9조에 속하는 자국 수정안을 제시하고 이는 그간의 협의 결과를토대로 기술적개선을 위한 것이라고 함. (별첨 참조)

0 이에 대해 미국은 8조 1항의 관세 삭감과 관련 이를 보다 구체화 하기 위한 것 이라하고 자국 수정안을 제시함. (별첨 참조)

0 이에 대해 아국, 홍콩, 인도, 항가리등 대부분 수출 개도국은 EC 제안이 타협상 그룹의 협상결과를 예단할 위험성 8조 1항의 표현이 UR결과 나타날 각국의 약속을 벗어난다는 점, UR결과의 시행과 섬유 통합의 직접적 연결은 인정할수 없다는 점에서 이에 반대의사를 표명함.

첨부: 1. EC 제안 1부

2. 미국제안 1부, 끝

(GVW(F)-547)

(대사 박수길-국장)

통상국　2차보　경기원　상공부

PAGE 1　　　　　　　　91.11.28 07:57 WH

외신 1과 통제관

0226

GVW(F)-1447 11/27 ≠30 "GVW-2412 첨부"

EC (informal working group)

Art. 8

1. As part of the integration process and in order to uphold the balance of rights and obligations under this Agreement, contracting parties shall take such measures and actions as may be necessary to implement the specific commitments undertaken in the Uruguay Round to strengthen GATT rules and disciplines so as to :

(i) promote improved access to markets for textiles and clothing through substantial tariff reductions and bindings, reduction or elimination of non-tariff barriers, and such other measures as facilitation of customs, administrative and licensing formalities;

(ii) achieve fair and equitable trading conditions as regards textile and clothing in such areas as dumping, subsidies and the protection of intellectual property rights; and

(iii) avoid discrimination against imports in the textiles and clothing sector when taking measures for general trade policy reasons.

Such measures and actions shall be without prejudice to the rights and obligations of contracting parties under GATT.

2. Contracting parties shall notify to the TMB measures and actions referred to in paragraph 1 above which have a bearing on the implementation of this Agreement. To the extent that these have been notified to other GATT committees and bodies, a summary with reference to the original notification shall be sufficient to fulfil the requirements under this paragraph. It shall be open to any contracting party to make reverse notifications to the TMB. The TMB shall include in its comprehensive report referred to in Article 9 paragraph 10 all the elements concerning these notifications it deems appropriate.

3. The TMB shall be informed of any recourse to GATT Dispute Settlement Procedures in regard to the actions referred to in paragraph 1 above. Any subsequent findings or conclusions by the GATT committees and bodies concerned shall be integrated in the TMB's comprehensive report.

0227

1447 - 3 - 1

Art. 9.10 ZC (informal working group) 11/27

In order to oversee the implementation of the Agreement, the [GATT Council] shall conduct a major review before the end of each stage of the integration process. To assist in this review, the TMB shall, at least 5 months before the end of each stage, transmit to the [GATT Council] a comprehensive report on the implementation of this Agreement during the stage under review, in particular in matters relating to Articles 2, 3, 6 and 8.

The major review shall also consist of assessing the impact of all measures and actions taken during the stage under review on international trade in textiles and clothing, on particular markets and on particular segments of the sector.

The TMB's comprehensive report shall include any recommendation as deemed appropriate by the TMB to the [GATT Council] as regards the transition to the next stage.

Art. 9.11

In the light of its review the [GATT Council] shall take such decisions as it deems appropriate to ensure that the balance of rights and obligations embodied in this Agreement is not being impaired. Such decisions may include adjustment to the application of Article 2 para... of this Agreement for the stage subsequent to the review, with respect to any party found not to be complying with its obligations under this Agreement, without prejudice to its final date as set out under Article 10. In any such decisions, the [GATT Council] shall take due account of any resolution of dispute under GATT Dispute Settlement involving textiles and clothing products.

Art. 2-10

During Stage 1 of this Agreement (years 1993 to [ ] inclusive) the level of each restriction under MFA bilateral agreements in force for the year 1992 shall be increased annually by not less than the growth rate established for the respective product categories increased by [16 per cent].

Except where a contracting party is found not to have complied with the measures and actions provided for in Art. 8.1 during the preceding stage, the level of each remaining restriction shall be increased annually during subsequent stages of the Agreement by not less than the following :

For Stage 2 (years [ ] to [ ] inclusive), growth rate for the respective product categories during stage 1, increased by [21 per cent];

For Stage 3 (years [ ] to [ ] inclusive), growth rate for the respective product categories during stage 2, increased by [26 per cent].

541-3-2 0228

27/11/91

U.S (informal)

The concept of relating movement from stage to stage (e.g., in Article 2:10) to commitments to reduce and bind tariffs at levels which will permit trade to flow (e.g., 7.5% for MM fibres, 15% for yarn and 32% for fabrics, made-ups and apparel) needs to be included in the text, perhaps in Article 2, perhaps in Article 8, perhaps elsewhere.

0229

원 본

외 무 부

종 별 :

번 호 : GVW-2468 일 시 : 91 1127 1100

수 신 : 장 관(통기,경기원,상공부)

발 신 : 주 제네바대사

제 목 : UR/섬유협상 주요국 비공식 회의

11.26 후세인 갓트 사무차장보 주재로 개최된 표제회의에서는 의장 TEXT 6조에 관해논의한바 결과 하기임.

1. 6조(1)-(4) 항

0 카나다는 6조 (2)-(4) 항이 잠정 세이프가드 조치에있어 핵심 이슈라고 하고 수정안을 제시함(별첨참조)

0 이에 대해 미국,EC등은 카나다 제안을 지지함

0 ITCB 를 대표하여 HASSAN 대사는 상기 카나다제안이 현 MFA 3조와 유사한 것으로 본 협정의 근본 목적에 어긋난다고 함.

0 브라질, 인니는 카나다 제안중 문제 조항으로 다음을 지적함.

- 2항중 'IN THE OPINION OF ' 와 'ACTUAL OR RELATIVE'

- 4항중 'CONTRIBUTING'을 'CAUSING' 으로 할것

2. 6조 8항 및 12항

0 미국은 6조 8항(규제시 쿼타수준 결정을 위한 참조기간) 및 12항(규제 유효기간)을 동시에 고려하여TRADE OFF 할것을 제의하고 '참조 기간(12개월)더하기(3년)' 이좋으나 '2년 더하기 2년'의 대안도 검토할 수 있다고 하고 일본이 이를 지지함.

0 이에 대해 카나다는 섬유 교역 안정성 확보를 위해서는 참조기간이 길어야 함을 강조하고 EC 는'3년 더하기 3년'을 지지한다고 함.

0 수출 개도국들은 짧은 참조기간을' 선호하는발언을 하였으며 인도, 인니는 2년이상의 참조기간을 수락할 수 없다고 함.

0 의장은 상기문제에 대해 '1년 더하기 2년', '1년더하기 3년','2년 더하기 2년', '2년 더하기 3년'의 4가지 대안이 가능하다 하고 추후 논의를 제의함.

통상국 2차보 경제국 상공부

PAGE 1 91.11.28 02:38 FL

외신 1과 통제관

0230

3. 10항 관련

0 미국은 규제에 적용될 시점은 수입시정이 되어야한다고 하고 인니는 이를 각국의 국내법에 맡기라고함.

4. 14항 관련

잠정세이프가드 조치시의 융통성 조항과 관련 미국,EC 는 SWING 의 삭제를 주장하고 GROWTH RATE와 관련 미국은 원칙적으로 6 퍼센트로 하되 WOOL 은 1 퍼세트로 할것 을 주장함.

이에 대해 인도, 인니등은 SWING 포함 6 퍼센트원칙을 주장함.

5. 15항 관련

0 홍콩이 별첨과 같은 수정제안을 함.

0 이에 대해 아국은 조기의 규제 제한 폐지(1조 2항)조항이 잠정 SG 조치에 의해남용되는 것을 막기 위해 홍콩제안을 지지하였으며 미국도 상기제안을 토론할 용의는 있으나 '3년'은 서무 긴시간이라고 주장함.

0 이에대해 카나다는 과거 종결된 규제와 새로운 규제의 규제수준을 연결하는 것은 부당하다고 함.

별첨: 카나다 제안(6조 (2)-(4) 1부

홍콩 제안(6조 15항 관련) 1부.

(GVW(F)-0545)

(대사 박수길-국장)

GUWC-1-0545 11/27 -100

" GUW-2468 첨부, Canada

26.11.91

ARTICLE 6

2. Safeguard action may be taken under this Article when, in the opinion of a contracting party[1], a particular product is being imported into its territory in such increased quantities, actual or relativo, and under such conditions as to cause serious damage, or actual threat thereof, to the domestic industry producing like or directly competitive products. Serious damage or actual threat thereof must demonstrably result from such an increase in total imports of that product and not from factors such as technological changes or changes in consumer preference.

3. In assessing serious damage, or actual threat thereof, as referred to in paragraph 2 above, the contracting party shall examine the effect of those imports on the state of the particular industry, as reflected in changes in such relevant economic variables as output, productivity, utilization of capacity, inventories, market share, exports, wages, employment, domestic prices, profits and investment; none of which, either alone or combined with other factors, can necessarily give decisive guidance.

4. Any measure invoked pursuant to the provisions of this Article shall be on a country-by-country basis. The contracting party invoking a safeguard measure shall determine the contracting party or parties contributing to the serious damage or actual threat thereof, referred to in paragraphs 2 and 3 above, through a sharp and substantial increase in imports, actual or imminent[2], from such individual contracting party or parties, and on the basis of the level of imports as compared with imports from other sources, its market share, and import and domestic prices at a comparable stage of commercial transaction; none of these factors, either alone or combined with other factors, can necessarily give decisive guidance.

[1] [A customs union may apply a safeguard measure as a single unit or on behalf of a member state. - To be finalized in the light of the corresponding provision of the general Safeguard Agreement.]

[2] Such an imminent increase shall be a measurable one and shall not be determined to exist on the basis of allegation, conjecture or mere possibility arising, for example, from the existence of production capacity in the exporting countries.

545-2-1

0232

H.K.

Article 6:15

If safeguard action is taken on a product for which a restraint was previously in place in (1991) under the MFA or pursuant to the provisions of Article 2 or 6 of this Agreement, the level of the new restraint shall be the level provided for in paragraph 8 of this Article unless the new restraint comes into force within 3 years of the date of removal of the previous restraint, in which case the level shall be not less than the higher of (i) the level of restraint for the last twelve-month period during which the product was under restraint or (ii) the level of restraint provided for in paragraph 8 of this Article.

21 November 1991

545-2-2

0233

12

원 본

외 무 부

종 별 :

번 호 : GVW-2473 일 시 : 91 1127 1830

수 신 : 장 관(통기, 경기원, 상공부)

발 신 : 주 제네바 대사

제 목 : UR/섬유협상 관련

당관 김삼훈 대사는 (강상무관 동석) 갓트섬유 담당국장 SORRENSEN을 오찬에 초대섬유협상에 관한 의견을 교환한 바, 요지 하기임.

0 김대사는 한국이 섬유 주종 수출국으로 섬유협상에 대한 아국의 관심과 중요성을 설명하고 UR 의 성공적 타결을 위해 한국이 합리적이고 실용적인 자세로 섬유 협상에 기여할 것임을 강조함.

0 아국의 구체적 관심사항으로 최소 쿼타 증가율 보장, DIFFERENT MIX 조항의 삭제 또는 남용방지를 위한 개선, 잠정기간중 반덤핑 등 추가규제 조치의 사용에 대한적절한 규제, 갓트로 통합된후 일정기간 동안의 유예기간 설정, PRODUCT COVERAGE 는 MFA 규제 품목에 한정되어야 한다는 아국의 입장을 소상히 설명하였음.

0 이에 대해 SORRENSEN 국장은 한국이 실용적이고 합리적인 자세로 섬유 협상에기여하고 있는 것을 평가한다고 하고, 최소 쿼타 증가율 보장에 대한 한국의 입장측논리적이고 타당한 것으로 본다는 견해를 밝히고 다른 관심사항에 대해서도 한국의입장을 적절히 고려하겠다고 함.

0 섬유 협상의 전망에 대해서 동 국장은 12.5 이후 섬유 협상이 재개될 것으로 본다하고 농산물등에서 진전이 있어 전체 협상 TEXT 제출을 요청받는 경우 섬유 분야에서의 TEXT 제출은 어렵지 않을 것이라는 견해를 밝힘.끝

(대사 박수길-국장)

통상국 2차보 경기원 상공부

PAGE 1

91.11.28 08:01 WI

외신 1과 통제관

0234

원 본

외 무 부

종 별 :

번 호 : GVW-2517　　　　일 시 : 91 1129 2000

수 신 : 장관(통기,경기원,상공부)

발 신 : 주 제네바 대사

제 목 : UR/섬유(비공식 전체회의)

11.29(금) 표제회의가 던켈의장 주재로 개최되어 섬유 협상의 현상황 및 향후 협상이 집중되어야 할 주요 쟁점에 대해 논의하였는바, 요지 아래 보고함.

(김대사, 강상무관, 김상무관보 참석)

1. 던켈 의장은 그동안 주요국간 비공식협의를 통해 몇가지 절차적이며 기술적인 사항에 대해 진전이 있었으나, ECONOMIC PACKAGE(제 2조:품목대상 범위, 통합비율,연증가율,통합기간등), 잠정 세이프가드조치(제 6조),섬유관련 갓트 규범강화(제 9조) 및 SINGLE UNDERTAKING 관련 본협정의 참가국가 범위등이 여전히 주요쟁점 사항으로 남아있다고 설명함.

2. 상기 주요쟁점에 대해 의장은 다음과 같이 언급함.

가. ECONOMIC PACKAGE 관련: (1) 현 의장안은 1992년 부터 시행될 것을 전제로 한것이나 UR 타결이 1년간 늦어지는 것을 고려해야 함. DOWNPAYMENT 을 위해 통합비율을 현 의장안의 10,15, 20 퍼센트 대신 20, 15, 10 퍼센트로 함. 또한 통합의 기초에 있어서는 각 단계별 통합비율중 50 퍼센트는 실제 규제 받는 품목중에서 통합하고 나머 50 퍼센트는 규제 받지 않는 품목에서 통합하는 방안이 일부 국가에 의해 제시되었음.

(2) 품목 COVERAGE 와 관련하여 제 2조(통합) 및제 6조(잠정 세이프가드)에 각각다른 COVERAGE 를 적용하는 방안이 거론됨.

(3) GROWTH RATE 에 대하여는 구체적 수치를 제시할 의향은 없으며, 상기 3요소가 상호 연계되어 있음.

나. 잠정 세이프가드 조치 (제 6조): 현의장안의 기본골격 (TWO TIER APPROACH)을 유지하는 범위내에서 용어의 명료화와 개선이 필요

다. 섬유관련 갓트 규범강화(제 9조): EC 로 부터 수정제안이 있었음을 상기시키고

통상국　2차보　경기원　상공부. 장관. 차관. 1차보. 외정실. 분석관.

91.11.30　09:40 DQ

외신 1과　통제관

0235

UR 전체차원에서의 규범제정 및 분쟁해결 분야의 진전상황 반영 필요

라. 본 협정에의 참여국 문제: SINGLE UNDERTAKING과 관련되는 것으로 본 협정은전체 UR협상의 한 부분으로 해결 방안이 가능하다고 생각함.

3. 상기제의에 대해 인도, 파키스탄, 브라질,말레이지아, 인니등 개도국들은 의장제안이 건설적인 것으로 지지하였으며, 특히 UR 결과 시행지연 고려 및 DOWN PAYMENT, PRODUCT COVERAGE 의 분리적용에 대한 의장 언급을 환영함.

코스타리가, 자마이카, 이집트등은 소규모 공급국 특별우대 필요성을 강조함.

4. 카나다, 일본, 스위스는 제 2조 및 6조에 각각 다른 PRODUCT COVERAGE 를 적용하는 것을 반대함.

5. 미국, EC 는 의장의 제의에 대해 유보적 의사를 표명하고, 다양한 방안이 있을수있음과 현의장 TEXT 가 협상의 기초로 합의된 것임을 강조함.

6. 김대사는 논란이 많은 섬유협상에 의장 및 갓트 사무국이 보이고 있는 노력을 평가하고, 섬유의 갓트로의 통합에 대한 기본합의가 의장안에 이미 반영되어 있음을 상기시키면서 상기 주요쟁점 사항에 대해 참가국이 유연한 자세로 타협정신을 발휘하면 본 협상의 타결이 가능할것이라고 지적하고 특히 의장이 제시한 DOWN PAYMENT구상은 유익한 것이며, 아국은 섬유 협상이 성공적으로 마무리될수 있도록 적극적으로 기여할것임을 언급함.

7. 던켈 의장은 현재 각분야 협상이 긍정적 방향으로 움직이고 있는바, 지금은 협상 타결의 마지막 순간임을 주지하여, 동인의 언급사항 및 브랏셀 의장 TEXT(W/35/REV.1)를 기초로 협상에 임해 줄것을 당부하였으며, 다음주 갓트 총회가 끝난후에 ECONOMIC PACKAGE (제2조)와 잠정 세이프가드 (제 6조)에 대해 협상을 재개할것임을 천명함. 끝

(대사 박수길-국장)

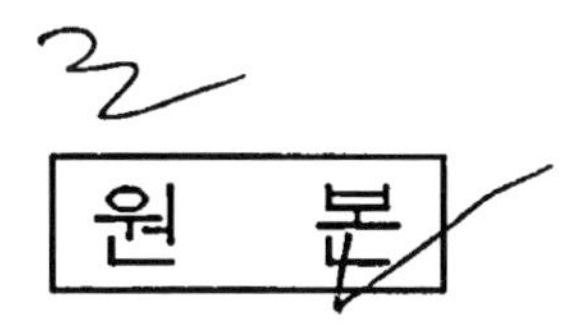

외 무 부

종 별 :

번 호 : GVW-2499 일 시 : 91 1129 1530

수 신 : 장관(통기,경기원,상공부)

발 신 : 주 제네바 대사

제 목 : GATT/섬유 위원회

12.6(금) 개최예정인 표제회의 의제 별첨 FAX송부함.

첨부: 섬유위 의제 1부. 끝

(GVW(F)-557)

(대사 박수길-국장)

통상국 구주국 경기원 상공부

PAGE 1

91.11.30 01:02 FL

외신 1과 통제관

0237

GL (TT)-0557 1112-1530

"GVW-2499 첨부"

GATT/AIR/3271

26 NOVEMBER 1991

SUBJECT: TEXTILES COMMITTEE

1. A MEETING OF THE TEXTILES COMMITTEE WILL BE HELD ON 6 DECEMBER 1991, AT 10 A.M. IN THE CENTRE WILLIAM RAPPARD, GENEVA.

2. THE FOLLOWING ITEMS ARE PROPOSED FOR THE AGENDA:

A. ANNUAL REVIEW, PURSUANT TO ITS ARTICLE 10:4, OF THE OPERATION OF THE ARRANGEMENT REGARDING INTERNATIONAL TRADE IN TEXTILES (MFA) AS EXTENDED BY THE 1986 PROTOCOL AND AS MAINTAINED IN FORCE BY THE 1991 PROTOCOL. FOR THIS REVIEW, THE COMMITTEE WILL HAVE BEFORE IT THE FOLLOWING DOCUMENTS:

(I) ACCEPTANCES OF THE 1991 PROTOCOL (COM.TEX/70 AND 71);

(II) A REPORT BY THE TEXTILES SURVEILLANCE BODY ON ITS ACTIVITIES DURING THE PERIOD 1 AUGUST 1990 TO 1 OCTOBER 1991 (COM.TEX/SB/1648 AND ADD 1);

(III) A STATISTICAL REPORT BY THE SECRETARIAT ON RECENT DEVELOPMENTS IN DEMAND, PRODUCTION AND TRADE IN TEXTILES AND CLOTHING (COM.TEX/W/239).

B. MEMBERSHIP OF THE TSB FOR THE YEAR 1992.

C. OTHER BUSINESS.

3. MEMBERS OF THE COMMITTEE, AND OTHER CONTRACTING PARTIES AND INTERNATIONAL ORGANIZATIONS WISHING TO BE REPRESENTED AT THE MEETING BY OBSERVERS, ARE REQUESTED TO INFORM ME AS SOON AS POSSIBLE OF THE NAMES OF THEIR REPRESENTATIVES.

A. DUNKEL

91-1684

1-1

0238

정 리 보 존 문 서 목 록					
기록물종류	일반공문서철	등록번호	2020030133	등록일자	2020-03-12
분류번호	764.51	국가코드		보존기간	영구
명 칭	UR(우루과이라운드) / 섬유 협상 그룹 회의, 1991-92. 전2권				
생 산 과	통상기구과	생산년도	1991~1992	담당그룹	
권 차 명	V.2 1991.12월-92				
내용목차	* Tsang, Yang-keun Donald 홍콩 무역청장 방한(1992.7.29.) 포함 - MFN(다자간섬유협정) 만료와 UR(우루과이라운드) 협상 진전에 따른 양자 섬유협정 문제 협의				

0001

72

원 본

외 무 부

종 별 :

번 호 : GVW-2540 일 시 : 91 1203 1900

수 신 : 장 관(통기,경기원,상공부)

발 신 : 주 제네바대사

제 목 : UR/개도국 비공식 그룹회의

12.2(월) 표제 회의가 BENHIMA 의장주제로(던켈총장 참석) 개최되어 섬유협정에관한 논의를 가졌는바 요지 하기보고함.(본직, 강사무관 참석)

0 던켈 총장은 섬유협상은 UR 협상중농산물협상과 더불어 핵심되는 협상의 하나로브랏셀의장 TEXT(W/35/REV.1) 및 이에 첨부된 COMMENTARY PAPER 가 협상의 기초이며, 지난주 금요일 자신이 섬유 비공식회의에서 언급한 사항(GVW-2517로 보고) 및 TNC회의에서 언급한 내용이 협상에 도움을 줄 수 있을 것이라고 말함.

0 이에 대해 ITCB 의장은 던켈 총장이 언급한 내용이 매우 의미있는 것으로 현 협정상의 ECONOMIC PACKAGE 의 내용은 만족스럽지 못한것이며, 잠정 세이프가드 조치에 대한 규율강화의 필요성을 강조하고, 섬유통합과 갓트 규정강화사이의 연계(CONDITIONALITY)에 대해 부정적 견해를 표시함.

인도, 파키스탄등도 유사한 내용의 언급을 하였으나 파키스탄은 특히 통합의 기초는 현재 규제받고있는 품목이 되어야 함을 강조함.

0 칠레, 모로코등 NON-FMA 국가들은 본협정과 SINGLE UNDERTAKING 의 관계와 관련, 자유화를 시킨 자국에게 본협정 제 6조의 잠정 세이프가드조치를 적용하는 것은 무리라고 지적하고 대신 GATT제 19조의 일반 세이프가드 조치를 적용해야할 것임을 주장함.

0 한편 이집트, 페루, 코스타리카, 자마이카등은 ECONOMIC PACKAGE(제 2조) 및 잠정 세이프가드조치(제 6조) 발동시 소규모 공급국에 대한 우대 필요성을 강조함.

0 중국은 본협정은 과도기간동안 섬유에 적용되는 협정으로 현재 MFA 가입국이나 갓트체약국이 아닌 국가도 본협정에 가입할 수 있어야 함을 주장함.

0 아국을 비롯하여 홍콩, 브라질, 이집트등 많은 수출국은 갓트 규율강화(제 9조) 관련, 수출국이 관련 갓트 규정을 위반한 경우 동국가에 대한 통합계획이 영향을 받을

통상국 2차보 재무부 상공부

PAGE 1 91.12.04 08:06 WH

외신 1과 통제관

0002

수 있도록 되어있는 현 규정의 CONDITIONALITY에 대해 유보입장을 표명함.

0 상기 논의에 대해 던켈총장은 각국이 섬유교역 자유화를 이야기하면서도 관리무역(MANAGED TRADE)의 관념에서 벗어나지 못하고 시장 점유율에만 관심을 갖고 있어협상의 신뢰성에 문제가 있다고 하고, 또한 자신이 언급한 DOWN PAYMENT 는 진정한협상의 시작을 촉구하기 위한 것이라고 하면서, 각국이 조속히 ECOMOMIC PACKAGE 의구체적 수치에 대해 협상을 시작할 것을 촉구함.끝

(대사 박수길-국장)

원 본

외 무 부

종 별 :

번 호 : GVW-2537 일 시 : 91 1203 1200

수 신 : 장 관(통기,상공부)

발 신 : 주 제네바 대사

제 목 : 제 15차 ITCB 이사회

연: GVW-2308, 2296

0 당초 12.16-18간 독일 쾰른에서 개최 예정이던 표제 회의는 12.6(화) 하루 제네바 소재 ITCB 사무실에서 개최될 예정이며, 이번 회의에서는 92년 ITCB 작업계획 및 예산승인에 관한사항이 주로 논의될 것으로 예측됨.

0 금번 회의는 성격상 당관에서 커버하면될것으로 사료되는바 아국대표단 확정 통보바람...

첨부: 표제회의 잠정 의제 1부

(GVW(F)-0570).끝

(대사 박수길-국장)

통상국 2차보 상공부

PAGE 1 91.12.04 02:29 FO

외신 1과 통제관

0004

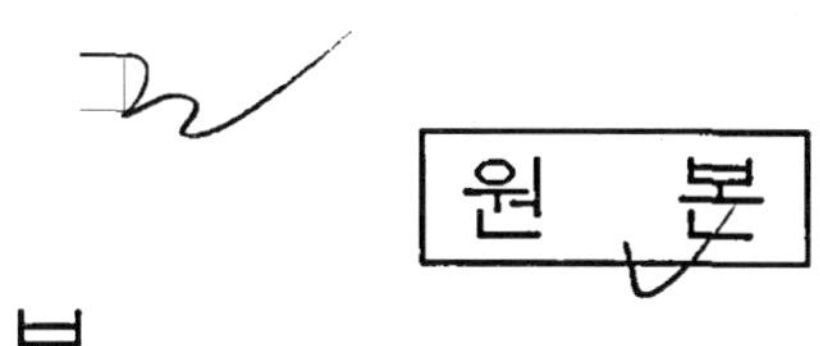

외 무 부

종 별 :

번 호 : GVW-2568 일 시 : 91 1206 1200

수 신 : 장 관(통기,경기원,상공부)

발 신 : 주 제네바 대사

제 목 : UR/섬유협상 주요국 비공식

12.5(목) 표제회의가 HUSSAIN 사무차장보 주재로 개최되어 그간 섬유 협상에서 논의된 결과를 토대로 사무국이 배포한 토의문서(91.1.25)를 기초로 논의한바 요지 하기임(토의 문서: 별첨)

0 오늘 회의에서는 MFA 규제(제 2조)의 TMB통보 및 기타 규제(제 3조)의 TMB 통보 절차에 관한 기술적 문안 내용이 토의되었으며, 제2조의 쟁점사항인 ECONOMIC PACKAGE 관련조항등은 논의하지 않음.

0 제안서에 대한 추가 수정 사항은 아래와 같음.

- 제 2조 제 2항 관련 (1) 규제 수준, 증가율 및 융통성 조항 포함)에서 괄호 삭제

(2) 말미 둘째줄의 'THE OTHER PARTIES' 를 'ALLPARTIES'로 대체

- 제 2조 제 2항(BIS) 관련:

(1) 네번째 줄 'AGREE'용어 삭제

(2) 둘째 문장의 'FROM OTHER AFFECTED PARTIES'삭제(3) 마지막 문장의 주어를 'THE RESULT OF THESECONSULTATIONS'로 대체- 제 2조 10항(BIS) 관련: 규제에 대한 수출국간 EQUITY 제고를 위해 마지막에 다음문장을 ( )으로 추가' IN CONSIDERING ELIMINATION OF RESTRICTION INTHIS PARAGRAPH, THE PARTY CONCERNED SHOULD TAKE INTO ACCOUNTTHE TREATMENT OF SIMILAR EXPORTS FROM OTHER PARTIES'- 제 2조 제 3항 관련: 6째줄 'PURSUANT TO '를'IN ACCORDANCE WITH '으로 대체- 기타 제 3조 제4항 관련 'TIME TABLE' 용어가 무엇을 의미하는지에 대해 논의한바 기타 규제에 관한 PROGRESSSCHEDULE 이 동 용어에 포함된다는 의견이 제시됨.첨부: 제2조 및 제 3조에 대한 토의문서 1부(GVW(F)-0583)(대사 박수길-국장)

통상국 2차보 경기원 상공부

PAGE 1

91.12.07 09:07 WH

외신 1과 통제관

0005

주 제 네 바 대 표 부

번 호 : GVW(F) - 0583 년월일 : 11206 시간 : 1200

수 신 : 장 관 (통기, 경기원, 상공부)

발 신 : 주 제네바대사

제 목 : GVW-2568 첨부

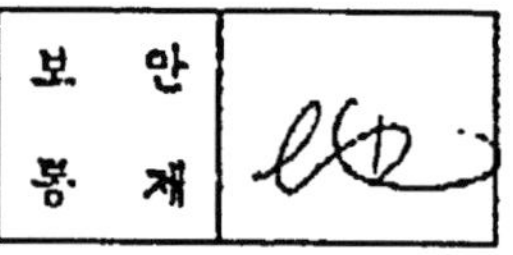

보 안
통 제

총 5 매(표지포함)

외신과	
통 제	

583-5-1

0006 1991-12-06 15:49 KOREAN MISSION GENEVA 2 022 791 0525 P.01

5 December 1991

TEXTILES AND CLOTHING

SUGGESTIONS BY SOME DELEGATIONS

Article 1

It is suggested that if the two paragraphs below were included in Article 2, Article 1:2 could be deleted:

Article 2:6 (bis)

Nothing in this Agreement shall prevent a [contracting] party which has submitted an integration programme pursuant to Articles 2:4 or 2:6 from integrating products into the GATT earlier than provided for in such a programme. However, any such integration of products shall take effect at the beginning of a calendar year, and shall be notified to the TMB at least [three] [six] months prior thereto, for circulation to all [contracting] parties.

Article 2:10 (bis)

Nothing in this Agreement shall prevent a [contracting] party from eliminating any restriction maintained pursuant to this Article effective at the beginning of any calendar year during the transition period, provided the exporting [contracting] party concerned and the TMB are notified at least [three] [six] months prior to the elimination coming into effect. The period for prior notification might be shortened with the agreement of the restrained party. The TMB shall circulate such notifications to all [contracting] parties.

Article 2

2.1 This paragraph could be deleted.

2.2 All MFA restrictions in force on 31 December 1991 shall, within 60 days following the entry into force of this Agreement, be notified in detail (including the restraint level, growth rates and flexibility provisions) by the parties maintaining such restrictions to the Textiles Monitoring Body (TMB) established under Article 9. The TMB shall P. circulate these notifications to ~~the other~~ all parties for their information. It is open to any party to bring to the attention of the TMB, within 60 days of the circulation of the notifications, any observations it deems appropriate with regard to such notifications. Such observations shall be circulated to the other parties for their information. The TMB may make recommendations, as appropriate, to the parties concerned.

2:2 (bis) When the twelve-month period of restrictions to be notified under paragraph 2 above does not coincide with the calendar year, the parties concerned should mutually agree on arrangements to bring the period of restriction into line with the calendar year, and [illegible] to establish notional base levels of restrictions in order to implement the provisions of this Article. Concerned parties agree to enter consultations promptly upon request [illegible] with a view to reaching such mutual

583-5-2

0007

1991-12-05 15:49 KOREAN MISSION GENEVA 2 022 791 0525 P.02

the results of such consultation

agreement. Any such arrangements shall take into account, inter alia, seasonal patterns of shipments in recent years. ~~Any such arrangements, or parties' failure to reach such arrangements,~~ shall be notified to the TMB which shall make such recommendations as it deems appropriate to the parties concerned.

2.3 No change.

2.3 bis Any unilateral measure taken under Article 3 of the MFA prior to 1 January 1993 shall be allowed to remain in effect for the duration specified therein, but in no case exceeding 12 months, if it has been reviewed by the Textiles Surveillance Body (TSB) established under the MFA. Should the TSB not have had the opportunity to review any such unilateral measure, it shall be reviewed by the TMB pursuant to the rules and procedures governing Article 3 measures under the MFA. Should the TSB not have had the opportunity to review any measure imposed under an MFA Article 4 agreement, which is subject to a dispute between the parties on that date, such measure shall also be reviewed by the TMB pursuant to the relevant MFA provisions.

2:4 Not discussed.

2:5 No change.

2:6 Not discussed.

2:6 bis See above.

2.7 Note: Two last ~~Second~~ sentences of this paragraph to become 2:11 (bis) as follows:

[2:11 (bis) Administrative arrangements, as deemed necessary in relation to any provision of this Article shall be a matter for agreement between the parties concerned. Any such arrangements shall be notified to the TMB,...]

2.8 Note: Paragraph 2:8 is to be moved to the end of the Article, with the last sentence being moved to the beginning of the paragraph as shown below:

2.8 The TMB shall keep under review the implementation of this Article. It shall, at the request of any party, review any particular matter with reference to the implementation of the provisions of this Article. It shall make appropriate recommendations or findings within thirty days to

583-5-3

0008

1991-12-06 15:50 KOREAN MISSION GENEVA 2 022 791 0525 P.03

the party or parties concerned after inviting the participation of such parties.[1]

2.9, 2.10, 2.11 Not discussed.

2.10 (bis) See above.

2.12 Note: Reporting and review would seem to be required, otherwise, this paragraph has not been discussed.

2.13 Not discussed.

2.14 and 12.15 Yet to be discussed.

Additional suggestions concerning Article 2 presented by individual delegations

- Extension of territories.
- Quota adjustments when integration of a product affects only part of a quota.

(Notifications to and review by the TMB would presumably be required if suggestions concerning the above matters are included).

Article 3

1. **Within sixty days following the entry into force of this Agreement, parties maintaining restrictions[1] on textiles and clothing products (other than those maintained under the MFA and covered by the provisions of Article 2), whether consistent with GATT or not, shall (a) notify them in detail to the TMB, or (b) provide to the TMB notifications with respect to them which have been submitted to any other GATT body.** The notifications should, wherever applicable, provide information with respect to any GATT justification for the restrictions, including the GATT **provisions** on which they are based...

2. No change (except to say GATT "provision" rather than "Article").

---

[1]For further procedures in relation to the TMB recommendations, see Article 9.

[1][Restrictions denote all unilateral quantitative restrictions, bilateral arrangements and any other quantitative measures having a restrictive effect.] **[Such restrictions denote all unilateral quantitative restrictions, bilateral arrangements and any other non-tariff measures having a restrictive effect.]**

583-5-4

0009

1991-12-06 15:50 KOREAN MISSION GENEVA 2 022 791 0525 P.04

3. It shall be open to any party to make ... notifications to the TMB in regard to any restrictions that may not have been notified under the provisions of this Article.

4. All restrictions falling under this Article, except those justified under a GATT provision, shall be either:

   (a) brought into conformity with the GATT within one year following the entry into force of this Agreement, this being notified to the TMB for its information; or

   (b) phased out progressively according to a timetable to be presented to the TMB by the party maintaining the restrictions not later than six months after the date of entry into force of this Agreement. This timetable shall provide for all restrictions to be phased out within a period not exceeding [the transitional period] [x years] [the end of the second stage] [eight] [four] [three] years. The TMB may make recommendations to the party concerned with respect to such a timetable.

Old para. 5 To be deleted.

New para. 5 The TMB shall circulate the notifications made pursuant to this Article to all parties for their information. It may request such additional information as it deems necessary with respect to such notifications. (Partly from old Article 5 para. 1, last sentence).

Article 7 There are various proposals with respect to this Article. The rôle of the TMB should be defined, depending on the outcome of these proposals.

Article 9:7 Add to the end of the paragraph: 'for its information'. -

Article 9:9 The last sentence would seem to require precision to ensure quick access to a GATT panel if a mutually satisfactory solution has not been achieved within a certain period after the date that the TMB has transmitted its recommendation.

0010

583-5-5

발 신 전 보

분류번호	보존기간

번 호 : WGV-1786 911207 1152 DU 종별 :

수 신 : 주 제네바 대사. 총영사

발 신 : 장 관 (통 기)

제 목 : 제15차 ITCB 이사회

대 : GVW-2537

12.16(월) 귀지에서 개최되는 제15차 ITCB 이사회에 대호 건의대로 본부대표는 파견치 않을 예정이니 귀관 관계관이 참석토록 하기바람. 끝.

(통상국장 김 용 규)

보안통제	

앙고재	91년 12월 7일	통기과	기안자 성명		과 장	심의관	국 장		차 관	장 관
			조현				전결			

외신과통제

0011

원 본

외 무 부

종 별 :

번 호 : GVW-2576　　　　일 시 : 91 1209 1500

수 신 : 장관(통기,경기원,상공부)

발 신 : 주제네바대사

제 목 : 갓트/섬유위원회

12.6(금) 표제회의가 던켈 의장 주재로 개최되었는바, 요지 하기임.

(강상무관, 김상무관보 참석)

0 91.11월말 현재 MFA 연장의정서에 서명(조건부서명 포함)한 국가는 아국, 미국,EC등을 포함하여 30개국임(COM.TEX/70 참조)

0 92년도 TSB 회원국은 브라질, 카나다, 중국,EC,홍콩,인도,일본, 노르웨이,필리핀,미국등 10개국임.

0 차기 회의일정은 추후 확정 통보함.끝

(대사 박수길-국장)

통상국　차관　2차보　청와대　안기부　경기원　상공부

PAGE 1　　　　91.12.10　01:18 DW

외신 1과　통제관

0012

원 본

외 무 부

종 별 :

번 호 : GVW-2577 일 시 : 91 1209 1500

수 신 : 장관(통기,경기원,상공부)

발 신 : 주제네바대사

제 목 : ITCB 회의

12.6(금) 표제회의가 EC,미국등 참석하에 EC가 제안한 제8조(섬유관련 갓트규범강화조문, GVW(F)-0547 로 기송부) 및 제 2조 10항(잔존규제에 대한 연증가율 관련 조항)에 대해 논의하였는바 요지 아래 보고함.

0 EC 대표는 제 8조 및 제2조 제 10항의 수정제안 목적은 그동안 동조문에 대한기술적 사항에관한 내용의 개선으로 섬유부문 자유화를 시장접근.덤핑.지적재산권등의 분야와 연계시킴으로써 섬유 교역의 진정한 자유화를 도모할 수 있을 것임을 강조함.

0 ITCB 국가들은 EC의 제안 제8조 제1항(1)의 'SUBSTANTIAL'의 구체적 의미, 사기업의 관행인 덤핑에 관해 정부가 영향력을 행사할 수 없는 점, 섬유부문과 갓트규범등을 연계시킬 경우 분쟁발생시 FORUM SHOPPING 문제 야기 가능성등을 지적하였음.

0 상기 논의 관련 특히 브라질 및 이집트는 EC의 제안은 섬유협상에 전혀 도움을주지 못하며, 본협상과 시장접근 및 가트 규범분야와의 연계(CONDITIONALITY)는 수락할 수 없음을 분명히 함.

0 한편 상기 ITCB 국가들의 문제제기에 대해 미국은 EC가 제안한 사항중 제1항의문안을 좀더 명확히할 필요가 있다는 점을 시사함.끝

(대사 박수길-국장)

통상국 차관 2차보 청와대 안기부 경기원 상공부

PAGE 1 91.12.10 01:16 DW

외신 1과 통제관

0013

원 본

외 무 부

종 별 :

번 호 : GVW-2584 일 시 : 91 1209 1900

수 신 : 장 관(통기,경기원,상공부)

발 신 : 주 제네바대사

제 목 : ITCB 이사회

0 12.16(월) 개최예정인 제15차 표제회의에 상정될, 92년도 ITCB 예산안을 별첨 FAX송부하니 동 예산안에 대한 본부 의견(승인 여부포함) 회시바람.

0 참고로 92년 예산안은 91년 예산안 대비 1.9퍼센트 증가한 US 533,154 으로 책정되었고, 예산의 대부분은 봉급 및 경상 운영비에 충당되는 것으로 평가됨.

0 동 예산안에 따르면 아국의 92년도 기여금은 US76,544 임(91년도 아국 기여금은 US 102,470이었음).첨부:(GVW(F)-0587).끝

(대사 박수길-국장)

통상국 2차보 경기원 상공부

PAGE 1 91.12.10 08:19 WH

외신 1과 통제관

0014

주 제 네 바 대 표 부

번 호 : GVW(F) - 0587 년월일 : 11209 시간 : 1900

수 신 : 장 관 (통기, 경기원, 상공부)

발 신 : 주 제네바대사

제 목 :

보 안	
통 제	七四

총 11 매(표지포함)

외신과	
통 제	

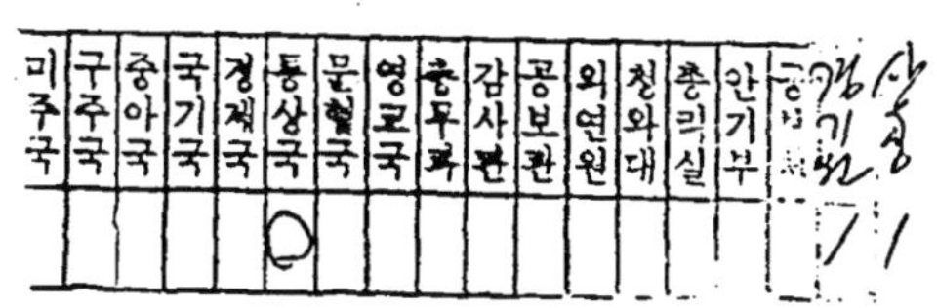

0015

FA7 - 11 - 1

CR/XV/Gva/03 (Addendum)

INTERNATIONAL TEXTILES AND CLOTHING BUREAU

Council of Representatives
Fifteenth Session
16 December 1991
Geneva, Switzerland

BUDGET PROPOSALS FOR 1992

The budget submissions have been revised to reflect actual expenditure as of 30 November 1991. The revisions reflect an anticipated decrease in savings for 1991 from US$ 76,842 to US$ 53,256. These revisions take into account the sharp decline in the value of the dollar during the latter part of October and the month of November. As a result of the revisions, the contributions of members to the 1992 budget have have to be revised to reflect the decrease in savings.

0016

580-11-2

CR/XV/Gva/03

Council of Representatives
Fifteenth Session
16 December 1991
Geneva, Switzerland

BUDGET PROPOSALS FOR 1992

The following budget estimates for 1992 have been examined by the Budget Committee and are submitted to the Council for approval.

In finalising the proposals for 1992, the Budget Committee was of the view that the Budget Proposals should be calculated at the rate of US $ 1.00 = SF 1.40.

The Budget provisions contain a provision for two Council meetings outside Geneva. The Budget Committee was of the view that in approving the Budget, the Council should consider whether two meetings outside Geneva was necessary in 1992.

BUDGET ESTIMATES FOR THE FINANCIAL YEAR 1992

A. INTRODUCTION

(i) Financially the year 1991 has been a very comfortable year for the ITCB. The 1991 budget estimates were made at a rate of US$ 1.00 = SF 1.30 when the US dollar was very weak against the Swiss Franc. Since March 1991 however, the dollar started to gain against the Swiss Franc and continued to do so until September. Though it has lost some of its momentum in the last month and has started to weaken again, for the most part of 1991 the exchange rate for transactions was about US$ 1.00 = SF 1.45. At the time of writing the bank operational rate was (US$1.00 = SF 1.40 (3 Dec. 1991)

(ii) Coupled with the relative increase in the value of the dollar against the Swiss Franc the Secretariat continued to economise on expenditure with the result that at the end of 1991 the ITCB should be able to reflect an estimated savings of approximately US $ 53,256.09.

(iii) It should however be noted that these savings are dependent on all contributions for 1991 and previous years being received in full. Contributions totalling US$ 12,744 are due from some members for the years 1989,1989 and 1990 and contributions of US$ 50,940 are due for 1991. If these contributions are not received by 31 December, the Bureau will register a cash shortfall of approximately US $ 10,427.91.

(iv) There was an income of US$ 2,009.66 from the sale of the brochure on "A Decade of Coordination among developing countries exporters of Textiles and Clothing" and the ITCB study "Textiles Trade from 1982 to 1990 and prospects for the nineties".

(v) The Budget Committee created during 1991 became operational during the latter half of 1991. It met on two occasions, the first in September to review the expenditure during 1991 and the second time in mid November to consider the proposals for 1992.

B. 1992 BUDGET ESTIMATES

(i) The Executive Director hereby submits his budget proposals concerning the expenses and income of the Secretariat for the financial year 1992.

(ii) The 1992 budget estimates have been calculated at a rate of US$ 1.00 = SF 1.40. As will be seen from the following budget proposals, efforts have been made to keep expenditure levels for 1992 at a minimum, though certain annual increases cannot be avoided. Efforts will continue to be made in 1992 to economise on expenditure.

(iii) This proposed budget amounts to US$533,154.00. As compared with the approved 1991 budget of US$-523,180 it shows an increase of US $ 9,974,(1.91%).

187-11-4

(iv) Increases in the 1992 budget proposals as compared to the estimated expenditure in 1991 are on account of the following: Salaries: US$ 27,124 (6.94%), Other staff costs US$ 3,895 (6.63%), meetings US$ 48,630, Overheads US$ 3,347(6.91%) and operational expenditure US$ 250 (2.71%). It should be noted that the practice of obligating expenditure (as in other international organisations) from one year to another has been discontinued on the recommendation of the Budget Committee. This has resulted in increased outlay for meetings.

(v) The provision for salaries and allowances included in these budget estimates represent US$ 320,040. Professional staff salaries have been increased to take into account normal increments to higher steps in grade for staff members. The estimated also include US$ 15,000 to cover any eventual reclassification of salaries or post adjustment scales (United Nations rules require that for every 5% increase in the cost of living index post adjustments and salaries be accordingly modified to reflect these increases).

(vi) On the recommendation of the budget committee provision for representation and hospitality have been increased for 1992 from US$ 2,000 to US$ 2,500.

(vii) An amount of US$ 50,130 has been proposed for expenditure for two Council sessions in accordance with the Work Programme. This is intended to cover transportation and per-diem plus other incidental expenditure in conjunction with a Council meeting. This section also includes a provision of approximately US$ 5,000 for travel of the Executive Director on conferences or seminars to which he may be invited.

(viii) In order to meet the increased requests for technical assistance the provision for purchase of reference material and statistical data for the library has been increased from US$ 3,000 to US$ 5,000.

(xi) The budget also reflects and increase in rental costs for the premises of the Bureau. The department of Travaux Public increased the rent for the Bureau from SF4,488 to 4,766 per month, resulting in an increase in rental costs of SF 336 per month.

(x) A contingency fund of US$ 10,000 has been provided at the same level as for the current year.

C. <u>ESTIMATED EXPENDITURE FOR 1991 IN RELATION TO THE APPROVED BUDGET FOR 1991</u>

(i) The 1991 expenditure is estimated (on the basis of actual expenditure for 10 months and estimates for 2 months) at US$ 448,460.46 against an approved budget of US$ 523,180.

(ii) The estimated expenditure for 1991 as compared with the approved budget reflects the following savings and increases. Savings were reflected in: Salaries US$

680-11-5

0019

10,412, Other staff costs US$ 9,275, meetings US$ 24,500, Public Relations US$ 3,600, over heads US$ 2,931, Operational expenditure US$ 6,650 and contingency US$ 8,729.

(iv) With the approval of the budget committee these savings were reapportioned to cover increased expenditure for equipment and library materials. The office had 2 very old computers with small capacities for storage of data and 2 printers one of which broke down. The creation of the statistical data base necessitated the replacement of these computers with computers with larger storage and working capacity along with the printers. The Budget Committee agreed in principle to the replacement of these machines during the current year as well as the next year. Since IBM had computers on a special offer to celebrate 10 years of Personal Computers the Bureau purchased two new computers and printers. The special offer resulted in a savings of approximately US$ 1,500 on each computer.

(v) The Budget Committee had requested the Secretariat to look into the possibilities of linking the three machines in the Secretariat to one printing machine. Quotations were invited and it was found that it was not economical for the Secretariat to undertake this venture at present. Furthermore the Secretariat was also advised that the linking of all computers to one printer was rather risky in the event of a breakdown when all the machines would be out.

(vi) Provident fund contributions were maintained below the anticipated levels as the refund on the insurance premium in the fund was applied towards part of the costs.

(vii) As will be seen from these estimates the fixed expenditure on salaries and other staff costs and rental of premises and related costs account for approximately 86.6% of the expenses of the Bureau. A great effort for economy was made in the remaining areas resulting in substantial savings.

D. CASH SITUATION AT THE END OF 1991

The projection for 1991 based on the present level of contribution and expenditure indicates an estimated cash shortfall of US$10,427.91 at the end of December. Contributions received in 1991 amount to US $ 485,244.65, other income was US$ 3,488.82 and the opening balance at the bank was US$ 32,642.10 resulting in a total income of US$ 521,319.22. $ 56.35 was lost in exchange conversions. Expenditure in 1991 is estimated at US$531,743.13 which will result in an excess of payments over receipts of US$ 10,427.91 . Contributions due for 1988,1989, 1990 and 1991 amount to US $ 63,684.00. Total savings in 1991 if all contributions are received will amount to US$ 53,256.09. This is accounted for as follows:

Contributions due 1988 - 1990	12,744
Contributions due 1991	45,777
Other contributions 1991	5,163
Cash Shortfall	(10,427.91)
Anticipated total savings	53,256.09

587-11-6

0020

STATEMENT OF ACCOUNTS

Opening Balance 1.1. 1991		32,642.10
Income Contributions		485,244.65
Other Income		3,488.82
Total Income		521,375.57
Loss in Exchange		56.35
Income in 1991		521,319.22

Expenditure

Obligated Previous years	4,860.35	
1989 Expenditure in 1991	16,283.76	
1990 Expenditure in 1991	38,556.03	
Expenditure to date 1991 (30.11.91)	413,147.42	
Anticicpated to 12.12.1991	58,899.57	
Total Expenditure		531,747.13
Anticipated cash shortfall 12.12.1991		(10,427.91

Contributions Due

1988-1990	12,744.00	
1991	50,940.00	
Total Contributions due	63,684.00	
Anticipated carry over if all contributions are received		53,256.09

587-11-1

0021

Contributions due 1988 - 1990

Egypt (1988 -1990)	10,477
Uruguay (1990)	2,267

Contributions due 1991

Bangladesh	8,573
Brazil	10,177
Egypt	4,311
Pakistan	20,604
Peru	2,757
Uruguay	2,055
Costa Rica	4,361
El Salvador	802

587-11-8

0022

ACTUAL EXPENDITURE 1990 AND ESTIMATED EXPENDITURE 1991
BUDGET PROPOSALS 1992

Item	Actual Expendi. 1990	Approved Budget 1991	Actual Expend 1991	Revised Estimates Dec.91	Difference approved budget 91	% change approved Budget 91	Budget Proposals 1992	Difference over revised Estimates 91	% change revised estimates 91
	1	2	3	4	5	6		8	9
Salaries and Allowances									
Director	110860.11	119350.00	104493.51	113992.92	-5357.08	-4.49	115961.00	1968.08	
Consultant	36000.00	36000.00	33000.00	36000.00	0.00	0.00	36000.00	0.00	
Programme Officer	55833.80	59400.00	52937.51	57750.01	-1649.99	-2.78	54005.00	-3745.01	
Programme Officer	46856.54	53530.00	47390.36	51698.57	-1831.43	-3.42	53004.00	1305.43	
Programme Officer	42653.99	46700.00	41360.04	45120.04	-1579.96	-3.38	51716.00	6595.96	
Provision for changes in post adjustment multiplier					0.00		15000.00	15000.00	
sub total	292204.44	314980.00	279181.42	304561.55	-10418.45	-3.31	325686.00	21124.45	6.94
Other staff costs									
Provident F	38150.55	50000.00	38100.26	41563.92	-8436.08	-16.87	43200.00	1636.08	
Family Allowance	4169.78	10000.00	9116.40	9104.95	-895.05	-8.95	8000.00	-1104.95	
Medical	6315.07	7000.00	5569.38	6075.69	-924.31	-13.20	6500.00	424.31	
Other Costs	1800.00	1000.00	1650.00	1980.00	980.00	98.00	4920.00	2940.00	
sub total	50435.40	68000.00	54436.04	58724.56	-9275.44	-13.64	62620.00	3895.44	6.63
Staff Travel									
Installation					0.00			0.00	
Repatriation	460.25				0.00			0.00	
Removal					0.00			0.00	
Perdiem			3267.62	3267.62	3267.62			-3267.62	
tickets/h.leave/					0.00			0.00	
recruit/termin.	8850.87	7000.00	4347.59	4347.59	-2652.41	-37.89		-4347.59	
Accrued leave					0.00			0.00	
sub total	9311.12	7000.00	7615.21	7615.21	615.21	8.79		-7615.21	
Meetings									
Travel Meetings	20648.06	19000.00		1500.00	-17500.00	-92.11	34130.00	32630.00	
Perdiem/meetings	19438.34	7000.00			-7000.00	-100.00	16000.00	16000.00	
sub total	40086.40	26000.00	0.00	1500.00	-24500.00	-94.23	50130.00	48630.00	

587-11-8

0023

-7-

Item	Actual Expend 1990	Approved Budget 1991	Actual Expend 1991	Revised Estimates Dec.91	Difference Approved Budget91	% change approved Budget 91	Budget Proposals 1992	Difference over revised estimates 91	% change revised estimates 91
Representation/									
Hospitality	9676.08	2000.00	2643.12	2800.00	800.00	40.00	2500.00	-300.00	
Public Rels.		5000.00	102.67	600.00	-4400.00	-88.00	1000.00	400.00	
sub total	9676.08	7000.00	2745.79	3400.00	-3600.00	-51.43	3500.00	100.00	
Equipment									
Lease	5725.14	9900.00	6548.94	7144.30	-2755.70	-27.84	4202.00	-2942.30	
Purchase	2514.41	2000.00	1831.51	17630.98	15630.98		3000.00	-14630.98	
Maintenance&Repair	4642.09	6000.00	4989.71	5803.26	-196.74	-3.28	5700.00	-103.26	
Materials		1000.00		400.00	-600.00	-60.00	1000.00	600.00	
sub total	12881.64	18900.00	13370.16	30978.54	12078.54	63.91	13902.00	-17076.54	-55.12
Library	3129.74	3000.00	4833.50	4833.50	1833.50	61.12	5000.00	166.50	
Journals/Period.	689.19	1000.00	1443.64	1445.00	445.00	44.50	1000.00	-445.00	
sub total	3818.93	4000.00	6277.14	6278.50	2278.50	56.96	6000.00	-278.50	-4.44
Overheads									
Rent &Chgs.Office	38618.46	42000.00	35435.69	38657.12	-3342.88	-7.96	41495.00	2837.88	
Parking	3020.99	3500.00	2811.67	3067.28	-432.72	-12.36	3215.00	147.72	
Electricity	1031.11	800.00	559.65	872.00	72.00	9.00	800.00	-72.00	
Cleaners	2747.30	2800.00	2869.48	3130.34	330.34	11.80	3306.00	175.66	
Insurance	2176.41	2300.00	2741.65	2742.00	442.00	19.22	3000.00	258.00	
sub total	47594.27	51400.00	44418.14	48468.73	-2931.27	-5.70	51816.00	3347.27	6.91
Operational Expenditure									
Telephone/Fax	6351.87	6000.00	3032.91	4549.37	-1450.63	-24.18	5000.00	450.63	
Postage	910.20	900.00	486.44	700.00	-200.00	-22.22	500.00	-200.00	
Stationery/supp.	3182.51	2000.00	513.65	1000.00	-1000.00	-50.00	1000.00	0.00	
Audit	6851.46	7000.00		3000.00	-4000.00	-57.14	3000.00	0.00	
Sub total	17296.04	15900.00	4033.00	9249.37	-6650.64	-41.83	9500.00	250.63	2.71
Contingency	285.94	10000.00	1070.52	1270.54	-8729.46	-87.29	10000.00	8729.46	
Total	483590.26	523180.00	413147.42	472046.99	-51133.01	-9.77	533154.00	61107.01	12.95

587-11-10

0024

CONTRIBUTIONS TO THE ITCB BUDGET FOR 1992

Country	Share of Imports	%	Contributions
Total Imports	45,594.50	100	533,154.00
Estimated Carry over			53,256.00
Budget Request for 1992			479,898.00
Bangladesh	879.18	1.93	9,262.00
Brazil	796.19	1.75	8,398.00
China	10,927.11	23.97	115,032.00
Colombia	262.18	.58	2,783.00
Costa Rica	421.16	.92	4,415.00
Egypt	423.52	.93	4,463.00
El Salvador	79.25	.17	815.00
Hong Kong	9,443.29	20.71	99,387.00
India	3,451.96	7.57	36,328.00
Indonesia	1,950.96	4.27	20,492.00
Jamaica	271.48	.60	2,879.00
Korea	7,274.57	15.95	76,544.00
Macau	1,100.06	2.41	11,566.00
Maldives	16.93	.04	192.00
Mexico	1,072.59	2.35	11,278.00
Pakistan	2,060.59	4.52	21,691.00
Peru	240.60	.53	2,544.00
Sri Lanka	751.27	1.65	7,918.00
Turkey	2,984.09	8.74	41,943.00
Uruguay	187.51	.41	1,968.00

Source: UN Statistical Office COMTRADE Data Base 1990

587-11-11

0025

원 본

외 무 부

종 별 :

번 호 : GVW-2599 일 시 : 91 1211 1730

수 신 : 장 관(통기,상공부)

발 신 : 주 제네바 대사

제 목 : ITCB 이사회

1. 12.16(월) 개최예정인 제15차 표제회의에서는 의장 및 부의장 선출 문제가의 제의하나로 선정됨.

2. 현 의장인 HASSAN 인니대사가 92년초까지만 동의장직을 수행하려는 의사를 비공식적으로 개진함에 따라, 코스타리카 BARZUNA 대사가 의장후보 의사를 밝히고 있는 것으로 알려짐.

3. 홍콩, 중국등 주요국은 상기 BARZUNA대사이외에 현실적으로 적절한 대안이 없는점을 고려하여, 의장에는 동인을 선출하고 대신 부의장에는 아시아 국가중 (인도, 파키스탄등 거론)에서 선출하려는 의사가 있는 것으로 관측됨.

4. 이에따라 아국도 의장, 부의장 선출에 홍콩, 중국등과 보조를 같이할 것을 고려하고 있는바, 동건 관련 본부 입장 있을시 회시 바람.끝

(대사 박수길-국장)

통상국 2차보 상공부

PAGE 1

91.12.12 08:02 WG

외신 1과 통제관

0026

원 본

외 무 부

종 별 :

번 호 : GVW-2601 일 시 : 91 1211 1730

수 신 : 장관(통기,경기원,상공부)

발 신 : 주제네바대사

제 목 : UR/섬유(주요국 비공식)

12.10(화) 표제 회의가 후세인 사무차장보 주재로 개최되어 그동안 토의 내용을갓트 사무국이 정리하여 배포한 문서(별첨 FAX 송부)중 제2조 및제 3조에 대해 논의하였는 바 요지 하기 보고함.

1. 제 2조 제 12항(DIFFERENT MIX 조항)

0 미국, EC등 수입 선진국은 본조항이 향후 섬유시장상황 변화에 따라 수출국에게도 필요할 수있다는 점, 섬유교역에 대한 다자적 원칙을 유지하면서 교역극대화란 목 적달성을 위해 본조항과 같은 양자적 요소도 필요한 점등을주장함.

0 이에대해 아국은 본조항의 현재문안은 수락할수 없음을 분명히 하면서 현실적으로 본조항에의한 시장접근 수준을 결정하는 당사자는 수입국으로, 수입국에 의한 본조항의 남용 방지를 예방하는 것이 중요함을 지적하고, 연증가율이나 기본쿼타에는변화 를 주지 않고 융통성에 대한 DIFFERENT MIX 만을 고려할 경우 구체적 용어에대해 협의할 수 있음을 표명하였으며, 인도,홍콩등도 같은 취지의 발언을 함.

2. 제 3조(기타 규제조항)에 대한 기술적 수정 사항은아래와 같음.

0 제 1항 3째줄 'THOSE' 를 'RESTRICTIONS' 로대체

0 제 4항 4째줄 'NORMAL'을 'RELEVANT' 로 대체

첨부: 갓트 사무국 배포문서 1부(GVW(F)-0597)

(대사 박수길-국장)

통상국	2차보	외정실	분석관	청와대	안기부	경기원	상공부

PAGE 1

91.12.12 08:00 BX

외신 1과 통제관

0027

주 제 네 바 대 표 부

번 호 : GVW(F) - 0597 년월일 : 11211 시간 : 1730

수 신 : 장 관 (통기, 경기원, 상공부)

발 신 : 주 제네바대사

제 목 : GVW-2601

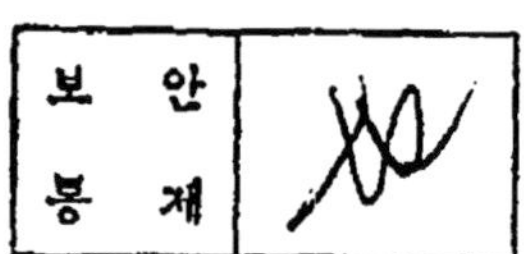

보 안 통 제	

외신과 통 제	

총 10 매(표지포함)

0028

597-10-1

10 December 1991
11 a.m.

TEXTILES AND CLOTHING

Suggestions by Some Delegations

Article 1

1. This Agreement sets out provisions to be applied by parties[1] during a transitional period for the integration of the textiles and clothing sector into the GATT. This process of integration shall be effected within a transitional period of [ ] years, beginning on 1 January 1992.

(The last sentence might go to Article 10/11).

~~2. Nothing in this Agreement shall prevent a party from eliminating restrictions maintained by it [with immediate effect] or earlier than specifically provided for in this Agreement.~~

NOTE: This paragraph to be replaced by new paragraphs 2:6(bis) and 2:10(bis).

3. Parties [agree to use] [recognize the importance of using] the relevant provisions of this Agreement in such a way so as to permit meaningful increases in access possibilities for small suppliers and the development of commercially significant trading opportunities for new entrants in the field of textiles and clothing trade.

4. In order to facilitate the integration of the textiles and clothing sector into the GATT, parties should allow for continuous autonomous industrial adjustment and increased competition in their markets.

5. Unless otherwise provided in this Agreement, its provisions shall not affect the rights and obligations of contracting parties under the provisions of the General Agreement and instruments concluded within its framework.[2]

6. The textiles and clothing products to which this Agreement applies are set out in [Annex ...].

1[The term 'parties' means 'contracting parties' throughout this text].

2To be finalised in the light of the results of the Uruguay Round negotiations.

5P7-10-2

0029

Article 2[1]

~~1. Parties agree that as of 1 January 1992, all quantitative restrictions maintained under the MFA, as extended, and in place on 31 December 1991, shall be governed by the provisions of this Agreement.~~

2. All MFA restrictions[2] in force on 31 December 1991 shall, within 60 days following the entry into force of this Agreement, be notified in detail, including the restraint level, growth rates and flexibility provisions, by the parties maintaining such restrictions to the Textiles Monitoring Body (TMB) established under Article 9. The TMB shall .. circulate these notifications to all parties for their information. It is open to any party to bring to the attention of the TMB, within 60 days of the circulation of the notifications, any observations it deems appropriate with regard to such notifications. Such observations shall be circulated to the other parties for their information. The TMB may make recommendations, as appropriate, to the parties concerned.

2(bis) When the twelve-month period of restrictions to be notified under paragraph 2 above does not coincide with the calendar year, the parties concerned should mutually agree on arrangements to bring the period of restriction into line with the calendar year, and to establish notional base levels of restrictions in order to implement the provisions of this Article. Concerned parties agree to enter consultations promptly upon request with a view to reaching such mutual agreement. Any such arrangements, shall take into account, inter alia, seasonal patterns of shipments in recent years. The results of these consultations shall be notified to the TMB which shall make such recommendations as it deems appropriate to the parties concerned.

3. The MFA restrictions thus notified shall be deemed to constitute the totality of such restrictions applied by the respective parties on 31 December 1991, and no new restrictions in terms of products or countries shall be introduced except under the provisions of this Agreement or relevant GATT provisions. MFA restrictions which are not notified within sixty days of the entry into force of this Agreement shall be terminated forthwith.

---

[1] The economic package in paragraphs 4, 6, 9, 10 and 11 plus paragraphs 3, 5, 12 to 15, have not been discussed. They are reproduced to assist the reading of Article 2 as a whole.

[2] [Quantitative restrictions are defined as limits in place under MFA [agreements] in effect of 31 December 1991, i.e., specific [and group and aggregate] limits].

3(bis) Any unilateral measure taken under Article 3 of the MFA prior to 1 January 1993 (shall be allowed to) remain in effect for the duration specified therein, but in no case exceeding 12 months, if it has been reviewed by the Textiles Surveillance Body (TSB) established under the MFA. Should the TSB not have had the opportunity to review any such unilateral measure, it shall be reviewed by the TMB in accordance with the rules and procedures governing Article 3 measures under the MFA[1]. Any measure imposed under an MFA Article 4 agreement prior to 1 January 1993 that is the subject of a dispute which the TSB has not had the opportunity to review shall also be reviewed by the TMB in accordance with the MFA rules and procedures applicable for such a review.[1] may

4. On the first day of the entry into force of this Agreement, i.e., 1 January 1992, each party shall integrate into GATT products accounting for not less that [10] per cent of the total volume of imports in 1990 of the products subject to this Agreement (see Annex II), in terms of HS lines or categories. The products to be integrated by the importing parties shall encompass a range of products from the four groups which make up Annex IV of this Agreement.

[AND]

- eliminate restrictions and restrictive practices [listed in] [as may be agreed with respect to] Annex III B and III C, (see Annex III).

5. Notwithstanding the date of the entry into force of this Agreement, i.e., 1 January 1992, the parties concerned undertake to notify to the GATT Secretariat not later than 1 July 1991, full details of the actions to be taken pursuant to paragraph 4 above[2]. The GATT Secretariat shall promptly circulate the notifications to the other parties for information. These notifications will be made available to the TMB, when established, for the purposes of paragraph 8 below.

6. The remaining products, i.e., the products not integrated into GATT under paragraph 4 above, shall be integrated, in terms of HS lines or categories, in three stages, as follows:

A. On 1 January [....], not less than [15] per cent of the total volume of 1990 imports of products subject to this Agreement (see Annex II). The products to be integrated by the importing parties shall encompass

---

[1]This topic (review by TMB of measures not fully dealt with by TSB before the end of the MFA) might be covered by a general provision applicable to all similar cases.

[2]The proper place and formulation of this notification commitment still needs to be discussed.

0031

5P7-10-4

a range of products from the four groups which make up Annex IV of this Agreement.

B. On 1 January [....], not less than [20] per cent of the total volume of 1990 imports of products subject to this Agreement (see Annex II). The products to be integrated by the importing parties shall encompass a range of products from the four groups which make up Annex IV of this Agreement.

C. On 1 January [....], all restrictions under this Agreement would have been eliminated and the textiles and clothing sector stand integrated into GATT.

6(bis) Nothing in this Agreement shall prevent a party which has submitted an integration programme pursuant to Article 2:4 or 2:6 from integrating products into the GATT earlier than provided for in such a programme. However, any such integration of products shall take effect at the beginning of a calendar year, and shall be notified to the TMB at least [three] [six] months prior thereto, for circulation to all parties.[1]

7. The respective programmes of integration to be adopted by the parties concerned in pursuance of paragraph 6 above shall be notified in detail to the TMB at least 12 months before their coming into effect, for circulation to all parties ... (the two last sentences, amended, to become 2:11 (bis) below).

8. (To become last paragraph of this Article).

9. The base levels of the restrictions on the remaining products, mentioned in paragraph 6 above, shall be the actual levels of the MFA restrictions in force on 31 December 1991 [uplifted by [ ] per cent].

10. During the life of this Agreement, the levels of restrictions in force, i.e., until such restrictions are eliminated and the products to which they apply integrated into GATT in accordance with the provisions of paragraph 6 above, shall be increased annually by not less than the growth rates established according to the following procedure:

(i) for Stage 1 (years 1992 to [ ] inclusive), each existing growth rate for the respective product categories in MFA bilateral agreements for the year 1991, increased by [16 per cent];

(ii) for Stage 2 (years [ ] to [ ] inclusive), growth rate for the respective product categories during Stage 1, increased by [21 per cent];

---

[1]It is suggested that if this paragraph, and paragraph 2:10(bis) below, were included **Article 1:2 could be deleted.**

5P11-10-5

0032

(iii) for Stage 3 (years [ ] to [ ] inclusive), growth rate for the respective product categories during Stage 2, increased by [26 per cent];

[provided that all growth rates in existing MFA bilateral agreements lower than 1 per cent shall be increased to 1 per cent before the application of the above growth factors.]

10(bis) Nothing in this Agreement shall prevent a party from eliminating any restriction maintained pursuant to this Article effective at the beginning of any calendar year during the transition period, provided the exporting party concerned and the TMB are notified at least [three] [six] months prior to the elimination coming into effect. The period for prior notification might be shortened to 30 days with the agreement of the restrained party. The TMB shall circulate such notifications to all parties.

11. Flexibility provisions, i.e., swing, carryover, and carry forward applicable to all quantitative restrictions in force in accordance with the provisions of this Article shall be the same as those provided for in MFA bilateral agreements for the year 1991. No quantitative limits shall be placed on the combined use of swing, carryover and carry forward.

11(bis) Administrative arrangements, as deemed necessary **in relation to the implementation of any provision of this Article shall be a matter for agreement between the parties concerned.** Any such arrangements shall be notified to the TMB ... (last five words of present 2:7 have been deleted).

12. Parties to this Agreement may mutually agree to provide for [a different mix of base levels, rates of growth and flexibility, provided that the resulting agreement shall not involve any diminution of the access level in the importing party provided for under this Article]. (Note: Reporting and review would seem to be required, otherwise, this paragraph has not been discussed).

13. [With respect to suppliers which are substantial producers of cotton whose exports are heavily dependent on textile products made of cotton, the base levels indicated in paragraph 9, above, shall be uplifted so as to ensure meaningful improvement in the access to that importing country, the flexibility provisions .... and the growth rates indicated in paragraph 10 above shall be increased by ..... per cent for Stage 1, ... per cent for Stage 2, and .... per cent for Stage 3].

14. With respect to participating countries whose total volume of textile exports is small in comparison with the total volume of exports of other countries, and whose total volume of textile exports into a specific country is one per cent or less of the total volume of imports of textiles of the importing country concerned, the base levels indicated in paragraph 9 above shall be uplifted so as to ensure meaningful improvement in the access to that importing country, the flexibility provisions ..... and the growth rates indicated in paragraph 10 above shall be increased by

5P7-10-6 0033

..... per cent for Stage 1, ... per cent for Stage 2, and ..... per cent for Stage 3.

OR

As regards to the parties whose restrictions represent one per cent or less of the total volume of the restrictions notified under paragraph 2 above, meaningful improvement in access shall be provided through growth rates (higher than those in paragraph 10, the precise figures to be developed as a function of the definition of paragraph 10), or as appropriate, in combination with increases in base levels indicated in paragraph 9.

* * * * * * * * * * *

15. [An emergency action shall not be taken in respect of a particular product during a period of two years following the date of removal of all quantitative restrictions on that product in accordance with the programme of progressive elimination of restrictions in Article 2].

Last paragraph: (This is present paragraph 8 with the last sentence being moved to the beginning of the paragraph as shown below:

The TMB shall keep under review the implementation of this Article. It shall, at the request of any party, review any particular matter with reference to the implementation of the provisions of **this Article**. It shall make appropriate recommendations or findings within thirty days to the party or parties concerned after inviting the participation of such parties.[1]

Additional matters concerning Article 2 presented by individual delegations

- Extension of territories.

- Quota adjustments when integration of a product affects only part of a quota.

(Notifications to and review by the TMB would presumably be required if suggestions concerning the above matters are included).

---

[1]For further procedures in relation to the TMB recommendations, see Article 9.

0034

5P7-10-7

Article 3

1. Within sixty day following the entry into force of this Agreement, parties maintaining restrictions[1] on textiles and clothing products (other than those maintained under the MFA and covered by the provisions of Article 2), whether consistent with GATT or not, shall (a) notify them in detail to the TMB, or (b) provide to the TMB notifications with respect to them which have been submitted to any other GATT body. The notifications should, wherever applicable, provide information with respect to any GATT justification for the restrictions, including GATT provisions on which they are based ... (Last sentence moved to new paragraph 5 - see below).

2. All restrictions falling under paragraph 1 above, except those justified under a GATT provision, shall be either:

(a) brought into conformity with the GATT within one year following the entry into force of this Agreement, this being notified to the TMB for its information; or

(b) phased out progressively according to a programme to be presented to the TMB by the party maintaining the restrictions not later than six months after the date of entry into force of this Agreement. This programme shall provide for all restrictions to be phased out within a period not exceeding [x years]. The TMB may make recommendations to the party concerned with respect to such a programme.

3. Over the period of this Agreement, parties shall provide to the TMB, for its information, notifications submitted to any other GATT bodies with respect to any new restrictions or changes in existing restrictions on textiles and clothing products, taken under a GATT provision, within sixty days of their coming into effect.

4. It shall be open to any party to make reverse notifications to the TMB in regard to the GATT justification, or in regard to any restrictions that may not have been notified under the provisions of this Article. Actions with respect to such notifications may be pursued by any party under normal GATT provisions or procedures.

Old para. 5 To be deleted.

New para. 5 The TMB shall circulate the notifications made pursuant to this Article to all parties for their information. (From old Article 5 para. 1, last sentence).

---

[1]Restrictions denote all unilateral quantitative restrictions, bilateral arrangements and any other quantitative measures having a restrictive effect. (To be discussed further).

5P7-10-8 0035

Article 4

1. Restrictions referred to in Article 2, and those applied under Article 6, shall be administered by the exporting parties. **Importing parties are not obliged to accept shipments in excess of the restrictions notified under Article 2 and applied pursuant to Article 6.**

2. Parties agree that the introduction of changes, such as changes in practices, rules, procedures and categorisation of textile products, including those changes relating to the Harmonized System, in the implementation or administration of **those restrictions notified or applied under this Agreement should not upset the balance of rights and obligations between the parties concerned under this Agreement; adversely affect the access available** to a party; impede the full utilization of such **access;** or disrupt trade under this Agreement.

3. **When** such changes are necessary, however, parties agree that the party initiating such changes shall **inform and,** wherever possible, initiate consultations with the affected party or parties prior to the implementation of such changes, with a view to reaching a mutually acceptable solution regarding appropriate and equitable adjustment. Parties further agree that where consultation prior to implementation is not feasible, the party initiating such changes will, **at the request of the affected party,** consult [**within 60 days, if possible,**] [**as early as possible**] with the parties concerned with a view to reaching a mutually satisfactory solution regarding appropriate and equitable adjustments. If a mutually satisfactory solution is not reached, any party involved may refer the matter to the TMB for recommendations **as provided in Article 9. Should the TSB not have had the opportunity to review a dispute concerning such changes introduced prior to the entry into force of this Agreement, it shall be reviewed by the TMB in accordance with the rules and procedures of the MFA applicable for such a review.**[1]

Additional matters presented by individual delegations

The following concept which was taken up under Article 4 might more appropriately be discussed under Article 6: Should a party invoking Article 6 not have in place appropriate arrangements to facilitate full utilization of the restraint levels, such arrangements should be established, so as to take full account of such factors as established tariff classification and quantitative units based on normal commercial practices in export and import transactions, both as regards fibre composition and in terms of competing for the same segment of the domestic market. Over-categorization should be avoided.

---

[1]This might be covered by a general provision applicable to all similar cases (also paragraph 2:3(bis).

3P7-10-P

0036

Article 7: There are various proposals with respect to this Article. The role of the TMB should be defined, depending on the outcome of these proposals.

Article 9:7 Add to the end of the paragraph "for its information".

Article 9:9 The last sentence would seem to require precision to ensure quick access to a GATT panel if a mutually satisfactory solution has not been achieved within a certain period after the date that the TMB has transmitted its recommendation.

5 p1 - 1 - 10

0037

관리 번호	91-921

분류번호	보존기간

발 신 전 보

번 호 : WGV-1810 911212 1340 DQ 종별 :

수 신 : 주 제네바 대사. 총영사

발 신 : 장 관 (통 기)

제 목 : UR/섬유협상 정부대표 임명

검 토 필(1991.12.31.) 김

UR 섬유 비공식 협상에 참가할 정부대표로 상공부 국제협력관실 김영학 사무관이 임명되어 91.12.12-22간 귀지 출장 예정임.

o 훈 령 :

- 현 의장안을 지지해온 기존 입장에 따라 적절히 대처토록 하며, 특히 아래 사항에 대해서는 우리 입장을 반영시킬 수 있도록 노력함.
  . 최소 1%의 연증가율 인정
  . 기본쿼타, 연증가율 및 융통성에 대한 수출국과 수입국간의 상호 합의 규정 삭제. 끝. (통상국장 김 용 규)

보안 통제	

앙 고 재	91년 12월 12일	통기과	기안자 성명		과 장	심의관	국 장		차 관	장 관
			조현				전결			

외신과통제

0038

2

원 본

외 무 부

종 별 :

번 호 : GVW-2616 일 시 : 91 1212 1900

수 신 : 장 관(통기,경기원,상공부)

발 신 : 주 제네바 대사

제 목 : UR/섬유 (주요국 비공식)

겸 외교관 회신

12.11 (목) 속개된 표제회의 결과 하기 보고함.

1.제 2조 제 12항(DIFFERENT MIX 조항)

0 홍콩은 현 의장안 대신 BASE LEVEL 및 GROWTERATE 에는 변화를 주지않고 융통성(FLEXIBILITY)의 개선을 도모하는 별첨 내용의 제안을 함.

0 상기 홍콩제안에 미국, EC 등은 동 제안은 수출국의 이익만을 반영한 것으로수입국의 이익은 배제된 균형을 잃은 제안이라고 비판하였으며, 인도등은 홍콩제안이 현 의장안보다 개선된 내용의 제안이라 언급함.

2. 제 2조 제 14항 (소규모 공급국 우대 관련 조항)

0 페루는 통합기간 동안 소규모 공급국에게 적용되는 성장율에 관한 우대 문제와 관련, 동 조항의 적용시점을 명료화 하고, 수입국 시장점유율의 1 퍼센트 이하로되어있는 현 의장안대신 수입국 총규제량의 1.5 퍼센트 이하로 소규모공급국에 대한 기준을 마련한 별첨 제안을 함.

0 이에 대해 EC 는 소규모 공급국에 대한 우대 필요성은 인정하나 그 기준을 수입국 총 규제량의 1.5 퍼센트 이하로 한것은 충분히 검토되어야 할문제이며, 본 조항은 소규모 공급국 우대 관련조항인 본 협정 제1조, 제 2조 및 제 6조 6항과 연계하여 검토되어야 할 사항임을 주장하였으며, 카나다, 노르딕등이 이에 동조함.

3. 제 2조 제 15항 (통합된 품목에 대한 일반 세이프가드 조치 발동금지기간 설정조항)

0 홍콩은 갓트로 통합된 품목에 대해 2년내에 일반 세이프 가드 조치를 적용할경우 해당 품목의 최근 3년동안 평균 수출 실적을 유지하도록 해야한다는 별첨 제안을 함.

0 이에 대해 일본은 본 협정은 잠정기간동안 적용된다는 제1조와 모순됨을 지적하였으며, 카나다 및 EC 도 이에 동조함.

통상국 2차보 경기원 상공부

91.12.13 09:30 WG

외신 1과 통제관

0039

4. 한편 갓트 사무국은 MFA 비가입국의 처리문제와 관련 잠정안으로 제 2조 제 5항 관련별첨 제안을 하면서 동 문제는 향후 MFA국가들과 긴밀히 협의하여 해결해야할 사안임을 분명히 하였고, 이에 대해 미국은 동문제 처리를 위해 NON PAPER 형식의문서를 배포하여 개념적으로 명확히 이를 처리해야 할것임을 지적함.

5. 제 6조 제 1항 관련 잠정기간동안 잠정세이프가드 조치 발동 가능국가 범위에 대한 별첨갓트 사무국 제안에 대해 멕시코는 동 국가범위를 보다 명확히 하기 위해 ITCB 회의시 동국가가 제안한 문구 (GVW-2389 로, 11.20 보고) 를 제시함. 끝.

첨부 : GVW(F)-603

(대사 박수길-국장)

PAGE 2

0040

주 제 네 바 대 표 부

번 호 : GVW(F) - 603　　년월일 : 11212　　시간 : 1800

수 신 : 장 관 (통기, 경기원, 상공부)

발 신 : 주 제네바대사

제 목 : GVW-2616

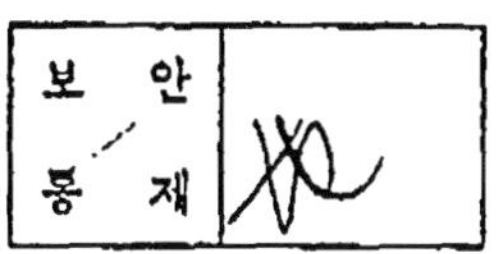

총 5 매(표지포함)

외신과	
통 제	

603-5-1

0041

H.K

1. 홍콩제안

Article 2.12

Parties may mutually agree to improve the flexibility provisions under paragraph 11 above. Such improvements may provide for flexibility in addition to the levels provided in paragraph 11. Any improvements under this paragraph shall be additional to and shall not in any way amend the flexibility arrangements provided under paragraph 11. Any agreed arrangements shall be notified to the TMB for circulation to the other parties for their information.

11 December 1991

603-6-2

0042

페루.

2. 페루제안

Article 2:14

As regards to those parties subject to restrictions on 31 December 1992 and whose restrictions represent one and a half percent or less of the total volume of the restrictions applied by an importing party as of 31 December 1991 and notified under paragraph 2 above, meaningful improvement in access shall be provided through the application of the growth factor referred to in paragraph 10 (iii) for stage one, fifty percent increase of the flexibility provisions referred in paragraph 11 with no cumulative limit, and, as appropriate, in combination with increases in base levels indicated in paragraph 9 of this Article.

10 December 1991

0043

603-6-2

3. 홍콩제안

H.K

Article 2:15

In any case in which a safeguard measure is initiated by a party under Article XIX of the GATT in respect of a particular product during a period of two years immediately following the integration of that product into the GATT in accordance with the provisions of this Article, the provisions of Article XIX of the General Agreement as interpreted by the Agreement on Safeguards will apply save as follows. Where such a measure is subsequently applied by the imposition of quotas, the importing party concerned shall allocate quota shares to exporting parties for their administration where such exporting parties so request and where the exports of such parties in the product concerned were subject to restrictions under this Agreement at any time in the two year period immediately prior to the initiation of such a safeguard measure. In such a case the level of quota shares shall not reduce the quantity of relevant exports below the level of a recent representative period which shall normally be the average of exports from the concerned party in the last three representative years for which statistics are available. Further, when the safeguard measure is applied for more than one year, the level of quota shares shall be progressively liberalised at regular intervals during the period of application.

[The questions of the termination date of the agreement and the responsible forum (i.e. TMB/Safeguards Committee) for the examination of such cases, will also have to be addressed to take account of the above].

11 December 1991

0044

60) - 6 - 4

/

4. 갓트사무국 배포문서

Secretariat
91. 12. 11

<u>Article 2 paragraph 5</u>: add at the end of the paragraph, as follows:

5. Notwithstanding the date of the entry into force of this Agreement, i.e., 1 January 1993, the parties concerned undertake to notify to the GATT Secretariat not later than 1 July 1992, full details of the actions to be taken pursuant to paragraph 4 above. The GATT Secretariat shall promptly circulate the notifications to the other parties for information. These notifications will be made available to the TMB, when established, for the purposes of paragraph 8 below. <u>**However, it is open to parties which have never been parties to the MFA and wishing to retain the right to use the provisions of Article 6, to notify to the TMB not later than 31 December 1993 full details of the actions to be taken pursuant to paragraph 4 above. The TMB shall promptly circulate these notifications to the other parties for information and review them as provided in paragraph 8 below.**</u>

<u>Article 6 paragraph 1</u>: amend this paragraph and add the end of it, as follows:

1. Parties to this Agreement recognise that during the transition period it may be necessary to apply a specific transitional safeguard mechanism (hereinafter referred to as 'transitional safeguard'). The transitional safeguard may be applied by any party, to all products covered by Annex II to this Agreement, except those integrated into the GATT under the provisions of Article 2. <u>**However, parties not wishing to retain the right to use the provisions of this Article and not maintaining restrictions falling under Article 2 shall so notify the TMB within 60 days of the entry into force of this Agreement, and shall, for the purposes of this Agreement, be deemed to have integrated their textiles and clothing sector into the GATT. Such parties shall, therefore, be exempted from complying with the provisions of Article 2, paragraphs 4, 5, 6 and 7.**</u>

As an alternative to the additional paragraph in Article 6, have a new paragraph in Article 1:

<u>**For the purpose of this Agreement, parties not wishing to retain the right to use Article 6 and not maintaining any restrictions falling under Article 2, paragraph 2, shall so notify the TMB within 60 days of the entry**</u>

60? - 6 - 5

0045

into force of this Agreement, and shall, for the purpose of this Agreement, be deemed to have integrated their textile and clothing sector into GATT. Such parties shall, therefore, be exempted from compliance with the provisions of Article 2, paragraphs 4, 5, 6 and 7.

603-6-6

0046

TOTAL P.06

외 무 부

110-760 서울 종로구 세종로 77번지 / (02)720-2188 / (02)725-1737

문서번호 통기 20644-

시행일자 1991.12.12.( )

수신 내부결재

참조

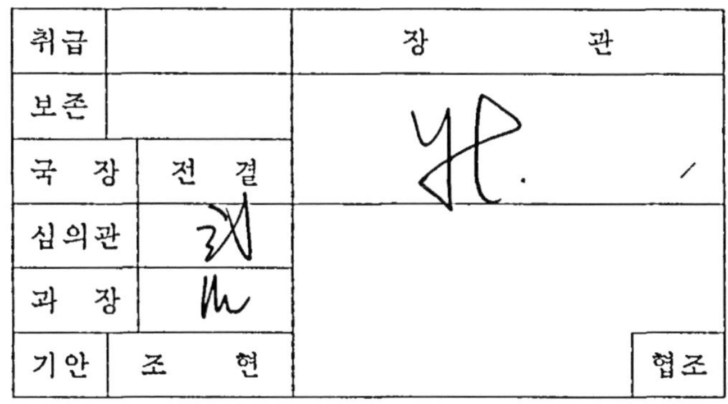

취급		장 관
보존		
국 장	전 결	
심의관		
과 장		
기안	조 현	협조

제목 UR/섬유협상 정부대표 임명

91.12.13-20간 스위스 제네바에서 개최되는 UR/섬유협상 비공식 협상에 참가할 정부대표를 "정부대표 및 특별사절의 임명과 권한에 관한 법률"에 의거 아래와 같이 임명하고자 건의합니다.

- 아 래 -

1. 회 의 명 : UR 섬유 비공식 협상
2. 회의 개최일시 및 장소 : 91.12.13-20, 제네바
3. 정부대표 : 상공부 국제협력관실 사무관 김영학
4. 출장기간 : 91.12.12-222
5. 소요경비 : 상공부 예산
6. 훈 령 :
   - o 현 의장안을 지지해온 기존 입장에 따라 적절히 대처토록 함.
   - o 아래 사항에 대해서는 우리 입장을 반영시킬 수 있도록 노력함.
     - 최소 1%의 연증가율 인정
     - 기본쿼타, 연증가율 및 융통성에 대한 수출국과 수입국간의 상호 합의 규정 삭제.

끝.

외 무 부 장 관

0047

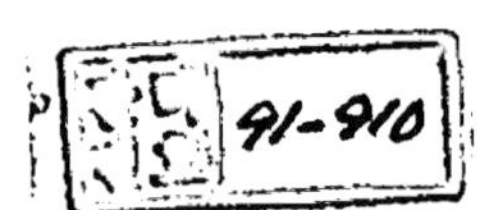

2(04)

상 공 부

427-760 경기 과천시 중앙동 1번지 / 전화(02)503 - 9446 / 전송(02)503 - 9496, 3142

문서번호 국협 28143 - 268
시행일자 1991. 12. 11. (3 년)

수신 외무부 장관
참조

선결			지시	
접수	일자 시간	. . :	결재·공람	
	번호			
처 리 과				
담 당 자				

제목 UR/협상 참가

검 토 필(1991.12.31.)

'91. 12. 13(금) ~ 12. 20(금)간 스위스 제네바에서 개최되는 막바지 UR 협상 분야 중 상공부 소관분야인 섬유, 반덤핑 및 세이프가드 협상에 참가하기 위하여 다음과 같이 출장코자 하오니 정부대표 임명등 필요한 조치를 하여주시기 바랍니다.

다 음

1. 출장지 : 스위스 제네바
2. 출장기간 : '91. 12. 12(목) ~ 12. 22(일)
3. 출장자 : 국제협력관실 행정사무관 김 영 학
4. 소요예산 : 상공부 예산

첨 부 : 회의 참가 입장 1부. 끝.

첨부물에서 분리되면 일반문서로 재분류

상 공 부 장

차 관 전결

0048

UR/섬유협상 대책

1991. 12.

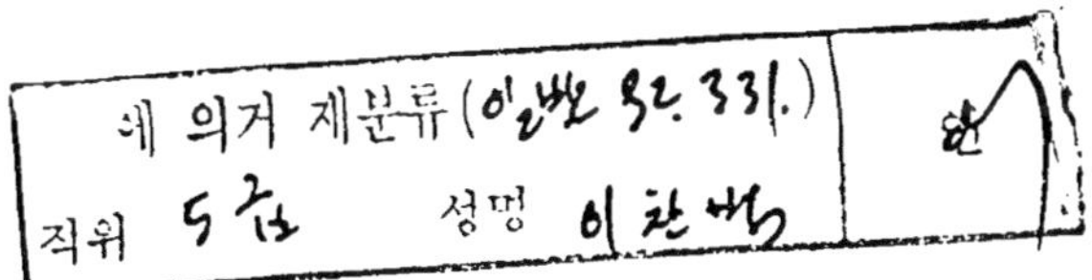

상 공 부

0049

1. 협상 진전 현황

o 현 MFA하의 양자 협정상에 인정된 규제 수준을 기초로하여 이를 점진적으로 자유화 시키는 방법을 규정한 잠정 협정안을 작성하여 작년 브랏셀 각료 회의에 회부

o 브랏셀 각료회의에서 농산물에 대한 이견으로, 동 잠정 협정안상의 주요 쟁점에 대해 심도있는 논의를 못하고 종결됨

o 금년들어 협상이 재개된 후 기술적 쟁점 위주의 논의를 했고 최근 던켈 의장의 최종 협상안 작성을 위한 중요 쟁점에 대한 비공식 협의를 진행하고 있음

- Dunkel 총장이 주재하는 35개국 비공식 회의 (실질적인 공식회의 성격)
- Hussein 사무차장보의 주재로 개최하는 14개국 비공식회의 (아국 참가)

o 이같은 상황에서 던켈 의장은 11.7 개최된 TNC 회의에 현 섬유 협상의 주요 쟁점을 아래와 같이 나열함

① 품목 대상 범위, 갓트 복귀율, 연 증가율 및 협정 기한이 소위 "economic package"의 중요 쟁점임

② 그밖에 아래 쟁점이 나머지 중요한 쟁점임

- 현 MFA 가입국이 UR 참여국의 1/3 수준도 못된다는 점과 본 MFA 복귀 협정은 UR 협상 결과의 단일 채택 (Single Undertaking) 대상이라는 점을 어떻게 조화시킬 것인지 문제로서 이와 관련
  . 잠정 Safeguards의 발동국
  . MFA 가입국으로서 비 갓트 회원국 처리 문제

- 잠정 Safeguards 조항과 관련, 심각한 피해 규정 문제, 실제 규제 발동수준, 규제 물량 설정기준, 발동기간, 연 증가율 및 융통성 문제등임

- 특별한 공급국 우대 문제

0050

- 여타 갓트상의 권리, 의무 및 절차에 관련된 문제로서

  . 반덤핑과 같은 추가적인 규제 발동 금지 문제

  . 일정기간 갓트 19조 발동금지 기간 설정 문제

  . 갓트 규정 및 원칙에 불일치 하는 조치를 취한 국가에 대한 본 협정의 일부 적용 배제 문제

  . 본 협정에 따라 설치될 기구의 역할과 위상 및 조속한 분쟁해결 절차 인정 여부 등

o 던켈 의장은 11.29(금) 회의에서 아래 요지의 섬유 협상 타결 방향에 대한 자신의 중재안을 제시함

- 갓트 복귀비율 : 현 의장안상의 단계별 10%, 15%, 20%를 단계별로 20%, 15%, 10%로 수정함
- 협정상 품목 coverage를 갓트 복귀 대상과 잠정 SG 발동 대상으로 2원화함
- 갓트 복귀 대상 품목중 50%은 현 MFA상 실제 규제를 받고 있는 품목에서 나머지 50%는 규제받지 않고 있는 품목으로 함
- 연 증가율과 잠정 SG 발동 기준등에 대해서는 현 의장안을 대체로 수용토록 함
- 섬유관련 갓트 규범 강화에 대해서는 EC측 의견을 어느정도 수용할 것으로 예상됨

o 상기 던켈 의장의 제안에 대해 각국의 구체적인 반응은 상금 미접수 상태이나 대체로

- 미국, EC는 동 의장 제안에 유보적 입장을 표명하고 단지 브랏셀 의장안이 협상의 기초가 되어야 한다는 점을 강조
- 카나다, 일본, 스위스는 품목 Coverage를 2원화 하는데 반대 입장
- 개도국은 대체로 던켈 의장 제안을 지지하고 품목 coverage 2원화를 지지함

0051

2. 주요국의 입장

o 미국, EC, 카나다

- 현 브랏셀 의장안을 최종 협정안의 기초로 해야하며, 수출개도국이 브랏셀 의장안의 대폭적인 개정을 요구할 경우 협상안을 전면적으로 재 검토해야 한다는 입장
- 특히 중국에 대해서는 잠정 협정의 혜택을 줄 수 없다는 입장 및 갓트 복귀 시한을 15년으로 해야 한다는 의회 및 업계 압력 대두

o 일 본

- 현 MFA상 규제를 발동치 않고 있으나, 잠정 협정에서는 현재 규제의 여부와 관계없이 규제 발동 권리를 보유하는데 최대 역점

o 개도국

- 아국, 홍콩은 현 MFA상 인정된 규제수준 (쿼타량)등 기본 골격을 가급적 유지 코자 하는 입장
- 인도, 파키스탄등 강경 개도국은 현 MFA의 대폭적인 개선을 추구하는 입장
- ASEAN 국가들은 섬유 중규모 수출국으로서 현 MFA 골격을 유지한채 이를 자국에 유리하도록 소폭 개선코자 하는 입장

0052

3. 주요 쟁점별 검토

가. 협정대상 품목 범위

o 잠정 협정의 부속서 (Annex II)에 명시될 협정대상 품목으로서 잠정 기간중 갓트 복귀의 대상이 되며 또한 Selectivity에 근거한 잠정 SG의 발동 대상이 됨

- 최근 논의에서 던켈 의장은 품목 대상을 갓트 복귀 대상 및 잠정 SG 발동 대상으로 2원화하는 중재안 제시

- 이에 대해 미국, EC는 유보 입장을 표하고, 카나다, 일본, 스위스는 반대 입장

- 개도국은 대체로 동 제안에 호의적인 반응을 보이고 있으나 파키스탄은 품목대상을 잠정 SG 발동대상 및 갓트 19조 발동 대상으로 2원화 할 것을 주장

<아국 입장>

(제 1안)

- 던켈 의장이 제안한 품목대상 2원화 방안 지지
  . 아국은 여타 수출 개도국에 비해 상대적으로 많은 품목에 대해 현 MFA상 규제를 받고 있으므로, 품목 대상을 2원화 할 경우 현재 규제중에 있는 품목에 대한 갓트 복귀 (자유화)의 혜택을 받을 수 있음

- 주장 논리
  . UR/섬유협상의 기본 목표는 현 MFA의 갓트 복귀 및 이를 통한 섬유교역의 자유화를 실현하는 것인 만큼 동 갓트복귀의 대상은 현 MFA상 규제중인 품목에 국한되어야 함
  . 그러나 갓트 복귀의 개념이 현재의 규제를 자유화 한다는 측면뿐 아니라 현 MFA상 인정된 Selectivity에 의한 SG 발동 권리를 포기한다는 측면도 있는 만큼 선진국의 입장을 일부 수용하며 갓트 복귀 대상중 50%는 현재 비규제중인 섬유 품목을 대상으로 할 수 있다고 봄

0053

<제 2안>

- 현 브랏셀 의장안의 품목 coverage 수용

  . 현재 규제중인 품목뿐 아니라 비규제 품목도 다수 포함

    ※ 다만 상기 (제 1안) 또는 (제 2안) 수락의 전제 조건으로 SG 재 <u>발동시 규제 수준을 규정한 6조 15항이 인정되어야 할 것을 주장</u>

  . 6조 15항은 규제중인 품목이 갓트로 복귀된 후 새로이 SG를 발동할 경우 규제 수준은 과거 규제 물량 또는 6조 8항의 규제 물량 (1년 또는 3년 수출실적)중 높은 것으로 해야 한다는 내용

(브랏셀 의장안)

o If safeguard action is taken on a product for which a restraint was previously in place in 1991 under the MFA or pursuant to the provisions of Article 2 or 6 of this Agreement, the level of the new restraint shall be the level provided for in paragraph 8 of this Article unless the period provided therein overlaps with the previous restraints, in which case the level shall be : (i) the level provided for in the restraint, or the level of actual imports or exports, whichever is higher, except in case of over-shipment, for the months where the period referred to in paragraph 8 overlap; and (ii) the level of actual imports or exports for the months where no overlap occurs.

(홍콩수정안 : 11.29)

If safeguard action is taken on a product for which a restraint was previously in place in (1991) under the MFA or pursuant to the provisions of Article 2 or 6 of the Agreement, the level of the new restrant shall be the level provided for in paragraph 8 of this Article unless

0054

the new restraint comes into force within 3years of the date of removal of the previous restraint, in which case the level shall be not less than the higher of (i) the level of restraint for the last twelve-month period during which the product was under restraint or (ii) the level of restraint provided for in paragraph 8 of this Article.

나. 갓트 복귀율 및 연 증가율

o 잠정 협정 애상 품목중 일정 품목을 단계적으로 갓트로 복귀시키는 비율 (갓트상의 규제수단 (19조)만이 인정됨)과 나머지 규제가 계속 중인 품목에 대한 연 증가율 결정 문제

- 현 양자 협정상 인정된 연 증가율을 기준으로 하여 이에 대한 일정 비율을 증가시켜야 한다는데는 합의한 상태이나 그 구체적인 비율과 현 양자 협정상 증가율이 1% 미만인 품목에 대한 1%로의 최소 연 증가율 인정 여부에 이견 대립

- 갓트 복귀율 및 연 증가율에 대해서는 특별히 논의하지 않았으며 이는 브랏셀 의장안상의 숫치를 그대로 반영할 것으로 관측됨

- 다만 던켈 의장이 제안한 단계별 갓트 복귀율을 20%, 15%, 20%를 20%, 15%, 10%로 수정하는 안에 대해 타협이 가능할 것으로 예상됨

<아국입장>

- 실질적으로 금번 섬유 협상 결과 타결될 잠정 협정이 섬유 교역 자유화를 실현한다는 것을 확실히 하기 위해서는 의미있는 연 증가율이 보장되어야 함

- 또한 한국은 본 잠정 협정에 의한 자유화 혜택을 전혀 보지 못하는 품목이 있다는 것은 매우 불공평하며 따라서 1%의 최소 연 증가율이 보장되어야 한다고 주장함

0055

다. 잠정 협정의 단일 채택 (Single Undertaking) 문제

o 현 MFA은 가입국이 40여개국으로써 이들 국가에게만 적용되는데 반해 MFA를 철폐하고 복귀시키는 본 잠정 협정은 여타 UR 협상 결과와 같이 단일 채택 (Single Undertaking) 되어 협정 적용 대상국이 갓트 체약국으로 확대된다는 문제

o 이에따라 파생되는 문제점으로는

- 현 MFA 가입국이나 갓트 비회원국인 중국의 처리 문제
- 협정상 잠정 세이프가드의 발동 가능 국가
  . 특히 일본은 자국이 현 MFA상 규제를 발동치 않았다 하더라도 본 잠정 협정에 의한 SG는 인정되어야 한다고 강력히 주장

- 미국, EC등 선진국은 본 잠정 협정이 Single Undertaking 대상이어야 하며, 따라서 현재 최대 섬유 수출국인 중국에 대해서는 본 잠정 협정상의 자유화 혜택을 줄수 없다는 입장임
  . 또한 잠정 SG 발동 가능 국가는 일본을 포함하며 모든 국가가 될 수 있다는 입장임. 최근 던켈 의장안이 품목 대상

※ 최근 던켈 의장안이 품목 대상 Coverage와 관련 2원화 할 것을 제안하므로써 일본의 SG발동 권리 문제는 향후 논쟁 대상이 됨 (일본은 품목 coverage의 2원화에 반대)

<아국입장>

- 본 섬유협정이 UR 협상 결과의 Single Undertaking의 대상이 되어야 한다는 입장
  . 섬유 최대 수출국이자 경쟁국인 중국과의 관계 고려
  . 단, 개도국 입장에서 강하게 single Undertaking을 주장하기는 어렵고 단지 전체 협상 결과 및 제도 분야의 협상 결과에 따라 결정되어야 한다는 원칙적인 주장을 함

0056

- 일본등 MFA 규제 비 발동국의 잠정 SG 권리 보유 문제는 품목 coverage 2원화 문제와 연계된 문제로서 전체 협상 결과의 균형 차원에서 대응토록 함

※ 실제로 잠정기간중 아국이 잠정 SG에 의한 규제를 발동한 가능성은 거의 없으며 따라서 동건은 아국이 주장하는 여타 잇슈와 연계하여 신축적으로 대응토록 함

0057

라. 규제중인 품목에 대한 반덤핑, 상계관세 발동 금지

o 현 협정안에는 아국 및 홍콩의 주장으로 잠정기간 중 쿼타 규제를 받고 있는 품목에 대해서는 반덤핑, 상계관세를 부과할 수 없다는 규정이 포함되어 있음

- 미국, EC등 선진 수입국은 본 잠정 협정도 Single Undertaking으로 갓트 협정의 일부이므로 본 협정대상 품목에 대해 갓트상 정당한 권리인 반덤핑, 상계관세 부과를 금지할 수는 없다는 강한 반대 입장

- 아국 및 홍콩은 동 조항이 쿼타 규제와 반덤핑 규제의 2중 규제를 현실적으로 방지하자는 목적이라고 주장

 . 최근 홍콩은 반덤핑, 상계관세 발동을 직접적으로 금지시킨 현 협정안을 수정하여, 선진국이 반덤핑, 상계관세 발동시 책임 및 협의 절차등 요건을 엄격히 하는 수정 문안을 작성 제시한 바, 미국, EC가 계속 반대중

<브랏셀 의장안>

Without prejudice to the provisions of Article 1, paragraph 4, parties (maintaining restrictions) under this Agreement shall refrain from taking additional trade measures which may have the effect of nullifying the objective of this Agreement or impairing the liberalization process. (Parties maintaining restrictions shall not levy anti-dumping or countervailing duties during the transitional period on textile products covered by this Agreement).

<홍콩의 수정안> 1991. 11. 16

1. In view of the safeguards provided for in this Agreement parties shall refrain from taking additional trade measures against textile which have not been integrated into the GATT under the provisions of this Agreement before exhausting the relief measures provided under this Agreement.

0058

2. Where a party, having exhausted the relief measures provided under this Agreement, nevertheless takes action which could lead to such additional trade measures, that party shall bear the burden of establishing both the necessity for such measures and the reasons why such measures do not nullify and impair the balance of rights and obligations under this Agreement against exports of the relevant products from relevant exporting parties in considering whether the additional problem has occurred and in considering what level of relief, if any, should be provided. In particular that party shall evaluate the level of protection already afforded to its domestic industry by any quantitative restraints in place under this Agreement on relevant products from relevant exporting parties and shall be required to establish that such a level is inadequate in itself to address the additonal trade measure. The total level of protection provided under this Agreement and under any additional trade measure shall not exceed that necessary to address the additional problem identified. Where quantitative restraints are in place under this Agreement, that party shall consider the impact, on its domestic producers of such products, of relevant imports from relevant exporting parties individually and shall consider only whether there is a significant absolute increase in imports, and not whether there is an increase in imports relative to production or consumption in the importing party's territory.

3. If a party finds that its interests under this Agreement are being adversely affected by any additional trade measure taken by another party, that party may request the party applying such measure to consult with a view to remedying the situation. Such consultations shall be held promptly, and within thirty days where possible.

0059

4. In consultations held under paragraph 3, the party applying the trade measure shall have the burden of establishing that it has acted in accordance with the requirements of paragraph 2. If the consultations fail to achieve a mutually satisfactory solution within a period of sixty days the requesting party may refer the matter to the TMB, the party concerned being free to refer the matter to the TMB before the expiry of the period of sixty days if it considers that there are justifiable grounds for so doing.

<아국입장>

<제 1안>

- 현 의장안 또는 홍콩이 수정 제안한 내용 지지

- 주장 논리
  . 본 규정은 MFA 및 본 잠정 협정에 의한 쿼타 규제와 반덤핑, 상계관세에 의한 이중 규제의 위협을 방지코자 하는 것으로 아국은 본 규정에 UR 섬유협상의 쟁점중 가장 중요성을 부여하고 있음
  . 실제로 규제중인 품목에 대해 반덤핑/상계관세 조치를 부과하는 것은 섬유 교역을 자유화시키고자 하는 본 잠정 협정의 신뢰성과 예측 가능성을 저해하는 결과를 초래하는 것임

<제 2안>

- 현 MFA상 규정되어 있는 추가적인 규제 발동 억제 규정을 그대로 규정

※ 현 MFA 규정 내용 (9조)

1. In view of the safeguards provided for in this Arrangement the participating countries shall, as far as possible, refrain from taking additional trade measures which may hve the effect of nullifying the objectives of this Arrangement.

0060

2. If a participating country finds that its interests are being seriously affected by any such measure taken by another participating country, that country may request the country applying such measure to consult with a view to remedying the situation.

3. If the consultation fails to achieve a mutually satisfactory solution within a period of sixty days the requesting participating country may refer the matter to the Textiles Surveillance Body which shall promptly discuss such matter, the participating country concerened being free to refer the matter to that body before the expiry of the period of sixty days if it considers that there are justifiable grounds for so doing. The Textiles Surveillance Body shall make such recommendations to the participating countries as it considers appropriate.

마. 일정기간 갓트 19조 발동 금지 문제 (2조 15항)

o 2조에 의해 잠정기간중 규제조치가 철폐되고 갓트로 복귀된 품목에 대해서는 2년간 갓트 19조에 의한 일반 SG 발동을 금지시켜야 한다는 내용

- 선진 수입국은 동 조항이 갓트상의 정당한 권리인 갓트 19조 발동 권리를 제한하는 것이라며 수락할 수 없다는 입장임

- 홍콩, 인도, 파키스탄등이 강력히 주장하는 조항으로 현재의 규제 조치가 갓트로 복귀된 후 수입국이 갓트 19조를 발동하여 총량쿼타 로서 규제할 경우를 우려하는 것임

0061

<아국입장>

- (제 1안)
  . UR/Safeguards 협정안에도 일정기간 SG의 재발동 금지지간이 논의되고 있는 상황에서 섬유 협정안에도 본 협정에 의해 규제가 철폐되어 갓트로 복귀된 품목에 대해서는 갓트상의 SG 발동 금지 기간을 인정해야 함

- (제 2안)
  . 현 의장안 6조 15항 (또는 홍콩의 수정제안 내용)이 반영되는 것을 조건으로 하여 철회

바. 갓트 규정의 강화 관련

o 본협정 및 갓트 복귀 과정의 일부로서 각국은 아래와 같은 갓트 규정 및 원칙의 강화를 보장하기 위한 조치 및 행동을 해야할 것을 일반 의무로 규정하고 이를 위반한 국가에 대하여는 본 협정상의 권리 (차기 단계로의 연 증가율 적용 배제 등)를 인정치 않을 수 있음을 규정

- 괄목할만한 섬유 관세인하 및 양허, 비관세 철폐 및 완화, 수입허가 관리 및 세관 절차등의 개선
- 덤핑, 보조금, 지적재산권 보호와 같은 분야에서의 공정한 교역조건 달성
- 일반 섬유 교역 정책 시행시 차별 방지 등

- 던켈 의장은 최종안에 상기 EC 주장을 어느정도 반영코자 할것을 암시하고 있으며 개도국들은 동 EC 주장에 강한 반대 입장

  ※ 던켈 의장은 상기 EC 주장과 개도국 주장인 품목 coverage 및 갓트복귀 비율등에 대해 서로 trade-off할 것을 염두에 두고 있는 것으로 관측됨

0062

<아국입장>

- 상기 EC 제안에 대해 당사국간의 협의등 절차적인 보완을 전제로 하여 수락토록 함

  . EC를 비롯 선진국의 상기 쟁점에 대한 주장의 강도로 보아 동 제안이 수락되지 않고는 섬유협상이 타결될 가능성이 희박함

  . 아국은 섬유 교역에 관한 관세, 비관세 장벽이 여타 개도국에 비해 현저히 낮으며 또한 섬유교역에 대한 추가적인 규제 필요성이 최근 섬유 수출이 급증하고 있는 여타 수출 경쟁 개도국에 비해 낮음

사. 상호 합의 조정 규정 (2조 12항)

o 현 의장안 2조 12항에는 수출입국이 상호 합의할 경우 전체 시장접근 수준을 감소시키지 않는 범위내에서 기초수준, 연 증가율, 융통성등에 대한 상이한 혼합을 할 수 있도록 규정되어 있음 - 수입국이 동 규정을 남용하여 일부 품목의 주종 수출국에 대한 쿼타 삭감을 요청할 가능성도 배제할 수 없음

- 미국, EC는 동 조항이 일부 쿼타 소진이 부진한 품목의 쿼타량을 삭감하고 여타 품목의 연 증가율등을 증가시키는 등 수출국의 필요에 의해 융통성을 인정하는 규정이라는 주장

- 이에 대해 아국, 홍콩, 인도, 브라질, 인니등은 동 규정이 과거 MFA 운영 사례에 비추어 수입국이 동 조항을 남용하여 일부 수출국에 불리하게 운영할 위험성이 있다며 반대

- 반면 개도국중 터어키, 이집트, 페루등 국가는 융통성이 필요하다는 이유로 동 조항의 필요성을 주장

0063

<아국입장>

- 현 의장안 2조 12항 내용 삭제 주장
- 여타 개도국이 융통성 확보 차원에서 동 조항의 필요성을 주장할 경우에는 2조 11항 (융통성 조항)을 개정하여 소기의 목적을 달성할 수 있다고 대응

※ 현 의장안 내용 (2조 12항)

Parties to this Agreement may mutually agree to provide for [a different mix of base levels, rates of growth and flexibility, provided that the resulting agreement shall not involve any diminution of the access level in the importing party provided for under this Article].

※ 수정제안 (2조 11항 개선)

Flexibility provisions, i.e. swing, carryover and carry forward applicable to all quantitative restrictions in force in accordance with the provisions of this Article shall be the same as not less than those provided for in MFA bilateral agreement for the year, [1991]. Parties may mutually agree to improve such provisions: such improvements shall not reduce or change the flexibility provisions provided above; but any flexibility in addition to the levels provided above may be on the basis of adjusted conversion factors.
No quantitative limits shall be placed on the combined use of swing, carryover and carry forward.

0064

아. 잠정 Safeguards 발동 조건 관련

o 갓트 19조의 일반 SG는 MFN (무차별)원칙에 의해야 하나 본 잠정 협정은 한시적으로 Selectivity에 근거한 SG 발동을 인정함

- 단, 그 구체적인 발동기준, 우대원칙 반영 정도, 규제수준 결정 기준 및 발동시한 등에 대해 수출입국간 이견 상존

o 주요 세부 쟁점별 검토

1) 발동기준

o 현 의장안은 기본적으로 카나다가 제안한 2중기준 (2 tier system)을 기초로하고 있음

- 첫째 수입국은 특정 품목이 국내 산업에 피해를 발생했는지 여부에 대한 global approach를 한후 둘째 규제는 개별국가의 피해 여부 및 그 정도에 따라 발동토록 하고 있음

※ 관련 규정

(제 6조 2항)

2. Safeguard action may be taken under this Article when, a determination by a party, it is demonstrated that a particular product is being imported into its territory in such increased quantities as to cause serious damage, or actual threat there of, to the domestic industry producing like or directly competitive products. Serious damage or actual threat there of must demonstrably result from such an increase in total imports and not from factors such as technological changes or changes in consumer preference.

0065

(2조 4항)

4. Any measure invoked pursuant to the provisions of this Article shall be on a country-by-country basis. The party invoking a safeguard measure shall determine the party or parties contributing to the serious damage or actual threat thereof, referred to in paragraphs 2 and 3 above, through a sharp and substantial increase in imports, actual or imminent, from such a party or parties individually, and on the basis of the level of imports as compared with imports from other sources, market share, and import and domestic prices at a comparable stage of commercial transaction; none of these factors, either alone or combined with other factors, can necessarily give decisive guidance.
「The application of such safeguard measures shall not affect the party or parties whose exports of the particular product are already under restraint.」

<아국입장>

o 현 의장안 내용을 수용

- 아국은 잠정기간중 새로이 SG를 발동당할 가능성이 여타 개도 수출국에 비해 크지 않고 발동당할 경우에도 특정국별 수출증가 및 피해 정도를 기준으로 하므로 큰 이의 없음

o 다만 최근 캐나다가 일부 문구를 수정하는 제안을 한 바 큰 이견 없음

- 다만 동 카나다 제안중 상기 4항 말미의 "특정 수출 품목이 이미 규제하에 있는 국가에 대해서는 영향을 미치지 않는다"는 내용의 삭제 주장은 수락 불가

. (주장 논리) 이미 규제가 발동중인 품목에 대해 SG 발동이 영향을 미치는 것은 논리적으로 불합리함

0066

2) 시장 점유율을 기준으로한 SG 발동 금지 문제

[- 원칙적으로 특정 품목에 있어 보다큰 시장 점유율을 갖고 있는 수출국이 잠정 SG 조치 적용을 받지 않으면 여타국은 규제받지 않음]

< 관련문항 : 6조 4항 말미 >

[In principle, a party shall not be subject to restraints if the transitional safeguard is not applied to any other party that has a larger market share, in respect of the particular product.]

< 아국입장 >

o 동 문항 삭제 주장

- 단, 현재 미국, EC, 카나다등 모든 수입국이 동 조항을 반대하고 있으므로 동 조항의 포함 가능성이 희박한 상황에서 여타 개도국 입장을 고려 강한 주장은 자제

- (주장논리) : GATT 19조의 기본 개념에 따라 수입의 급증 정도가 판단기준이 되어야 하며 단순한 시장 점유율이 잠정 SG 조치의 결정적인 대상국가 선정의 기준이 되는것은 합리적이지 못함

- 잠정 SG 조치의 조건은 2항 및 4항의 기준에 의해 보다 객관적인 기준에 따라 발동될 수 있으므로 단지 시장 점유율이 높은것이 불공정한 수출로 인식될 수 있는 동 내용의 포함은 반대함

0067

3) 특수한 공급국 우대 문제 (6조 6항)

o 잠정 SG 발동시 최빈개도국, 신규 참여국, 소규모 공급국, 면 및 모 생산국에 대한 특별한 이해 관계를 고려해야 함

<아국입장>

o 우리로서는 특별히 반대할 명분이 없으나 선진국이 최빈 개도국 및 엄격한 조건의 소규모 공급국 이외에는 구체적으로 예외인정을 거부하고 있어 여타 특수한 수출 개도국의 입장이 그대로 반영되는 어려울 것이며 반영될시도 현 MFA 협정문과 같이 이들 모두를 포함하여 선언적인 의미의 조항이 될 것으로 보이므로 아국이 강하게 반대할 이유 없음

o 다만 선진국이 전체 협상 타결 및 여타 쟁점과 동 우대 문제를 연계시켜 타결될 가능성도 배제할 수 없으므로 최종 순간까지 예의 주시함

4) 규제수준 (6조 8항)

o 협의를 통해 특정 수출국의 수출제한에 대해 상호합의 (mutual understanding) 할 경우, 동 규제수준은 [(①) 협의 요청일 이전 2개월전부터 그 이전의 12개월간의 실제 수출 또는 수입수준, 또는 (②) 과거 3년간의 평균 실제수출 또는 수입 수준중 높은 수준] 보다 낮지 않은 수준에서 결정되어야 함

<아국입장>

o 아국의 최근 수출물량 감소 추세에서 비추어 볼때에는 3년간 평균 수출입 실적이 다소 유리하나 일반 SG 협상 및 장기적인 관점에서는 규제 발동 1년간이 과거 3년간 평균 수출 물량보다 높은것이 일반적이므로 년간 실제 수출 수준으로 주장함

5) 기타 규제 발동기한, 규제 발동시 연 증가율 및 융통성등에 대해서는 현 협정안 내용을 기초로 여타 개도국 입장과 공동 대응 함

0068

외 무 부

110-760 서울 종로구 세종로 77번지 / (02)720-2188 / (02)725-1737

문서번호 통기 20644- 61989
시행일자 1991.12.13.( )

수신 상공부장관
참조

취급		장 관
보존		
국 장	전 결	
심의관		
과 장	대결	
기안	조 현	협조

제목 UR/섬유 협상 정부대표 임명 통보

91.12.13-20간 스위스 제네바에서 개최되는 UR/섬유협상 비공식 협상에 참가할 정부대표가 "정부대표 및 특별사절의 임명과 권한에 관한 법률"에 의거 아래와 같이 임명 되었음을 통보합니다.

- 아 래 -

1. 회 의 명 : UR 섬유 비공식 협상
2. 회의 개최일시 및 장소 : 91.12.13-20, 제네바
3. 정부대표 : 상공부 국제협력관실 사무관 김영학
4. 출장기간 : 91.12.12-22
5. 소요경비 : 상공부 예산
6. 출장 결과 보고 : (귀국후) 2주일이내. 끝.

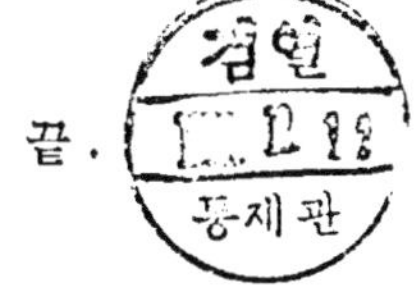

외 무 부 장

0069

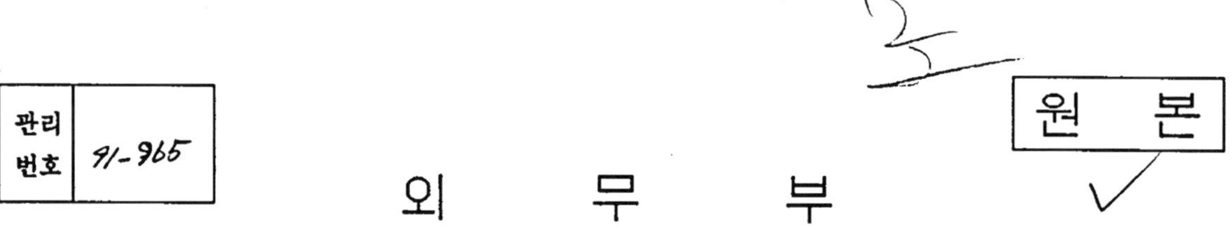

외 무 부

종 별 :

번 호 : GVW-2738 일 시 : 91 1219 1700

수 신 : 장관(통기,경기원,상공부,재무부)

발 신 : 주 제네바 대사

제 목 : UR/섬유협상(최종협상안 작성 협의)

예고문: 예 의거 재분류(1991.12.31.) 직위 성명

표제협상 그룹의 최종협상 초안을 작성키 위한 8 개국 및 14 개국 비공식 회의가 던켈 사무총장 및 후세인 사무차장보 주재로 12.17-18 간 개최되어(12.17.10:00-12.18.07:00 및 12.18.11:00-17:00) 최종 협상안에 대해 논의하였는바 주요쟁점에 대한 합의 내용을 아래 보고함.(강상무관, 김영학 사무관 참석)

1. 수출입국 합의에 의한 쿼타 조정 가능 조항(DIFFERENT MIX: 2 조 12 항)

0 잠정기간중 수출입국은 상호 합의할 경우 쿼타물량, 연증가율, 융통성등에 대해 조정할 수 있다는 동 조항은 수입국에 의해 악용될 우려가 많아 동 조항의 삭제에 대해 그동안 아국은 최대의 관심을 기울여 왔는바, 동 조항은 소규모공급국에 국한된 예외조항에 포함시킴으로써 2 조 12 항은 삭제키로 합의함.

2. 연증가율 및 갓트 복귀율

0 현 의장안에 규정된 연증가율(16 퍼센트, 21 퍼센트, 26 퍼센트) 및 갓트복귀율(10 퍼센트,15 퍼센트,20 퍼센트)을 작년 브랏셀 회의 실패로 인해 시행이 1 년 늦추어 졌다는 DOWNPAYMENT 를 위해, 상향 조정해야 한다는데 선진 수입국이 양보를 얻어냄

0 다만 구체적인 숫치에 대해서는 수출개도국이 연증가율은 단계별로 20 퍼센트,25 퍼센트,30 퍼센트, 갓트복귀율 65 퍼센트(단계별로 10 퍼센트, 20 퍼센트,25 퍼센트)를 주장한데 대해, 미국은 연증가율은 16 퍼센트,27 퍼센트, 65 퍼센트, 갓트복귀율 49 퍼센트(12 퍼센트,16 퍼센트,19 퍼센트)을 주장했고, EC 는현 의장안에서 4 퍼센트의 DOWNPAYMENT 를 증가시킬 수 있다는 주장을 하였는바, 던켈 의장은 자신의 책임으로 최종안에 숫치를 제시하겠으나 이를 각국이 수락할 것을 제의함

통상국	장관	차관	1차보	2차보	경제국	외정실	분석관	청와대
안기부	경기원	재무부	상공부					

PAGE 1 91.12.20 07:32

외신 2과 통제관 BD

0070

0 최소 연증가율 문제에 대해서는 별반 논의가 이루어지지 못하였으며 의장이 자신의 책임으로 최종협정안에 처리키로 하였으나 반영가능성이 희박함.

3. 품목대상범위

0 별반 논의가 이루어지지 못했으나 던켈 의장이 대상품목을 2 원화(잠정 SG 발동대상 및 규제중인 품목기준)하는 방안을 거론함

4. 갓트 19 조 발동 금지문제(MORATORIUM PERIOD: 2 조 15 항)

0 현 규제가 갓트로 복귀된후 2 년동안은 갓트 19 조상의 SG 발송을 금지해야 한다는 동 조항은 그동안 미국, 홍콩이 강하게 주장해온 내용이었는바, 이에 대해서는 갓트로 복귀된 품목에 대해 갓트상 정당한 권리인 19 조를 발동치 못한다는 것은 논리적으로 불합리하다는 선진수입국의 반대에 따라, 타협안으로 갓트로 복귀된 품목에 대해 1 년 이내에 19 조를 발동할 경우에는 현 MFA 에서와 같이 (1) 쿼타를 수출국이 관리한다는 점과 (2) 쿼타수준은 최근 수출수준보다 낮게할 수 없다는 점(SG 협상에서 현재 쟁점이 되고있는 QUOTA MODULATION 에 관계없음)을 규정키로 합의함으로써 소기의 목적을 달성함.

5. 과거 규제 품목에 대해 잠정 SG 를 재발동할 경우 쿼타수준

0 새로운 규제가 2 년이내에 다시 발동될경우 과거 규제시의 쿼타수준을 다시 인정해야 한다는 내용으로, 이에 대해서는 기간을 2 년에서 1 년으로 단축시켜 인정키로 함.

6. 특수한 공급국에 대한 우대

0 소규모 공급국의 정의를 수출 물량수준 1 퍼센트를 총 규제수준기준 1.2퍼센트로 조정함으로써 소규모 공급국의 대상 범위가 축소되었으며, 우대방안도시장접근의 개선 및 한단계 앞선 갓트 복귀단계 실현으로 축소 규정됨

0 면 및 모 생산국에 대한 우대 규정은 현재 규정된 2 조 및 6 조에서 1 조로 옮겨 규정할것을 의장이 제안한바 파키스탄, 인도, 우루과이의 반대로 인해 최종합의를 이루지 못했으나 의장은 1 조에 규정할 것으로 예상됨.

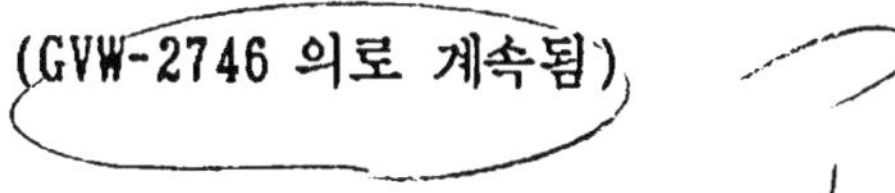

(GVW-2746 의로 계속됨)

원 본

관리 번호	

외 무 부

종 별 :

번 호 : GVW-2746 일 시 : 91 1219 1700

수 신 : 장관(통기,경기원,상공부,재무부)

발 신 : 주 제네바 대사

제 목 : GVW-2738 의 계속임

7. 잠정 SG 의 제반 문제(6 조)

0 4 항의 시장점유율이 높은 국가가 규제받지 않을 경우 타국에 잠정 SG 를발동할 수 없다는 내용을 삭제키로 합의함

0 8 항의 규제수준은 과거 2 년간 수출실적으로 타협(선진국 3 년, 개도국 1년 주장)

0 12 항의 잠정 SG 발동기한은 연장없이 최대 3 년까지로 함

0 2 항 및 4 항의 잠정 SG 발동 기준에 개도국 입장이 반영된 문구 수정이 이루어짐

8. 추가적인 무역 조치(제 7 조)

0 동 조항에 대해서는 갓트상 정당한 권리 발동을 금지시킬수 없으며 국내의 반덤핑 규정을 개정할 수 없다는 미국, EC 의 강한 반대와 그 필요성을 주장하는 개도국 입장이 대립되어 이를 삭제키로 함.

9. 갓트 규정 및 원칙의 강화(제 8 조)

0 브랏셀 의장 및 수정제안한 문안에 근거하여 의장이 최종 협정안에 반영시킬 것으로 보임

10. 관찰 및 평가

0 금번 협상을 통해 미국, EC 등 선진국은 수출개도국의 주장을 어느정도 받아들여 전체적으로 작년 브랏셀회의에 제출된 협정초안 내용보다 수출개도국에유리한 협상안이 작성될 것으로 판단됨

0 아국은 홍콩과 사전에 충분한 협의를 통하여 섬유 주종수출국에 유리한 (1) 상호 쿼타 조정합의(DIFFERENT MIX) 조항의 삭제(2) 갓트 19 조발동시 수출국의 쿼타 관리 (3) 잠정 SG 발동시 과거의 쿼타 수준 인정등이 반영되었음

통상국	장관	차관	1차보	2차보	경제국	외정실	분석관	청와대
안기부	경기원	재무부	상공부					

PAGE 1

91.12.20 19:20

외신 2과 통제관 CE

0072

0 최소 연증가율에 대해서는 합의치 못하고 의장이 자신의 책임으로 최종협정안에 처리키로 하였으나 반영 여부가 미정임. 다만 금번 협상 과정에서 홍콩측과협의시 타진한바에 의하면 홍콩은 그동안 동 문제를 주장해 온것은 이것을 반드시 관철시켜야 한다는 필요성 보다는 미국, EC 등 선진구이 주종 수출국의 쿼타삭감등 희생을 기반으로 하여 타 수출 개도국에 유리한 협상이 타결되는 것을 방지하는데 더 큰 실제적인 목적이 있었던 만큼, 최종협정안에 동 잇슈가 반영되지 않는다 하더라도 실망치 않는다며 또한 현실적으로 미국, EC 가 동 잇슈를 수락할 수는 없을 것이라고 판단하고 있다고함

또한 홍콩은 섬유 주종 수출국으로서 이번 협상 결과 작성될 상기요지의 섬유협상 최종안에 대해 매우 만족하고 있다는 견해를 나타냄.끝

(대사 박수길-국장)

예고:91.12.31. 까지

O. AGREEMENT ON TEXTILES AND CLOTHING

PREAMBLE

1. Recalling that Ministers agreed at Punta del Este that negotiations in the area of textiles and clothing shall aim to formulate modalities that would permit the eventual integration of this sector into GATT on the basis of strengthened GATT rules and disciplines, thereby also contributing to the objective of further liberalization of trade;

2. Recalling also that in the April 1989 Decision of the Trade Negotiations Committee it was agreed that the process of integration should commence following the conclusion of the Uruguay Round and should be progressive in character.

3. Recalling further that it was agreed that special treatment should be accorded to the least-developed countries;

Parties[1] hereby agree as follows:

---

[1]Throughout this Agreement, the term parties includes the competent authorities of the European Economic Community.

676-·-177

0074

ARTICLE 1

1. This Agreement sets out provisions to be applied by parties during a transitional period for the integration of the textiles and clothing sector into the GATT.

2. Parties agree to use the provisions of Articles 2:18 and 6:6 of this Agreement in such a way as to permit meaningful increases in access possibilities for small suppliers and the development of commercially significant trading opportunities for new entrants in the field of textiles and clothing trade.

3. Parties shall have due regard to the situation of those parties which have not participated in the Protocols extending the Arrangement Regarding International Trade in Textiles (MFA) since 1986 and, to the extent possible, shall afford them special treatment in applying the provisions of this Agreement.

4. Parties agree that the particular interests of the cotton producing exporting countries should, in consultation with them, be reflected in the implementation of the provisions of this Agreement.

5. In order to facilitate the integration of the textiles and clothing sector into the GATT, parties should allow for continuous autonomous industrial adjustment and increased competition in their markets.

6. Unless otherwise provided in this Agreement, its provisions shall not affect the rights and obligations of contracting parties under the provisions of the General Agreement and instruments concluded within its framework.

7. The textiles and clothing products to which this Agreement applies are set out in the Annex to this Agreement (hereafter referred to as the Annex).

ARTICLE 2

1. All quantitative restrictions within bilateral agreements maintained under Article 4 or notified under Article 7 or 8 of the MFA in force on 31 December 1992, shall, within 60 days following the entry into force of this Agreement, be notified in detail, including the restraint levels, growth rates and flexibility provisions, by the parties maintaining such restrictions, to the Textiles Monitoring Body (herein referred to as the TMB) established under Article 8. Parties agree that as of 1 January 1993, all such restrictions maintained between GATT contracting parties, and in place on 31 December 1992, shall be governed by the provisions of this Agreement.

2. The TMB shall circulate these notifications to all parties for their information. It is open to any party to bring to the attention of the TMB, within 60 days of the circulation of the notifications, any observations it deems appropriate with regard to such notifications. Such observations shall be circulated to the other parties for their information. The TMB may make recommendations, as appropriate, to the GATT parties concerned.

3. When the twelve-month period of restrictions to be notified under paragraph 1 above does not coincide with the calendar year, the parties concerned should mutually agree on arrangements to bring the period of restrictions into line with the calendar year, and to establish notional base levels of such restrictions in order to implement the provisions of this Article. Concerned parties agree to enter consultations promptly upon request with a view to reaching such mutual agreement. Any such arrangements shall take into account, inter alia, seasonal patterns of shipments in recent years. The results of these consultations shall be notified to the TMB which shall make such recommendations as it deems appropriate to the parties concerned.

4. The restrictions notified under paragraph 1 above shall be deemed to constitute the totality of such restrictions applied by the respective parties on 31 December 1992. No new restrictions in terms of products or parties shall be introduced except under the provisions of this Agreement or relevant GATT provisions. Restrictions not notified within 60 days of the entry into force of this Agreement shall be terminated forthwith.

5. Any unilateral measure taken under Article 3 of the MFA prior to 1 January 1993 may remain in effect for the duration specified therein, but not exceeding 12 months, if it has been reviewed by the Textiles Surveillance Body (TSB) established under the MFA. Should the TSB not have had the opportunity to review any such unilateral measure, it shall be reviewed by the TMB in accordance with the rules and procedures governing Article 3 measures under the MFA. Any measure applied under an MFA Article 4 agreement prior to 1 January 1993 that is the subject of a dispute which the TSB has not had the opportunity to review shall also be reviewed by the TMB in accordance with the MFA rules and procedures applicable for such a review.

6. On the first day of the entry into force of this Agreement, each party shall integrate into GATT products which, in 1990, accounted for not less than 12 per cent[1] of the total volume of imports in 1990 of the products in the Annex, in terms of HS lines or categories. The products to be integrated shall encompass products from each of the following four groups: tops and yarns, fabrics, made-up textile products and clothing.

---

[1]Prior to this integration, an additional four per cent will be integrated at the outset by way of exclusion from the product coverage in the Annex.

676- -17p 0076

7. Full details of the actions to be taken pursuant to paragraph 6 above shall be notified by the parties concerned according to the following:

- parties maintaining restrictions falling under paragraph 1 above undertake, notwithstanding the date of the entry into force of this Agreement, to notify to the GATT Secretariat not later than 1 July 1992. The GATT Secretariat shall promptly circulate these notifications to the other parties for information. These notifications will be made available to the TMB, when established, for the purposes of paragraph 21 below;

- parties which have, pursuant to paragraph 1 of Article 6, retained the right to use the provisions of Article 6, shall notify to the TMB not later than 60 days following the entry into force of this Agreement, or, in the case of those parties covered by Article 1, paragraph 3, not later than 31 December 1993. The TMB shall circulate these notifications to the other parties for information and review them as provided in paragraph 21 below.

8. The remaining products, i.e., the products not integrated into GATT under paragraph 6 above, shall be integrated, in terms of HS lines or categories, in three stages, as follows:

A. On 1 January 1996, products which, in 1990, accounted for not less than 17 per cent of the total volume of 1990 imports of the products in the Annex. The products to be integrated by the parties shall encompass products from each of the following four groups: tops and yarns, fabrics, made-up textile products and clothing.

B. On 1 January 2000, products which, in 1990, accounted for not less than 18 per cent of the total volume of 1990 imports of the products in the Annex. The products to be integrated by the parties shall encompass products from each of the following four groups: tops and yarns, fabrics, made-up textile products and clothing.

C. On 1 January 2003, the textiles and clothing sector shall stand integrated into GATT, all restrictions under this Agreement having been eliminated.

9. Parties which have notified, pursuant to paragraph 1 of Article 6, their intention not to retain the right to use the provisions of Article 6 shall, for the purposes of this Agreement, be deemed to have integrated their textiles and clothing products into the GATT. Such parties shall, therefore, be exempted from complying with the provisions of paragraphs 6 to 8 above.

676 - -180 0077

10. Nothing in this Agreement shall prevent a party which has submitted an integration programme pursuant to paragarphs 6 or 8 above from integrating products into the GATT earlier than provided for in such a programme. However, any such integration of products shall take effect at the beginning of a calendar year, and details notified to the TMB at least three months prior thereto for circulation to all parties.

11. The respective programmes of integration, in pursuance of paragraph 8 above, shall be notified in detail to the TMB at least 12 months before their coming into effect and circulated by the TMB to all parties.

12. The base levels of the restrictions on the remaining products, mentioned in paragraph 8 above, shall be the restraint levels referred to in paragraph 1 above.

13. During Stage 1 of this Agreement, (years 1993 to 1995 inclusive) the level of each restriction under MFA bilateral agreements in force for the year 1992 shall be increased annually by not less than the growth rate established for the respective, restrictions increased by 16 per cent.

14. Except where the GATT Council[1] decides otherwise under Article 8:12, the level of each remaining restriction shall be increased annually during subsequent stages of the Agreement by not less than the following:

(i) for Stage 2 (years 1996 to 1999 inclusive), the growth rate for the respective restrictions during Stage 1, increased by 25 per cent;

(ii) for Stage 3 (years 2000 to 2002 inclusive), the growth rate for the respective restrictions during Stage 2, increased by 27 per cent.

15. Nothing in this Agreement shall prevent a party from eliminating any restriction maintained pursuant to this Article effective at the beginning of any calendar year during the transition period, provided the exporting party concerned and the TMB are notified at least three months prior to the elimination coming into effect. The period for prior notification might be shortened to 30 days with the agreement of the restrained party. The TMB shall circulate such notifications to all parties. In considering the elimination of restrictions as envisaged in this paragraph, the party concerned shall take into account the treatment of similar exports from other parties.

---

[1] Subject to the understanding that this will be a matter for decision in the negotiations on institutions.

676 - -181 0078

16. Flexibility provisions, i.e., swing, carryover and carry forward, applicable to all quantitative restrictions in force in accordance with the provisions of this Article shall be the same as those provided for in MFA bilateral agreements for the year 1992. No quantitative limits shall be placed on the combined use of swing, carryover and carry forward.

17. Administrative arrangements, as deemed necessary in relation to the implementation of any provision of this Article shall be a matter for agreement between the parties concerned. Any such arrangements shall be notified to the TMB.

18. As regards those parties subject to restrictions on 31 December 1992 and whose restrictions represent 1.2 per cent or less of the total volume of the restrictions applied by an importing party as of 31 December 1991 and notified under this Article, meaningful improvement in access shall be provided at the entry into force of this Agreement and for its duration through advancement by one stage of the growth rates set out in paragraph 9 above or through at least equivalent changes as may be mutually agreed with respect to a different mix of base levels, growth and flexibility provisions. Such improvements shall be notified to the TMB.

19. In any case, during the life of this Agreement, in which a safeguard measure is initiated by a party under Article XIX of the GATT in respect of a particular product during a period of one year immediately following the integration of that product into GATT in accordance with the provisions of this Article, the provisions of Article XIX as interpreted by the Agreement on Safeguards, will apply save as set out in paragraph 20, below.

20. Where such a measure is applied using non-tariff means, the importing party concerned shall apply the measure in a manner as set forth in Article XIII:2(d) of the GATT at the request of any exporting party whose exports of such products were subject to restrictions under this Agreement at any time in the one-year period immediately prior to the initiation of the safeguard measure. The concerned exporting party shall administer such a measure. The applicable level shall not reduce the relevant exports below the level of a recent representative period, which shall normally be the average of exports from the concerned party in the last three representative years for which statistics are available. Further, when the safeguard measure is applied for more than one year, the applicable level shall be progressively liberalised at regular intervals during the period of application. In such cases the concerned exporting party shall not exercise the right of suspending substantially equivalent concessions or other obligations under the General Agreement as provided for under Article XIX:3(a) of the GATT.

21. The TMB shall keep under review the implementation of this Article. It shall, at the request of any party, review any particular matter with reference to the implementation of the provisions of this Article. It shall make appropriate recommendations or findings within 30 days to the party or parties concerned after inviting the participation of such parties.

676 - -182 0079

ARTICLE 3

1. Within 60 days following the entry into force of this Agreement, parties maintaining restrictions[1] on textiles and clothing products (other than restrictions maintained under the MFA and covered by the provisions of Article 2), whether consistent with GATT or not, shall (a) notify them in detail to the TMB, or (b) provide to the TMB notifications with respect to them which have been submitted to any other GATT body. The notifications should, wherever applicable, provide information with respect to any GATT justification for the restrictions, including GATT provisions on which they are based.

2. All restrictions falling under paragraph 1 above, except those justified under a GATT provision, shall be either:

   (a) brought into conformity with the GATT within one year following the entry into force of this Agreement, this being notified to the TMB for its information; or

   (b) phased out progressively according to a programme to be presented to the TMB by the party maintaining the restrictions not later than six months after the date of entry into force of this Agreement. This programme shall provide for all restrictions to be phased out within a period not exceeding the duration of this Agreement. The TMB may make recommendations to the party concerned with respect to such a programme.

3. Over the period of this Agreement, parties shall provide to the TMB, for its information, notifications submitted to any other GATT bodies with respect to any new restrictions or changes in existing restrictions on textiles and clothing products, taken under a GATT provision, within 60 days of their coming into effect.

4. It shall be open to any party to make reverse notifications to the TMB, for its information, in regard to the GATT justification, or in regard to any restrictions that may not have been notified under the provisions of this Article. Actions with respect to such notifications may be pursued by any party under relevant GATT provisions or procedures.

5. The TMB shall circulate the notifications made pursuant to this Article to all parties for their information.

---

[1]Restrictions denote all unilateral quantitative restrictions, bilateral arrangements and other measures having a similar effect.

676 — —183 0080

ARTICLE 4

1. Restrictions referred to in Article 2, and those applied under Article 6, shall be administered by the exporting parties. Importing parties are not obliged to accept shipments in excess of the restrictions notified under Article 2 and applied pursuant to Article 6.

2. Parties agree that the introduction of changes, such as changes in practices, rules, procedures and categorization of textile products, including those changes relating to the Harmonized System, in the implementation or administration of those restrictions notified or applied under this Agreement should not upset the balance of rights and obligations between the parties concerned under this Agreement; adversely affect the access available to a party; impede the full utilization of such access; or disrupt trade under this Agreement.

3. If a product which constitutes only part of a restriction is notified for integration pursuant to the provisions of Article 2, parties agree that any change in the level of that restriction shall not upset the balance of rights and obligations between the parties concerned under this Agreement.

4. When such changes are necessary, however, parties agree that the party initiating such changes shall inform and, wherever possible, initiate consultations with the affected party or parties prior to the implementation of such changes, with a view to reaching a mutually acceptable solution regarding appropriate and equitable adjustment. Parties further agree that where consultation prior to implementation is not feasible, the party initiating such changes will, at the request of the affected party, consult within 60 days if possible, with the parties concerned with a view to reaching a mutually satisfactory solution regarding appropriate and equitable adjustments. If a mutually satisfactory solution is not reached, any party involved may refer the matter to the TMB for recommendations as provided in Article 8. Should the TSB not have had the opportunity to review a dispute concerning such changes introduced prior to the entry into force of this Agreement, it shall be reviewed by the TMB in accordance with the rules and procedures of the MFA applicable for such a review.

ARTICLE 5

1. Parties agree that circumvention by transshipment, re-routing and false declaration concerning country or place of origin, and falsification of official documents, frustrates the implementation of this Agreement to integrate the textiles and clothing sector into the GATT. Accordingly, parties should establish the necessary legal provisions and/or administrative procedures to address and take action against such circumvention. Parties further agree that, consistent with their domestic laws and procedures, they will cooperate fully to address problems arising from circumvention.

676 - -184 0081

2. Should any party believe that this Agreement is being circumvented by transshipment, re-routing, false declaration concerning country or place of origin, or falsification of official documents, and that no, or inadequate measures are being applied to address or to take action against such circumvention, that party should consult with the party or parties concerned with a view to seeking a mutually satisfactory solution. Such consultations should be held promptly, and within 30 days when possible. If a mutually satisfactory solution is not reached, the matter may be referred by any party involved to the TMB for recommendations.

3. Parties agree, consistent with their domestic laws and procedures, to take necessary action to prevent, to investigate and, where appropriate, to take legal and/or administrative action against cicumvention practices within their territory. Parties agree to cooperate fully, consistent with their domestic laws and procedures, in instances of circumvention or alleged circumvention of this Agreement, to establish the relevant facts in the places of import, export and, where applicable, transshipment. It is agreed that such cooperation, consistent with domestic laws and procedures, will include investigation of circumvention practices which increase restrained exports to the party maintaining such restraints; exchange of documents, correspondence, reports and other relevant information to the extent available; and facilitation of plant visits and contacts, upon request and on a case-by-case basis. Parties should endeavour to clarify the circumstances of any such instances of circumvention or alleged circumvention, including the respective roles of the exporters or importers involved.

4. Where, as a result of investigation, there is sufficient evidence that circumvention has occurred (e.g., where evidence is available concerning the place of true origin, and the circumstances of such circumvention) parties agree that appropriate action, to the extent necessary to address the problem, should be taken. Such action may include the denial of entry of goods or, where goods have entered, having due regard to the actual circumstances and the involvement of the country of true origin, the adjustment of charges to restraint levels to reflect the true country of origin. Also, where there is evidence of the involvement of the territories of the parties through which the goods have been transshipped, such action may include the introduction of restraints with respect to such parties. Any such actions, together with their timing and scope, may be taken after consultations held with a view to arriving at a mutually satisfactory solution between the concerned parties and shall be notified to the TMB with full justification. The parties concerned may agree on other remedies in consultation. Any such agreement shall also be notified to the TMB and the TMB may make such recommendations to the parties concerned as it deems appropriate. If a mutually satisfactory solution is not reached, any party concerned may refer the matter to the TMB for prompt review and recommendation.

676 - -185 0082

5. Parties note that some cases of circumvention may involve shipments transiting through countries or places with no changes or alterations made to the goods contained in such shipments in the places of transit. They note that it may not be generally practicable for such places of transit to exercise control over such shipments.

6. Parties agree that false declaration concerning fibre content, quantities, description or classification of merchandise also frustrates the objective of this Agreement. Where there is evidence that any such false declaration has been made for purposes of circumvention, parties agree that appropriate measures, consistent with domestic laws and procedures, should be taken against the exporters or importers involved. Should any party believe that this Agreement is being circumvented by such false declarations and that no, or inadequate, administrative measures are being applied to address and/or to take action against such circumvention, that party should consult promptly with the party involved with a view to seeking a mutually satisfactory solution. If such a solution is not reached, the matter may be referred by any party involved to the TMB for recommendation. This provision is not intended to prevent parties from making technical adjustments when inadvertent errors in declarations have been made.

ARTICLE 6

1. Parties to this Agreement recognise that during the transition period it may be necessary to apply a specific transitional safeguard mechanism (hereinafter referred to as "transitional safeguard"). The transitional safeguard may be applied by any party, to all products covered by the Annex to this Agreement, except those integrated into the GATT under the provisions of Article 2. Parties not maintaining restrictions falling under Article 2 shall notify the TMB within 60 days following the entry into force of this Agreement, whether or not they wish to retain the right to use the provisions of this Article. Parties, as defined in Article 1:3, shall make such notification within 6 months following the entry into force of this Agreement. The transitional safeguard should be applied as sparingly as possible, consistent with the provisions of this Article and the effective implementation of the integration process under this Agreement.

2. Safeguard action may be taken under this Article when, on the basis of a determination by a party[1], it is demonstrated that a particular product is being imported into its territory in such increased quantities as to cause serious damage, or actual threat thereof, to the domestic industry producing like and/or directly competitive products. Serious damage or actual threat thereof must demonstrably be caused by such increased quantities in total imports of that product and not from such other factors as technological changes or changes in consumer preference.

3. In making a determination of serious damage, or actual threat thereof, as referred to in paragraph 2 above, the party shall examine the effect of those imports on the state of the particular industry, as reflected in changes in such relevant economic variables as output, productivity, utilization of capacity, inventories, market share, exports, wages, employment, domestic prices, profits and investment; none of which, either alone or combined with other factors, can necessarily give decisive guidance.

---

[1] A customs union may apply a safeguard measure as a single unit or on behalf of a member State. When a customs union applies a safeguard measure as a single unit, all the requirements for the determination of serious damage or actual threat thereof under this Agreement shall be based on the conditions existing in the customs union as a whole. When a safeguard measure is applied on behalf of a member State, all the requirements for the determination of serious damage, or actual threat thereof, shall be based on the conditions existing in that member State and the measure shall be limited to that member State.

676 - -189 0084

4. Any measure invoked pursuant to the provisions of this Article shall be on a country-by-country basis. The party or parties to whom serious damage, or actual threat thereof, referred to in paragraph 2 and 3 above, is attributed, shall be determined on the basis of a sharp and substantial increase in imports, actual or imminent[1], from such a party or parties individually, and on the basis of the level of imports as compared with imports from other sources, market share, and import and domestic prices at a comparable stage of commercial transaction; none of these factors, either alone or combined with other factors, can necessarily give decisive guidance. Such safeguard measure shall not be applied to the exports of any party whose exports of the particular product are already under restraint under this Agreement.

5. The period of validity of a determination of serious damage or actual threat thereof for the purpose of invoking safeguard action shall not exceed 90 days from the date of initial notification as set forth in paragraph 7.

6. In the application of the transitional safeguard, particular account shall be taken of the interests of exporting parties as set out below:

(a) Least-developed countries shall be accorded treatment significantly more favourable than that provided to the other groups referred to in this paragraph, preferably in all its elements but, at least, on overall terms.

(b) Parties whose total volume of textile exports is small in comparison with the total volume of exports of other parties and who account for only a small percentage of total imports of that product into the importing party shall be accorded differential and more favourable treatment in the fixing of the economic terms provided in paragraphs 8 and 13 below. For those suppliers, due account will be taken, pursuant to paragraphs 2 and 3 of Article 1 the future possibilities for the development of their trade and the need to allow commercial quantities of imports from them.

(c) With respect to wool products from wool producing, developing parties whose economy and textile trade are dependent on the wool sector, whose total textile exports consist almost exclusively of wool textile products, and whose volume of textile trade is comparatively small in the markets of the importing parties, special consideration shall be given to the export needs of such countries when considering quota levels, growth rates and flexibility.

---

[1]Such an imminent increase shall be a measurable one and shall not be determined to exist on the basis of allegation, conjecture or mere possibility arising, for example, from the existence of production capacity in the exporting countries.

616 - -184 0085

(d) More favourable treatment shall be accorded to reimports into a country of textile products which that party has exported to another party for processing and subsequent reimportation, as defined by the laws and practices of the importing parties, and subject to satisfactory control and certification procedures, when these products are imported from a party for which this type of trade represents a significant proportion of its total exports of textiles and clothing.

7. The party proposing to take safeguard action shall seek consultations with the party or parties which would be affected by such action. The request for consultations shall be accompanied by, specific and relevant factual information, as up-to-date as possible, particularly in regard to: (a) the factors, referred to in paragraph 3 above, on which the party invoking the action has based its determination of the existence of serious damage or actual threat thereof; and (b) the factors, referred to in paragraph 4 above, on the basis of which it proposes to invoke the safeguard action with respect to the party or parties concerned. In respect of requests made under this paragraph, the information shall be related, as closely as possible, to identifiable segments of production and to the reference period set out in paragraph 8 below. The party invoking the action shall also indicate the specific level at which imports of the product in question from the party or parties concerned are proposed to be restrained; such level shall not be lower than the level referred to in paragraph 8 below. The party seeking consultations shall, at the same time, communicate to the Chairman of the TMB the request for consultations, including all the relevant factual data outlined in paragraphs 3 and 4 above, together with the proposed restraint level. The Chairman shall inform the members of the TMB of the request for consultations, indicating the requesting party, the product in question and the party having received the request. The party or parties concerned shall respond to this request promptly and the consultations shall be held without delay and normally be completed within 60 days of the date on which the request has been received.

8. If, in the consultations, there is mutual understanding that the situation calls for restraint on the exports of the particular product from the party or parties concerned, the level of such restraint shall be fixed at a level not lower than the actual level of exports or imports from the party concerned during the twelve-month period terminating two months preceding the month in which the request for consultation was made.

9. Details of the agreed restraint measure shall be communicated to the TMB within 60 days from the date of conclusion of the agreement. In order to make its determination, the TMB shall have available to it the factual data provided to the Chairman of the TMB, referred to in paragraph 7 above, as well as any other relevant information provided by the parties concerned. The TMB shall determine whether the agreement is justified in accordance with the provisions of this Article. The TMB may make such recommendations as it deems appropriate to the parties concerned.

0086

676 - -18p

10. If, however, after the expiry of the period of 60 days from the date on which the request for consultations was received, there has been no agreement between the parties, the party which proposed to take safeguard action may apply the restraints by date of import or date of export, in accordance with the provisions of this Article, within 30 days following the 60 days period for consultations and at the same time refer the matter to the TMB. It shall be open to either party to refer the matter to the TMB before the expiry of the period of 60 days. In either case, the TMB shall promptly conduct an examination of the matter including the determination of serious damage, and its causes, and make appropriate recommendations to the parties concerned within 30 days. In order to conduct such examination, the TMB shall have available to it the factual data provided to the Chairman of the TMB, referred to in paragraph 7 above, as well as any other relevant information provided by the parties concerned.

11. In highly unusual and critical circumstances, where delay would cause damage which would be difficult to repair, action under paragraph 10 above may be taken provisionally on the condition that the request for consultations and notification to the TMB shall be effected within no more than 5 working days after taking the action. In the case that consultations do not produce agreement, the TMB shall be notified at the conclusion of consultations, but in any case no later than 60 days from the date of the implementation of the action. The TMB shall promptly conduct an examination of the matter, and make appropriate recommendations to the parties concerned within 30 days. In the case that consultations do produce agreement, parties shall notify the TMB upon conclusion but, in any case, no later than 90 days from the date of the implementation of the action. The TMB may make such recommendations as it deems appropriate to the parties concerned.

12. Measures invoked pursuant to the provisions of this Article may remain in place: (a) for up to three years without extension, or (b) until the product is removed from the scope of this Agreement, whichever comes first.

13. Should the restraint measure remain in force for a period exceeding one year, the level for subsequent years shall be the level specified for the first year increased by a growth rate of not less than 6 per cent per annum, unless otherwise justified to the TMB. The restraint level for the product concerned may be exceeded in either year of any two subsequent years by carry forward and/or carryover of 10 per cent of which carry forward shall not represent more than 5 per cent. No quantitative limits shall be placed on the combined use of carryover, carry forward and the provision of paragraph 14 below.

14. When more than one product from another party is placed under restraint by a party under this Article, the level of restraint agreed, pursuant to the provisions of this Article, for each of these

616-1PO 0087

products may be exceeded by 7 per cent provided that the total exports subject to restraint do not exceed the total of the levels for all products so restrained under this Article on the basis of agreed common units. Where the periods of restraints of these products do not coincide with each other, this provision shall be applied to any overlapping period on a pro rata basis.

15. If a safeguard action is taken under this Article on a product for which a restraint was previously in place in 1992 under the MFA or pursuant to the provisions of Article 2 or 6 of this Agreement, the level of the new restraint shall be the level provided for in paragraph 8 of this Article unless the new restraint comes into force within one year of:

(a) the date of notification referred to in Article 2, paragraph 15 for the elimination of the previous restraint; or

(b) the date of removal of the previous restraint put in place pursuant to the provisions of this Article

in which case the level shall be not less than the higher of (i) the level of restraint for the last twelve-month period during which the product was under restraint, or (ii) the level of restraint provided for in paragraph 8 of this Article.

16. When a party which is not maintaining a restraint under Article 2, decides to apply a restraint pursuant to the provisions of this Article, it shall establish appropriate arrangements which: (a) take full account of such factors as established tariff classification and quantitative units based on normal commercial practices in export and import transactions, both as regards fibre composition and in terms of competing for the same segment of its domestic market, and (b) avoid over-categorisation. The request for consultations referred to in paragraph 7 or 11 above shall include full information on such arrangements.

ARTICLE 7

1. As part of the integration process and with reference to the specific commitments undertaken by the parties in the Uruguay Round, all parties shall take such actions as may be necessary to abide by GATT rules and disciplines so as to:

(i) promote improved access to markets for textiles and clothing through such measures as tariff reductions and bindings, reduction or elimination of non-tariff barriers, and facilitation of customs, administrative and licensing formalities;

0088

636- -1P1

(ii) ensure the application of policies relating to fair and equitable trading conditions as regards textiles and clothing in such areas as dumping and anti-dumping rules and procedures, subsidies and countervailing measures, and protection of intellectual property rights[1]; and

(iii) avoid discrimination against imports in the textiles and clothing sector when taking measures for general trade policy reasons.

Such actions shall be without prejudice to the rights and obligations of parties under GATT.

2. Parties shall notify to the TMB the actions referred to in paragraph 1 above which have a bearing on the implementation of this Agreement. To the extent that these have been notified to other GATT committees or bodies, a summary, with reference to the original notification, shall be sufficient to fulfil the requirements under this paragraph. It shall be open to any party to make reverse notifications to the TMB.

3. Where any party considers that another party has not taken the actions referred to in paragraph 1 above, and that the balance of rights and obligations under this Agreement has been upset, that party may bring the matter before the relevant GATT committees and bodies and inform the TMB. Any subsequent findings or conclusions by the GATT committees and bodies concerned shall form a part of the TMB's comprehensive report.

ARTICLE 8

1. In order to supervise the implementation of this Agreement, to examine all measures taken under its provisions and their conformity therewith, and to take the actions specifically required of it in the Articles of this Agreement, there shall be established by the GATT Council a Textiles Monitoring Body (TMB). The TMB shall consist of a Chairman and 10 members. Its membership shall be balanced and broadly representative of the parties and shall provide for rotation of its members at appropriate intervals. The members shall be appointed by parties designated by the GATT Council to serve on the TMB, discharging their function on an ad personam basis.

2. The TMB will develop its own working procedures. It is understood, however, that consensus within the TMB does not require the assent or concurrence of members appointed by parties involved in an unresolved issue under review by the Body.

---

[1]Subject to the final decision on the Agreement in this area.

0089

676- -1P2

3. The TMB shall be considered as a standing body and shall meet as necessary to carry out the functions required of it under this Agreement. It shall rely on notifications and information supplied by the parties under the relevant Articles of this Agreement, supplemented by any additional information or necessary details they may submit or it may decide to seek from them. It may also rely on notifications to and reports from other GATT committees and bodies and from such other sources as it may deem appropriate.

4. Parties shall afford to each other adequate opportunity for consultations with respect to any matters affecting the operation of this Agreement.

5. In the absence of any mutually agreed solution in the bilateral consultations provided for in this Agreement, the TMB shall, at the request of either party, and following a thorough and prompt consideration of the matter, make recommendations to the parties concerned.

6. At the request of any party, the TMB shall review promptly any particular matter which that party considers to be detrimental to its interests under this Agreement where consultations between it and the party or parties concerned have failed to produce a mutually satisfactory solution. On such matters, the TMB may make such observations as it deems appropriate to the parties concerned and for the purposes of the review provided for in paragraph 11, below.

7. Before formulating its recommendations or observations, the TMB shall invite participation of such parties as may be directly affected by the matter in question.

8. Whenever the TMB is called upon to make recommendations or findings, it shall do so, preferably within a period of 30 days, unless a different time period is specified in this Agreement. All such recommendations or findings shall be communicated to the parties directly concerned. All such recommendations or findings shall also be communicated to the GATT Council for its information.

9. The parties shall endeavour to accept in full the recommendations of the TMB which shall exercise proper surveillance of the implementation of such recommendations.

10. If a party considers itself unable to conform with the recommendations of the TMB, it shall provide the TMB with the reasons therefor not later than one month after receipt of such recommendations. Following thorough consideration of the reasons given, the TMB shall issue any further recommendations it considers appropriate forthwith. If, after such further recommendations, the matter remains unresolved, either party may bring the matter before the GATT Council and invoke Article XXIII:2 procedures or other dispute settlement procedures of the General Agreement.

11. In order to oversee the implementation of the Agreement the GATT Council shall conduct a major review before the end of each stage of the integration process. To assist in this review, the TMB shall, at least five months before the end of each stage, transmit to the GATT Council a comprehensive report on the implementation of this Agreement during the stage under review, in particular in matters with regard to the integration process, the application of the transitional safeguard mechanism, and relating to the application of GATT rules and disciplines as defined in Articles 2, 3, 6 and 8 of this Agreement, respectively. The TMB's comprehensive report may include any recommendation as deemed appropriate by the TMB to the GATT Council.

12. In the light of its review the GATT Council shall take such decisions as it deems appropriate to ensure that the balance of rights and obligations embodied in this Agreement is not being impaired. Without prejudice to the final date set out under Article 9 of this Agreement, and as part of any resolution of a dispute involving textile and clothing products under GATT including this Agreement, the GATT Council may authorize an adjustment to Article 2, paragraph 14, for the stage subsequent to the review, with respect to any party found not to be complying with its obligations under this Agreement.

ARTICLE 9

1. This Agreement shall enter into force on 1 January 1993, and all restrictions thereunder shall stand terminated on 1 January 2003 on which date the textiles and clothing sector shall be fully integrated into the GATT. There shall be no extension of this Agreement.

ARTICLE 10

(FINAL PROVISIONS)

676- -1P6 0091

ANNEX

LIST OF PRODUCTS COVERED BY THIS AGREEMENT FOR THE PURPOSES OF ARTICLES 2 AND 6

1. This Annex lists textile products identified by Harmonised Commodity Description and Coding System (HS) codes at the six digit level which will constitute the basis for the integration of products into GATT during the transition period in accordance with Article 2 of this Agreement[1] and for products that will be subject to the safeguard mechanism under Article 6, until integrated into GATT pursuant to the provisions of Article 2.

2. Actions under the safeguard provisions in Article 6 will be taken on particular textile and clothing products and not on the basis of the HS lines *per se*.

Note:

Actions under the safeguard provisions in Article 6 of this Agreement shall not apply to:

1. developing country's exports of handloom fabrics of the cottage industry, or hand-made cottage industry products made of such handloom fabrics, or traditional folklore handicraft textile products, provided that such products are properly certified under arrangements established between the parties concerned;

2. historically traded textiles which were internationally traded in commercially significant quantities prior to 1982, such as bags, sacks, carpetbacking, cordage, luggage, mats, mattings and carpets typically made from fibres such as jute, coir, sisal, abaca, maguey and henequen;

3. products made of pure silk.

---

[1]See footnote to paragraph 6 of Article 2.

676- -1P5 0092

HS No.	Product description
	Section 11
Ch. 50	**Silk.**
5004 00	Silk yarn (other than yarn spun from silk waste) not put up for retail sale
5005 00	Yarn spun from silk waste, not put up for retail sale
5006 00	Silk yarn&yarn spun from silk waste, put up f retail sale; silk-worm gut
5007 10	Woven fabrics of noil silk
5007 20	Woven fabrics of silk/silk waste, other than noil silk, 85%/more of such fibres
5007 90	Woven fabrics of silk, nes
Ch. 51	**Wool, fine/coarse animal hair, horsehair yarn & fabric**
5105 10	Carded wool
5105 21	Combed wool in fragments
5105 29	Wool tops and other combed wool, other than combed wool in fragments
5105 30	Fine animal hair, carded or combed
5106 10	Yarn of carded wool,>/=85% by wght of wool, nt put up for retail sale
5106 20	Yarn of carded, wool,<85% by weight of wool, not put up for retail sale
5107 10	Yarn of combed wool,>/=85% by wght of wool, not put up for retail sale
5107 20	Yarn of combed wool,<85% by weight of wool, not put up for retail sale
5108 10	Yarn of carded fine animal hair, not put up for retail sale
5108 20	Yarn of combed fine animal hair, not put up for retail sale
5109 10	Yarn of wool/of fine animal hair,>/=85% by wght of such fibres, put up
5109 90	Yarn of wool/of fine animal hair,<85% by weight of such fibres, put up
5110 00	Yarn of coarse animal hair or of horsehair
5111 11	Woven fabrics of carded wool/fine animl hair,>/=85% by wght,</=300 g/m2
5111 19	Woven fabrics of carded wool/fine animal hair,>/=85% by wght,>300 g/m2
5111 20	Woven fabric of carded wool/fine animl hair,>/=85% by wt, mixd w m-m fi
5111 30	Woven fabric of carded wool/fine animl hair,>/=85% by wt, mixd w m-m fib
5111 90	Woven fabrics of carded wool/fine animal hair,>/= 85% by wght, nes
5112 11	Woven fabric of combed wool/fine animal hair,>/=85% by wght,</=200 g/m2
5112 19	Woven fabrics of combed wool/fine animal hair,>/=85% by wght,>200 g/m2
5112 20	Woven fabrics of combed wool/fine animal hair,<85% by wt, mixd w m-m fil
5112 30	Woven fabrics of combed wool/fine animal hair,<85% by wt, mixd w m-m fib
5112 90	Woven fabrics of combed wool/fine animal hair, <85% by weight, nes
5113 00	Woven fabrics of coarse animal hair or of horsehair
Ch. 52	**Cotton.**
5203 00	Cotton, carded or combed
5204 11	Cotton sewing thread >/=85% by wght of cotton, not put up for retail sale
5204 19	Cotton sewing thread,<85% by weight of cotton, not put up for retail sale
5204 20	Cotton sewing thread, put up for retail sale
5205 11	Cotton yarn,>/=85%,single, uncombed,>/=714.29 dtex, nt put up
5205 12	Cotton yarn,>/=85%,single, uncombed, 714.29 >dtex>/=232.56, not put up
5205 13	Cotton yarn,>/=85%,single, uncombed, 232.56>dtex>/=192.31, not put up
5205 14	Cotton yarn,>/=85%,single, uncombed, 192.31 >dtex>/=125, not put up
5205 15	Cotton yarn,>/=85%,single, uncombed,<125 dtex, nt put up f retail sale
5205 21	Cotton yarn,>/=85%, single, combed,>/=714.29, not put up
5205 22	Cotton yarn,>/=85%,single, combed, 714.29 >dtex>/=232.56, not put up
5205 23	Cotton yarn,>/=85%, single, combed, 232.56 >dtex>/=192.31, not put up
5205 24	Cotton yarn,>/=85%, single, combed, 192.31 >dtex>/=125, not put up
5205 25	Cotton yarn,>/=85%,single, combed,<125 dtex, not put up for retail sale
5205 31	Cotton yarn,>/=85%, multi, uncombed,>/=714.29 dtex, not put up, nes
5205 32	Cotton yarn,>/=85%,multi, uncombed, 714.29 >dtex>/=232.56, not put up, nes
5205 33	Cotton yarn,>/=85%,multi, uncombed, 232.56 >dtex>/=192.31, not put up, nes

676 - -1 P6 0093

HS No.	Product description
5205 34	Cotton yarn,>/-85%,multi, uncombed, 192.31 >dtex>/-125, nt put up, nes
5205 35	Cotton yarn,>/-85%,multi, uncombed, <125 dtex, not put up, nes
5205 41	Cotton yarn,>/-85%, multiple, combed,>/-714.29 dtex, not put up, nes
5205 42	Cotton yarn,>/-85%,multi, combed, 714.29 >dtex>/-232.56, nt put up, nes
5205 43	Cotton yarn,>/-85%,multi, combed, 232.56 >dtex>/-192.31, nt put up, nes
5205 44	Cotton yarn,>/-85%,multiple, combed, 192.31 >dtex>/-125, not put up, nes
5205 45	Cotton yarn,>/-85%, multiple, combed, <125 dtex, not put up, nes
5206 11	Cotton yarn, <85%, single, uncombed,>/-714.29, not put up
5206 12	Cotton yarn, <85%, single, uncombed, 714.29 >dtex>/-232.56, nt put up
5206 13	Cotton yarn, <85%, single, uncombed, 232.56 >dtex>/-192.31, not put up
5206 14	Cotton yarn, <85%, single, uncombed, 192.31 >dtex>/-125, nt put up
5206 15	Cotton yarn,<85%,single, uncombed,<125 dtex, not put up for retail sale
5206 21	Cotton yarn, <85%, single, combed,>/-714.29 dtex, nt put up
5206 22	Cotton yarn, <85%, single, combed, 714.29 >dtex>/-232.56, not put up
5206 23	Cotton yarn, <85%, single, combed, 232.56 >dtex>/-192.31, not put up
5206 24	Cotton yarn, <85%, single, combed, 192.31 >dtex>/-125, not put up
5206 25	Cotton yarn,<85%,single, combed,<125 dtex, not put up for retail sale
5206 31	Cotton yarn, <85%, multiple, uncombed,>/-714.29, not put up, nes
5206 32	Cotton yarn,<85%,multiple, uncombed, 714.29 >dtex>/-232.56, nt put up, nes
5206 33	Cotton yarn,<85%,multiple, uncombed, 232.56 >dex>/-192.31, nt put up, nes
5206 34	Cotton yarn,<85%,multiple, uncombed, 192.31 >dtex>/-125, nt put up, nes
5206 35	Cotton yarn, <85%, multiple, uncombed, <125 dtex, not put up, nes
5206 41	Cotton yarn, <85%, multiple, combed,>/-714.29, nt put up, nes
5206 42	Cotton yarn,<85%,multiple, combed, 714.29 >dtex>/-232.56, nt put up, nes
5206 43	Cotton yarn,<85%,multiple, combed, 232.56 >dtex>/-192.31, nt put up, nes
5206 44	Cotton yarn,<85%,multiple, combed, 192.31 >dtex>/-125, nt put up, nes
5206 45	Cotton yarn, <85%, multiple, combed, <125 dtex, not put up, nes
5207 10	Cotton yarn (other than sewing thread)>/-85% by weight of cotton, put up
5207 90	Cotton yarn (other than sewg thread) <85% by wt of cotton, put up f retl sale
5208 11	Plain weave cotton fabric,>/-85%, not more than 100 g/m2, unbleached
5208 12	Plain weave cotton fabric,>/-85%, >100 g/m2 to 200 g/m2, unbleached
5208 13	Twill weave cotton fabric,>/-85%, not more than 200 g/m2, unbleached
5208 19	Woven fabrics of cotton,>/-85%, not more than 200 g/m2, unbleached, nes
5208 21	Plain weave cotton fabrics,>/-85%, not more than 100 g/m2, bleached
5208 22	Plain weave cotton fabric,>/-85%, >100 g/m2 to 200 g/m2, bleached
5208 23	Twill weave cotton fabric,>/-85%, not more than 200 g/m2, bleached
5208 29	Woven fabrics of cotton,>/-85%, nt more than 200 g/m2, bleached, nes
5208 31	Plain weave cotton fabric,>/-85%, not more than 100 g/m2, dyed
5208 32	Plain weave cotton fabric,>/-85%,>100g/m- to 200g/m-, dyed
5208 33	Twill weave cotton fabrics,>/-85%, not more than 200 g/m2, dyed
5208 39	Woven fabrics of cotton,>/-85%, not more than 200 g/m2, dyed, nes
5208 41	Plain weave cotton fabric,>/-85%, not more than 100 g/m2, yarn dyed
5208 42	Plain weave cotton fabrics,>/-85%, >100 g/m2 to 200 g/m2, yarn dyed
5208 43	Twill weave cotton fabric,>/-85%, not more than 200 g/m2, yarn dyed
5208 49	Woven fabrics of cotton,>/-85%,nt more than 200 g/m2, yarn dyed, nes
5208 51	Plain weave cotton fabrics,>/-85%, not more than 100 g/m2, printed
5208 52	Plain weave cotton fabric,>/-85%, >100 g/m2 to 200 g/m2, printed
5208 53	Twill weave cotton fabric,>/-85%, not more than 200 g/m2, printed
5208 59	Woven fabrics of cotton,>/-85%, not more than 200 g/m2, printed, nes
5209 11	Plain weave cotton fabric,>/-85%, more than 200 g/m2, unbleached

676- -1P7 0094

HS No.	Product description
5209 12	Twill weave cotton fabric,>/=85%, more than 200 g/m2, unbleached
5209 19	Woven fabrics of cotton,>/=85%,more than 200 g/m2, unbleached, nes
5209 21	Plain weave cotton fabric,>/=85%, more than 200 g/m2, bleached
5209 22	Twill weave cotton fabrics,>/=85%, more than 200 g/m2, bleached
5209 29	Woven fabrics of cotton,>/=85%, more than 200 g/m2, bleached, nes
5209 31	Plain weave cotton fabrics,>/=85%, more than 200 g/m2, dyed
5209 32	Twill weave cotton fabrics,>/=85%, more than 200 g/m2, dyed
5209 39	Woven fabrics of cotton,>/=85%, more than 200 g/m2, dyed, nes
5209 41	Plain weave cotton fabrics,>/=85%, more than 200 g/m2, yarn dyed
5209 42	Denim fabrics of cotton,>/=85%, more than 200 g/m2
5209 43	Twill weave cotton fab, other than denim,>/=85%,more than 200 g/m2, yarn dyed
5209 49	Woven fabrics of cotton,>/=85%, more than 200 g/m2, yarn dyed, nes
5209 51	Plain weave cotton fabrics,>/=85%, more than 200 g/m2, printed
5209 52	Twill weave cotton fabrics,>/=85%, more than 200 g/m2, printed
5209 59	Woven fabrics of cotton,>/=85%, more than 200 g/m2, printed, nes
5210 11	Plain weave cotton fab,<85% mixd w m-m fib, not more than 200 g/m2, unbl
5210 12	Twill weave cotton fab,<85% mixd w m-m fib, not more than 200 g/m2, unbl
5210 19	Woven fab of cotton,<85% mixd with m-m fib,</=200 g/m2, unbl, nes
5210 21	Plain weave cotton fab,<85% mixd w m-m fib, not more than 200 g/m2, bl
5210 22	Twill weave cotton fab,<85% mixd w m-m fib, not more than 200 g/m2, bl
5210 29	Woven fabrics of cotton,<85% mixd with m-m fib,</=200 g/m2, bl, nes
5210 31	Plain weave cotton fab,<85% mixd w m-m fib, not more than 200 g/m2, dyd
5210 32	Twill weave cotton fab,<85% mixd w m-m fib, not more than 200 g/m2, dyd
5210 39	Woven fabrics of cotton,<85% mixd with m-m fib,</=200 g/m2, dyed, nes
5210 41	Plain weave cotton fab,<85% mixd w m-m fib, nt mor thn 200g/m2, yarn dyd
5210 42	Twill weave cotton fab,<85% mixd w m-m fib, nt mor thn 200g/m2, yarn dyd
5210 49	Woven fabrics of cotton,<85% mixed w m-m fib,</=200g/m2, yarn dyed, nes
5210 51	Plain weave cotton fab,<85% mixd w m-m fib, nt more thn 200 g/m2, printd
5210 52	Twill weave cotton fab,<85% mixd w m-m fib, nt more thn 200g/m2, printd
5210 59	Woven fabrics of cotton,<85% mixed with m-m fib,</=200g/m2, printed, nes
5211 11	Plain weave cotton fab,<85% mixd w m-m fib, more thn 200 g/m2, unbleachd
5211 12	Twill weave cotton fab,<85% mixed with m-m fib, more than 200 g/m2, unbl
5211 19	Woven fabrics of cotton,<85% mixd w m-m fib, more thn 200g/m2, unbl, nes
5211 21	Plain weave cotton fab,<85% mixd w m-m fib, more than 200 g/m2, bleachd
5211 22	Twill weave cotton fab,<85% mixd w m-m fib, more than 200 g/m2, bleachd
5211 29	Woven fabrics of cotton,<85% mixd w m-m fib, more than 200 g/m2, bl, nes
5211 31	Plain weave cotton fab,<85% mixed with m-m fib, more than 200 g/m2, dyed
5211 32	Twill weave cotton fab,<85% mixed with m-m fib, more than 200 g/m2, dyed
5211 39	Woven fabrics of cotton,<85% mixd w m-m fib, more than 200 g/m2, dyd, nes
5211 41	Plain weave cotton fab,<85% mixd w m-m fib, more than 200 g/m2, yarn dyd
5211 42	Denim fabrics of cotton, <85% mixed with m-m fib, more than 200 g/m2
5211 43	Twill weave cotton fab, other than denim,<85% mixd w m-m fib,>200g/m2, yarn dyd
5211 49	Woven fabrics of cotton,<85% mixd with m-m fib,>200 g/m2, yarn dyed, nes
5211 51	Plain weave cotton fab,<85% mixd w m-m fib, more than 200 g/m2, printd
5211 52	Twill weave cotton fab,<85% mixd w m-m fib, more than 200 g/m2, printd
5211 59	Woven fabrics of cotton,<85% mixd w m-m fib, mor thn 200g/m2, printd, nes
5212 11	Woven fabrics of cotton, weighing not more than 200 g/m2, unbleached, nes
5212 12	Woven fabrics of cotton, weighing not more than 200 g/m2, bleached, nes
5212 13	Woven fabrics of cotton, weighing not more than 200 g/m2, dyed, nes
5212 14	Woven fabrics of cotton,</=200g/m2, of yarns of different colours, nes

676- -1P8 0095

HS No.	Product description
5212 15	Woven fabrics of cotton, weighing not more than 200 g/m2, printed, nes
5212 21	Woven fabrics of cotton, weighing more than 200 g/m2, unbleached, nes
5212 22	Woven fabrics of cotton, weighing more than 200 g/m2, bleached, nes
5212 23	Woven fabrics of cotton, weighing more than 200 g/m2, dyed, nes
5212 24	Woven fabrics of cotton, >200 g/m2, of yarns of different colours, nes
5212 25	Woven fabrics of cotton, weighing more than 200 g/m2, printed, nes
Ch. 53	**Other vegetable textile fibres; paper yarn & woven fab**
5306 10	Flax yarn, single
5306 20	Flax yarn, multile (folded) or cabled
5307 10	Yarn of jute or of other textile bast fibres, single
5307 20	Yarn of jute or of oth textile bast fibres, multiple (folded) or cabled
5308 20	True hemp yarn
5308 90	Yarn of other vegetable textile fibres
5309 11	Woven fabrics, containg 85% or more by weight of flax, unbleached or bl
5309 19	Woven fabrics, containing 85% or more by weight of flax, other than unbl or bl
5309 21	Woven fabrics of flax, containg <85% by weight of flax, unbleached or bl
5309 29	Woven fabrics of flax, containing <85% by weight of flax, other than unbl or bl
5310 10	Woven fabrics of jute or of other textile bast fibres, unbleached
5310 90	Woven fabrics of jute or of other textile bast fibres, other than unbleached
5311 00	Woven fabrics of oth vegetable textile fibres; woven fab of paper yarn
Ch. 54	**Man-made filaments.**
5401 10	Sewing thread of synthetic filaments
5401 20	Sewing thread of artificial filaments
5402 10	High tenacity yarn (other than sewg thread),nylon/oth polyamides fi, nt put up
5402 20	High tenacity yarn (other than sewg thread),of polyester filaments, not put up
5402 31	Texturd yarn nes, of nylon/oth polyamides fi,</=50tex/s.y.,not put up
5402 32	Texturd yarn nes, of nylon/oth polyamides fi,>50 tex/s.y.,not put up
5402 33	Textured yarn nes, of polyester filaments, not put up for retail sale
5402 39	Textured yarn of synthetic filaments, nes, not put up
5402 41	Yarn of nylon or other polyamides fi, single, untwisted, nes, not put up
5402 42	Yarn of polyester filaments, partially oriented, single, nes, not put up
5402 43	Yarn of polyester filaments, single, untwisted, nes, not put up
5402 49	Yarn of synthetic filaments, single, untwisted, nes, not put up
5402 51	Yarn of nylon or other polyamides fi, single, >50 turns/m, not put up
5402 52	Yarn of polyester filaments, single, >50 turns per metre, not put up
5402 59	Yarn of synthetic filaments, single,>50 turns per metre, nes, not put up
5402 61	Yarn of nylon or other polyamides fi, multiple, nes, not put up
5402 62	Yarn of polyester filaments, multiple, nes, not put up
5402 69	Yarn of synthetic filaments, multiple, nes, not put up
5403 10	High tenacity yarn (other than sewg thread),of viscose rayon filamt, nt put up
5403 20	Textured yarn nes, of artificial filaments, not put up for retail sale
5403 31	Yarn of viscose rayon filaments, single, untwisted, nes, not put up
5403 32	Yarn of viscose rayon filaments, single,>120 turns per m, nes, nt put up
5403 33	Yarn of cellulose acetate filaments, single, nes, not put up
5403 39	Yarn of artificial filaments, single, nes, not put up
5403 41	Yarn of viscose rayon filaments, multiple, nes, not put up
5403 42	Yarn of cellulose acetate filaments, multiple, nes, not put up
5403 49	Yarn of artificial filaments, multiple, nes, not put up

676- -1PP

0096

HS No.	Product description
5404 10	Synthetic mono,>/-67dtex, no cross sectional dimension exceeds 1 mm
5404 90	Strip&the like of syn tex material of an apparent width nt exceedg 5mm
5405 00	Artificial mono,·67 dtex, cross-sect >1mm; strip of arti tex mat w </=5mm
5406 10	Yarn of synthetic filament (other than sewing thread), put up for retail sale
5406 20	Yarn of artificial filament (other than sewing thread),put up for retail sale
5407 10	Woven fab of high tenacity fi yarns of nylon oth polyamides/polyesters
5407 20	Woven fab obtaind from strip/the like of synthetic textile materials
5407 30	Fabrics specif in Note 9 Section XI (layers of parallel syn tex yarn)
5407 41	Woven fab,>/-85% of nylon/other polyamides filaments, unbl or bl, nes
5407 42	Woven fabrics,>/-85% of nylon/other polyamides filaments, dyed, nes
5407 43	Woven fab,>/-85% of nylon/other polyamides filaments, yarn dyed, nes
5407 44	Woven fabrics,>/-85% of nylon/other polyamides filaments, printed, nes
5407 51	Woven fabrics,>/-85% of textured polyester filaments, unbl or bl, nes
5407 52	Woven fabrics,>/-85% of textured polyester filaments, dyed, nes
5407 53	Woven fabrics,>/-85% of textured polyester filaments, yarn dyed, nes
5407 54	Woven fabrics,>/-85% of textured polyester filaments, printed, nes
5407 60	Woven fabrics,>/-85% of non-textured polyester filaments, nes
5407 71	Woven fab,>/-85% of synthetic filaments, unbleached or bleached, nes
5407 72	Woven fabrics,>/-85% of synthetic filaments, dyed, nes
5407 73	Woven fabrics,>/-85% of synthetic filaments, yarn dyed, nes
5407 74	Woven fabrics,>/-85% of synthetic filaments, printed, nes
5407 81	Woven fabrics of synthetic filaments,<85% mixd w cotton, unbl o bl, nes
5407 82	Woven fabrics of synthetic filaments,<85% mixed with cotton, dyed, nes
5407 83	Woven fabrics of synthetic filaments,<85% mixd w cotton, yarn dyd, nes
5407 84	Woven fabrics of synthetic filaments,<85% mixd with cotton, printed, nes
5407 91	Woven fabrics of synthetic filaments, unbleached or bleached, nes
5407 92	Woven fabrics of synthetic filaments, dyed, nes
5407 93	Woven fabrics of synthetic filaments, yarn dyed, nes
5407 94	Woven fabrics of synthetic filaments, printed, nes
5408 10	Woven fabrics of high tenacity filament yarns of viscose rayon
5408 21	Woven fab,>/-85% of artificial fi o strip of art tex mat, unbl/bl, nes
5408 22	Woven fab,>/-85% of artificial fi or strip of art tex mat, dyed, nes
5408 23	Woven fab,>/-85% of artificial fi or strip of art tex mat, y dyed, nes
5408 24	Woven fab,>/-85% of artificial fi or strip of art tex mat, printd, nes
5408 31	Woven fabrics of artificial filaments, unbleached or bleached, nes
5408 32	Woven fabrics of artificial filaments, dyed, nes
5408 33	Woven fabrics of artificial filaments, yarn dyed, nes
5408 34	Woven fabrics of artificial filaments, printed, nes
Ch. 55	**Man-made staple fibres.**
5501 10	Filament tow of nylon or other polyamides
5501 20	Filament tow of polyesters
5501 30	Filament tow of acrylic or modacrylic
5501 90	Synthetic filament tow, nes
5502 00	Artificial filament tow
5503 10	Staple fibres of nylon or other polyamides, not carded or combed
5503 20	Staple fibres of polyesters, not carded or combed
5503 30	Staple fibres of acrylic or modacrylic, not carded or combed
5503 40	Staple fibres of polypropylene, not carded or combed
5503 90	Synthetic staple fibres, not carded or combed, nes

616- -200

0097

HS No.	Product description
5504 10	Staple fibres of viscose, not carded or combed
5504 90	Artificial staple fibres, other than viscose, not carded or combed
5505 10	Waste of synthetic fibres
5505 20	Waste of artificial fibres
5506 10	Staple fibres of nylon or other polyamides, carded or combed
5506 20	Staple fibres of polyesters, carded or combed
5506 30	Staple fibres of acrylic or modacrylic, carded or combed
5506 90	Synthetic staple fibres, carded or combed, nes
5507 00	Artificial staple fibres, carded or combed
5508 10	Sewing thread of synthetic staple fibres
5508 20	Sewing thread of artificial staple fibres
5509 11	Yarn,>/-85% nylon or other polyamides staple fibres, single, not put up
5509 12	Yarn,>/-85% nylon o oth polyamides staple fibres, multi, not put up, nes
5509 21	Yarn,>/-85% of polyester staple fibres, single, not put up
5509 22	Yarn,>/-85% of polyester staple fibres, multiple, not put up, nes
5509 31	Yarn,>/-85% of acrylic or modacrylic staple fibres, single, not put up
5509 32	Yarn,>/-85% acrylic/modacrylic staple fibres, multiple, not put up, nes
5509 41	Yarn,>/-85% of other synthetic staple fibres, single, not put up
5509 42	Yarn,>/-85% of other synthetic staple fibres, multiple, not put up, nes
5509 51	Yarn of polyester staple fibres mixd w/ arti staple fib, not put up, nes
5509 52	Yarn of polyester staple fib mixd w wool/fine animl hair, nt put up, nes
5509 53	Yarn of polyester staple fibres mixed with cotton, not put up, nes
5509 59	Yarn of polyester staple fibres, not put up, nes
5509 61	Yarn of acrylic staple fib mixd w wool/fine animal hair, not put up, nes
5509 62	Yarn of acrylic staple fibres mixed with cotton, not put up, nes
5509 69	Yarn of acrylic staple fibres, not put up, nes
5509 91	Yarn of oth synthetic staple fibres mixed w/wool/fine animal hair, nes
5509 92	Yarn of other synthetic staple fibres mixed with cotton, not put up, nes
5509 99	Yarn of other synthetic staple fibres, not put up, nes
5510 11	Yarn,>/-85% of artificial staple fibres, single, not put up
5510 12	Yarn,>/-85% of artificial staple fibres, multiple, not put up, nes
5510 20	Yarn of artificl staple fib mixd w wool/fine animl hair, not put up, nes
5510 30	Yarn of artificial staple fibres mixed with cotton, not put up, nes
5510 90	Yarn of artificial staple fibres, not put up, nes
5511 10	Yarn,>/-85% of synthetic staple fibres, other than sewing thread, put up
5511 20	Yarn, <85% of synthetic staple fibres, put up for retail sale, nes
5511 30	Yarn of artificial fibres (other than sewing thread), put up for retail sale
5512 11	Woven fabrics, containing>/-85% of polyester staple fibres, unbl or bl
5512 19	Woven fabrics, containg>/-85% of polyester staple fibres, other than unbl or bl
5512 21	Woven fabrics, containg>/-85% of acrylic staple fibres, unbleached or bl
5512 29	Woven fabrics, containing>/-85% of acrylic staple fibres, other than unbl or bl
5512 91	Woven fabrics, containing>/-85% of oth synthetic staple fibres, unbl/bl
5512 99	Woven fabrics, containg>/-85% of other synthetic staple fib, other than unbl/bl
5513 11	Plain weave polyest stapl fib fab,<85%,mixd w/cottn,</-170g/m2, unbl/bl
5513 12	Twill weave polyest stapl fib fab,<85%,mixd w/cottn,</-170g/m2, unbl/bl
5513 13	Woven fab of polyest staple fib,<85% mixd w/cot,</-170g/m2, unbl/bl, nes
5513 19	Woven fabrics of oth syn staple fib,<85%,mixd w/cot,</-170g/m2, unbl/bl
5513 21	Plain weave polyester staple fib fab,<85%,mixd w/cotton,</-170g/m2, dyd
5513 22	Twill weave polyest staple fib fab,<85%,mixd w/cotton,</-170g/m2, dyd
5513 23	Woven fab of polyester staple fib,<85%,mixd w/cot,</-170 g/m2, dyd, nes

676 - -201 0098

HS No.	Product description
5513 29	Woven fabrics of oth syn staple fib,<85% mixd w/cotton,</=170g/m2, dyed
5513 31	Plain weave polyest stapl fib fab,<85% mixd w/cot,</=170g/m2, yarn dyd
5513 32	Twill weave polyest stapl fib fab,<85% mixd w/cot,</=170g/m2, yarn dyd
5513 33	Woven fab of polyest staple fib,<85% mixd w/cot,</=170 g/m2, dyd nes
5513 39	Woven fab of oth syn staple fib,<85% mixd w/cot,</=170g/m2, yarn dyd
5513 41	Plain weave polyester stapl fib fab,<85%,mixd w/cot,</=170g/m2, printd
5513 42	Twill weave polyest staple fib fab,<85%,mixd w/cot,<=/170g/m2, printd
5513 43	Woven fab of polyester staple fib,<85%,mixd w/cot,</=170g/m2, ptd, nes
5513 49	Woven fab of oth syn staple fib,<85%,mixed w/cot,</=170g/m2, printed
5514 11	Plain weave polyest staple fib fab,<85%,mixd w/cotton,>170g/m2, unbl/bl
5514 12	Twill weave polyest stapl fib fab,<85%,mixd w/cotton,>170g/m2, unbl/bl
5514 13	Woven fab of polyester staple fib,<85% mixd w/cot,>170g/m2, unbl/bl, nes
5514 19	Woven fabrics of oth syn staple fib,<85%,mixed w/cot,>170 g/m2, unbl/bl
5514 21	Plain weave polyester staple fibre fab,<85%,mixd w/cotton,>170g/m2, dyd
5514 22	Twill weave polyester staple fibre fab,<85%,mixd w/cotton,>170g/m2, dyd
5514 23	Woven fabrics of polyester staple fib,<85%,mixed w/cot,>170 g/m2, dyed
5514 29	Woven fabrics of oth synthetic staple fib,<85%,mixd w/cot,>170g/m2, dyd
5514 31	Plain weave polyester staple fib fab,<85% mixd w/cot,>170g/m2, yarn dyd
5514 32	Twill weave polyester staple fib fab,<85% mixd w/cot,>170g/m2, yarn dyd
5514 33	Woven fab of polyester stapl fib,<85% mixd w/cot,>170g/m2, yarn dyd nes
5514 39	Woven fabrics of oth syn staple fib,<85% mixd w/cot,>170 g/m2, yarn dyd
5514 41	Plain weave polyester staple fibre fab,<85%,mixd w/cot,>170g/m2, printd
5514 42	Twill weave polyester staple fibre fab,<85%,mixd w/cot,>170g/m2, printd
5514 43	Woven fab of polyester staple fibres <85%,mixd w/cot,>170g/m2, ptd, nes
5514 49	Woven fabrics of oth syn staple fib,<85%,mixed w/cot,>170 g/m2, printed
5515 11	Woven fab of polyester staple fib mixd w viscose rayon staple fib, nes
5515 12	Woven fabrics of polyester staple fibres mixd w man-made filaments, nes
5515 13	Woven fab of polyester staple fibres mixd w/wool/fine animal hair, nes
5515 19	Woven fabrics of polyester staple fibres, nes
5515 21	Woven fabrics of acrylic staple fibres, mixd w man-made filaments, nes
5515 22	Woven fab of acrylic staple fibres, mixd w/wool/fine animal hair, nes
5515 29	Woven fabrics of acrylic or modacrylic staple fibres, nes
5515 91	Woven fabrics of oth syn staple fib, mixed with man-made filaments, nes
5515 92	Woven fabrics of oth syn staple fib, mixd w/wool o fine animal hair, nes
5515 99	Woven fabrics of synthetic staple fibres, nes
5516 11	Woven fabrics, containg>/=85% of artificial staple fibres, unbleached/bl
5516 12	Woven fabrics, containing>/=85% of artificial staple fibres, dyed
5516 13	Woven fabrics, containing>/=85% of artificial staple fib, yarn dyed
5516 14	Woven fabrics, containing>/=85% of artificial staple fibres, printed
5516 21	Woven fabrics of artificial staple fib,<85%,mixd w man-made fi, unbl/bl
5516 22	Woven fabrics of artificial staple fib,<85%,mixd with man-made fi, dyd
5516 23	Woven fabrics of artificial staple fib,<85%,mixd with m-m fi, yarn dyd
5516 24	Woven fabrics of artificial staple fib,<85%,mixd w man-made fi, printd
5516 31	Woven fab of arti staple fib,<85% mixd w/wool/fine animal hair, unbl/bl
5516 32	Woven fabrics of arti staple fib,<85% mixd w/wool/fine animal hair, dyd
5516 33	Woven fab of arti staple fib,<85% mixd w/wool/fine animl hair, yarn dyd
5516 34	Woven fab of arti staple fib,<85% mixd w/wool/fine animal hair, printd
5516 41	Woven fabrics of artificial staple fib,<85% mixd with cotton, unbl o bl
5516 42	Woven fabrics of artificial staple fib, <85% mixed with cotton, dyed
5516 43	Woven fabrics of artificial staple fib,<85% mixd with cotton, yarn dyd

676- -202-

0099

HS No.	Product description
5516 44	Woven fabrics of artificial staple fib,<85% mixed with cotton, printed
5516 91	Woven fabrics of artificial staple fibres, unbleached or bleached, nes
5516 92	Woven fabrics of artificial staple fibres, dyed, nes
5516 93	Woven fabrics of artificial staple fibres, yarn dyed, nes
5516 94	Woven fabrics of artificial staple fibres, printed, nes
Ch. 56	**Wadding, felt & nonwoven; yarns; twine, cordage, etc**
5601 10	Sanitary articles of waddg of textile mat i.e. sanitary towels, tampons
5601 21	Wadding of cotton and articles thereof, other than sanitary articles
5601 22	Wadding of man-made fibres and articles thereof, other than sanitary articles
5601 29	Waddg of oth textile materials&articles thereof, other than sanitary articles
5601 30	Textile flock and dust and mill neps
5602 10	Needleloom felt and stitch-bonded fibre fabrics
5602 21	Felt other than needleloom, of wool or fine animal hair, not impreg, ctd, cov etc
5602 29	Felt other than needleloom, of other textile materials, not impreg, ctd, cov etc
5602 90	Felt of textile materials, nes
5603 00	Nonwovens, whether or not impregnated, coated, covered or laminated
5604 10	Rubber thread and cord, textile covered
5604 20	High tenacity yarn of polyest, nylon oth polyamid, viscose rayon, ctd etc
5604 90	Textile yarn, strips&the like, impreg ctd/cov with rubber o plastics, nes
5605 00	Metallisd yarn, beg textile yarn combind w metal thread, strip/powder
5606 00	Gimped yarn nes; chenille yarn; loop wale-yarn
5607 10	Twine, cordage, ropes and cables, of jute or other textile bast fibres
5607 21	Binder o baler twine, of sisal o oth textile fibres of the genus Agave
5607 29	Twine nes, cordage, ropes and cables, of sisal textile fibres
5607 30	Twine, cordage, ropes and cables, of abaca or other hard (leaf) fibres
5607 41	Binder or baler twine, of polyethylene or polypropylene
5607 49	Twine nes, cordage, ropes and cables, of polyethylene or polypropylene
5607 50	Twine, cordage, ropes and cables, of other synthetic fibres
5607 90	Twine, cordage, ropes and cables, of other materials
5608 11	Made up fishing nets, of man-made textile materials
5608 19	Knottd nettg of twine/cordage/rope, and oth made up nets of m-m tex mat
5608 90	Knottd nettg of twine/cordage/rope, nes, and made up nets of oth tex mat
5609 00	Articles of yarn, strip, twine, cordage, rope and cables, nes
Ch. 57	**Carpets and other textile floor coverings.**
5701 10	Carpets of wool or fine animal hair, knotted
5701 90	Carpets of other textile materials, knotted
5702 10	Kelem, Schumacks, Karamanie and similar textile hand-woven rugs
5702 20	Floor coverings of coconut fibres (coir)
5702 31	Carpets of wool/fine animl hair, of wovn pile constructn, nt made up nes
5702 32	Carpets of man-made textile mat, of wovn pile construct, nt made up, nes
5702 39	Carpets of oth textile mat, of woven pile constructn, nt made up, nes
5702 41	Carpets of wool/fine animal hair, of wovn pile construction, made up, nes
5702 42	Carpets of man-made textile mat, of woven pile construction, made up, nes
5702 49	Carpets of oth textile materials, of wovn pile construction, made up, nes
5702 51	Carpets of wool or fine animal hair, woven, not made up, nes
5702 52	Carpets of man-made textile materials, woven, not made up, nes
5702 59	Carpets of other textile materials, woven, not made up, nes
5702 91	Carpets of wool or fine animal hair, woven, made up, nes

876 - -203 0100

HS No.	Product description
5702 92	Carpets of man-made textile materials, woven, made up, nes
5702 99	Carpets of other textile materials, woven, made up, nes
5703 10	Carpets of wool or fine animal hair, tufted
5703 20	Carpets of nylon or other polyamides, tufted
5703 30	Carpets of other man-made textile materials, tufted
5703 90	Carpets of other textile materials, tufted
5704 10	Tiles of felt of textile materials, havg a max surface area of 0.3 m2
5704 90	Carpets of felt of textile materials, nes
5705 00	Carpets and other textile floor coverings, nes
Ch. 58	**Special woven fab; tufted tex fab; lace; tapestries etc**
5801 10	Woven pile fabrics of wool/fine animal hair, other than terry&narrow fabrics
5801 21	Woven uncut weft pile fabrics of cotton, other than terry and narrow fabrics
5801 22	Cut corduroy fabrics of cotton, other than narrow fabrics
5801 23	Woven weft pile fabrics of cotton, nes
5801 24	Woven warp pile fab of cotton, pingl (uncut),other than terry&narrow fab
5801 25	Woven warp pile fabrics of cotton, cut, other than terry and narrow fabrics
5801 26	Chenille fabrics of cotton, other than narrow fabrics
5801 31	Woven uncut weft pile fabrics of manmade fibres, other than terry&narrow fab.
5801 32	Cut corduroy fabrics of man-made fibres, other than narrow fabrics
5801 33	Woven weft pile fabrics of man-made fibres, nes
5801 34	Woven warp pile fab of man-made fib, pingl (uncut),other than terry&nar fab
5801 35	Woven warp pile fabrics of man-made fib, cut, other than terry & narrow fabrics
5801 36	Chenille fabrics of man-made fibres, other than narrow fabrics
5801 90	Woven pile fab&chenille fab of other tex mat, other than terry&narrow fabrics
5802 11	Terry towellg & similar woven terry fab of cotton, other than narrow fab, unbl
5802 19	Terry towellg&similar woven terry fab of cotton, other than unbl&other than nar fab
5802 20	Terry towellg&sim woven terry fab of oth tex mat, other than narrow fabrics
5802 30	Tufted textile fabrics, other than products of heading No 57.03
5803 10	Gauze of cotton, other than narrow fabrics
5803 90	Gauze of other textile material, other than narrow fabrics
5804 10	Tulles & other net fabrics, not incl woven, knitted or crocheted fabrics
5804 21	Mechanically made lace of man-made fib, in the piece, in strips/motifs
5804 29	Mechanically made lace of oth tex mat, in the piece, in strips/in motifs
5804 30	Hand-made lace, in the piece, in strips or in motifs
5805 00	Hand-woven tapestries&needle-worked tapestries, whether or not made up
5806 10	Narrow woven pile fabrics and narrow chenille fabrics
5806 20	Narrow woven fab, cntg by wt>/=5% elastomeric yarn/rubber thread nes
5806 31	Narrow woven fabrics of cotton, nes
5806 32	Narrow woven fabrics of man-made fibres, nes
5806 39	Narrow woven fabrics of other textile materials, nes
5806 40	Fabrics consisting of warp w/o weft assembled by means of an adhesive
5807 10	Labels, badges and similar woven articles of textile materials
5807 90	Labels, badges and similar articles, not woven, of textile materials, nes
5808 10	Braids in the piece
5808 90	Ornamental trimmings in the piece, other than knit; tassels, pompons&similar art
5809 00	Woven fabrics of metal thread/of metallisd yarn, for apparel, etc, nes
5810 10	Embroidery without visible ground, in the piece, in strips or in motifs
5810 91	Embroidery of cotton, in the piece, in strips or in motifs, nes
5810 92	Embroidery of man-made fibres, in the piece, in strips or in motifs, nes

676 - -204

0101

HS No.	Product description
5810 99	Embroidery of oth textile materials, in the piece, in strips/motifs, nes
5811 00	Quilted textile products in the piece
Ch. 59	**Impregnated, coated, cover/laminated textile fabric etc**
5901 10	Textile fabrics coatd with gum, of a kind usd for outer covers of books
5901 90	Tracg cloth; prepared paintg canvas; stiffened textile fab; for hats etc
5902 10	Tire cord fabric made of nylon or other polyamides high tenacity yarns
5902 20	Tire cord fabric made of polyester high tenacity yarns
5902 90	Tire cord fabric made of viscose rayon high tenacity yarns
5903 10	Textile fab impregnatd, ctd, cov, or laminatd w polyvinyl chloride, nes
5903 20	Textile fabrics impregnated, ctd, cov, or laminated with polyurethane, nes
5903 90	Textile fabrics impregnated, ctd, cov, or laminated with plastics, nes
5904 10	Lineoleum, whether or not cut to shape
5904 91	Floor coverings, other than linoleum, with a base of needleloom felt/nonwovens
5904 92	Floor coverings, other than linoleum, with other textile base
5905 00	Textile wall coverings
5906 10	Rubberised textile adhesive tape of a width not exceeding 20 cm
5906 91	Rubberised textile knitted or crocheted fabrics, nes
5906 99	Rubberised textile fabrics, nes
5907 00	Textile fab impreg, ctd, cov nes; paintd canvas (e.g.threatrical scenery)
5908 00	Textile wicks f lamps, stoves, etc; gas mantles&knittd gas mantle fabric
5909 00	Textile hosepiping and similar textile tubing
5910 00	Transmission or conveyor belts or belting of textile material
5911 10	Textile fabrics usd f card clothing, and sim fabric f technical uses
5911 20	Textile bolting cloth, whether or not made up
5911 31	Textile fabrics used in paper-making or similar machines, <650 g/m2
5911 32	Textile fabrics usd in paper-makg or similar mach, weighg >/=650 g/m2
5911 40	Textile straing cloth usd in oil presses o the like, incl of human hair
5911 90	Textile products and articles for technical uses, nes
Ch. 60	**Knitted or crocheted fabrics.**
6001 10	Long pile knitted or crocheted textile fabrics
6001 21	Looped pile knitted or crocheted fabrics, of cotton
6001 22	Looped pile knitted or crocheted fabrics, of man-made fibres
6001 29	Looped pile knitted or crocheted fabrics, of other textile materials
6001 91	Pile knitted or crocheted fabrics, of cotton, nes
6001 92	Pile knitted or crocheted fabrics, of man-made fibres, nes
6001 99	Pile knitted or crocheted fabrics, of other textile materials, nes
6002 10	Knittd or crochetd tex fab, w</=30 cm,>/=5% of elastomeric/rubber, nes
6002 20	Knitted or crocheted textile fabrics, of a width not exceedg 30 cm, nes
6002 30	Knittd/crochetd tex fab, width > 30 cm,>/=5% of elastomeric/rubber, nes
6002 41	Warp knitted fabrics, of wool or fine animal hair, nes
6002 42	Warp knitted fabrics, of cotton, nes
6002 43	Warp knitted fabrics, of man-made fibres, nes
6002 49	Warp knitted fabrics, of other materials, nes
6002 91	Knitted or crocheted fabrics, of wool or of fine animal hair, nes
6002 92	Knitted or crocheted fabrics, of cotton, nes
6002 93	Knitted or crocheted fabrics, of manmade fibres, nes
6002 99	Knitted or crocheted fabrics, of other materials, nes

676 - -205

0102

HS No.	Product description
Ch. 61	**Art of apparel & clothing access, knitted or crocheted.**
6101 10	Mens/boys overcoats, anoraks etc, of wool or fine animal hair, knitted
6101 20	Mens/boys overcoats, anoraks etc, of cotton, knitted
6101 30	Mens/boys overcoats, anoraks etc, of man-made fibres, knitted
6101 90	Mens/boys overcoats, anoraks etc, of other textile materials, knitted
6102 10	Womens/girls overcoats, anoraks etc, of wool or fine animal hair, knitted
6102 20	Womens/girls overcoats, anoraks etc, of cotton, knitted
6102 30	Womens/girls overcoats, anoraks etc, of man-made fibres, knitted
6102 90	Womens/girls overcoats, anoraks etc, of other textile materials, knitted
6103 11	Mens/boys suits, of wool or fine animal hair, knitted
6103 12	Mens/boys suits, of synthetic fibres, knitted
6103 19	Mens/boys suits, of other textile materials, knitted
6103 21	Mens/boys ensembles, of wool or fine animal hair, knitted
6103 22	Mens/boys ensembles, of cotton, knitted
6103 23	Mens/boys ensembles, of synthetic fibres, knitted
6103 29	Mens/boys ensembles, of other textile materials, knitted
6103 31	Mens/boys jackets and blazers, of wool or fine animal hair, knitted
6103 32	Mens/boys jackets and blazers, of cotton, knitted
6103 33	Mens/boys jackets and blazers, of synthetic fibres, knitted
6103 39	Mens/boys jackets and blazers, of other textile materials, knitted
6103 41	Mens/boys trousers and shorts, of wool or fine animal hair, knitted
6103 42	Mens/boys trousers and shorts, of cotton, knitted
6103 43	Mens/boys trousers and shorts, of synthetic fibres, knitted
6103 49	Mens/boys trousers and shorts, of other textile materials, knitted
6104 11	Womens/girls suits, of wool or fine animal hair, knitted
6104 12	Womens/girls suits, of cotton, knitted
6104 13	Womens/girls suits, of synthetic fibres, knitted
6104 19	Womens/girls suits, of other textile materials, knitted
6104 21	Womens/girls ensembles, of wool or fine animal hair, knitted
6104 22	Womens/girls ensembles, of cotton, knitted
6104 23	Womens/girls ensembles, of synthetic fibres, knitted
6104 29	Womens/girls ensembles, of other textile materials, knitted
6104 31	Womens/girls jackets, of wool or fine animal hair, knitted
6104 32	Womens/girls jackets, of cotton, knitted
6104 33	Womens/girls jackets, of synthetic fibres, knitted
6104 39	Womens/girls jackets, of other textile materials, knitted
6104 41	Womens/girls dresses, of wool or fine animal hair, knitted
6104 42	Womens/girls dresses, of cotton, knitted
6104 43	Womens/girls dresses, of synthetic fibres, knitted
6104 44	Womens/girls dresses, of artificial fibres, knitted
6104 49	Womens/girls dresses, of other textile materials, knitted
6104 51	Womens/girls skirts, of wool or fine animal hair, knitted
6104 52	Womens/girls skirts, of cotton, knitted
6104 53	Womens/girls skirts, of synthetic fibres, knitted
6104 59	Womens/girls skirts, of other textile materials, knitted
6104 61	Womens/girls trousers and shorts, of wool or fine animal hair, knitted
6104 62	Womens/girls trousers and shorts, of cotton, knitted
6104 63	Womens/girls trousers and shorts, of synthetic fibres, knitted
6104 69	Womens/girls trousers and shorts, of other textile materials, knitted
6105 10	Mens/boys shirts, of cotton, knitted

676- -206 0103

HS No.	Product description
6105 20	Mens/boys shirts, of man-made fibres, knitted
6105 90	Mens/boys shirts, of other textile materials, knitted
6106 10	Womens/girls blouses and shirts, of cotton, knitted
6106 20	Womens/girls blouses and shirts, of man-made fibres, knitted
6106 90	Womens/girls blouses and shirts, of other materials, knitted
6107 11	Mens/boys underpants and briefs, of cotton, knitted
6107 12	Mens/boys underpants and briefs, of man-made fibres, knitted
6107 19	Mens/boys underpants and briefs, of other textile materials, knitted
6107 21	Mens/boys nightshirts and pyjamas, of cotton, knitted
6107 22	Mens/boys nightshirts and pyjamas, of man-made fibres, knitted
6107 29	Mens/boys nightshirts and pyjamas, of other textile materials, knitted
6107 91	Mens/boys bathrobes, dressing gowns etc of cotton, knitted
6107 92	Mens/boys bathrobes, dressing gowns, etc of man-made fibres, knitted
6107 99	Mens/boys bathrobes, dressg gowns, etc of oth textile materials, knitted
6108 11	Womens/girls slips and petticoats, of man-made fibres, knitted
6108 19	Womens/girls slips and petticoats, of other textile materials, knitted
6108 21	Womens/girls briefs and panties, of cotton, knitted
6108 22	Womens/girls briefs and panties, of man-made fibres, knitted
6108 29	Womens/girls briefs and panties, of other textile materials, knitted
6108 31	Womens/girls nightdresses and pyjamas, of cotton, knitted
6108 32	Womens/girls nightdresses and pyjamas, of man-made fibres, knitted
6108 39	Womens/girls nightdresses & pyjamas, of other textile materials, knitted
6108 91	Womens/girls bathrobes, dressing gowns, etc, of cotton, knitted
6108 92	Womens/girls bathrobes, dressing gowns, etc, of man-made fibres, knitted
6108 99	Women/girls bathrobes, dressg gowns, etc, of oth textile materials, knittd
6109 10	T-shirts, singlets and other vests, of cotton, knitted
6109 90	T-shirts, singlets and other vests, of other textile materials, knitted
6110 10	Pullovers, cardigans&similar article of wool or fine animal hair, knittd
6110 20	Pullovers, cardigans and similar articles of cotton, knitted
6110 30	Pullovers, cardigans and similar articles of man-made fibres, knitted
6110 90	Pullovers, cardigans&similar articles of oth textile materials, knittd
6111 10	Babies garments&clothg accessories of wool or fine animal hair, knitted
6111 20	Babies garments and clothing accessories of cotton, knitted
6111 30	Babies garments and clothing accessories of synthetic fibres, knitted
6111 90	Babies garments&clothg accessories of other textile materials, knitted
6112 11	Track suits, of cotton, knitted
6112 12	Track suits, of synthetic fibres, knitted
6112 19	Track suits, of other textile materials, knitted
6112 20	Ski suits, of textile materials, knitted
6112 31	Mens/boys swimwear, of synthetic fibres, knitted
6112 39	Mens/boys swimwear, of other textile materials, knitted
6112 41	Womens/girls swimwear, of synthetic fibres, knitted
6112 49	Womens/girls swimwear, of other textile materials, knitted
6113 00	Garments made up of impreg, coatd, coverd or laminatd textile knittd fab
6114 10	Garments nes, of wool or fine animal hair, knitted
6114 20	Garments nes, of cotton, knitted
6114 30	Garments nes, of man-made fibres, knitted
6114 90	Garments nes, of other textile materials, knitted
6115 11	Panty hose&tights, of synthetic fibre yarns <67 dtex/single yarn knittd
6115 12	Panty hose&tights, of synthetic fib yarns >/=67 dtex/single yarn knittd

678- -209 0104

HS No.	Product description
6115 19	Panty hose and tights, of other textile materials, knitted
6115 20	Women full-l/knee-l hosiery, of textile yarn<67 dtex/single yarn knittd
6115 91	Hosiery nes, of wool or fine animal hair, knitted
6115 92	Hosiery nes, of cotton, knitted
6115 93	Hosiery nes, of synthetic fibres, knitted
6115 99	Hosiery nes, of other textile materials, knitted
6116 10	Gloves impregnated, coated or covered with plastics or rubber, knitted
6116 91	Gloves, mittens and mitts, nes, of wool or fine animal hair, knitted
6116 92	Gloves, mittens and mitts, nes, of cotton, knitted
6116 93	Gloves, mittens and mitts, nes, of synthetic fibres, knitted
6116 99	Gloves, mittens and mitts, nes, of other textile materials, knitted
6117 10	Shawls, scarves, veils and the like, of textile materials, knitted
6117 20	Ties, bow ties and cravats, of textile materials, knitted
6117 80	Clothing accessories nes, of textile materials, knitted
6117 90	Parts of garments/of clothg accessories, of textile materials, knittd
Ch. 62	**Art of apparel & clothing access, not knitted/crocheted**
6201 11	Mens/boys overcoats&similar articles of wool/fine animal hair, not knit
6201 12	Mens/boys overcoats and similar articles of cotton, not knitted
6201 13	Mens/boys overcoats & similar articles of man-made fibres, not knitted
6201 19	Mens/boys overcoats&sim articles of oth textile materials, not knittd
6201 91	Mens/boys anoraks&similar articles, of wool/fine animal hair, not knittd
6201 92	Mens/boys anoraks and similar articles, of cotton, not knitted
6201 93	Mens/boys anoraks and similar articles, of man-made fibres, not knitted
6201 99	Mens/boys anoraks&similar articles, of oth textile materials, not knittd
6202 11	Womens/girls overcoats&sim articles of wool/fine animal hair nt knit
6202 12	Womens/girls overcoats and similar articles of cotton, not knitted
6202 13	Womens/girls overcoats&sim articles of man-made fibres, not knittd
6202 19	Womens/girls overcoats&similar articles of other textile mat, not knit
6202 91	Womens/girls anoraks&similar article of wool/fine animal hair, not knit
6202 92	Womens/girls anoraks and similar article of cotton, not knitted
6202 93	Womens/girls anoraks & similar article of man-made fibres, not knitted
6202 99	Womens/girls anoraks&similar article of oth textile materials, not knit
6203 11	Mens/boys suits, of wool or fine animal hair, not knitted
6203 12	Mens/boys suits, of synthetic fibres, not knitted
6203 19	Mens/boys suits, of other textile materials, not knitted
6203 21	Mens/boys ensembles, of wool or fine animal hair, not knitted
6203 22	Mens/boys ensembles, of cotton, not knitted
6203 23	Mens/boys ensembles, of synthetic fibres, not knitted
6203 29	Mens/boys ensembles, of other textile materials, not knitted
6203 31	Mens/boys jackets and blazers, of wool or fine animal hair, not knitted
6203 32	Mens/boys jackets and blazers, of cotton, not knitted
6203 33	Mens/boys jackets and blazers, of synthetic fibres, not knitted
6203 39	Mens/boys jackets and blazers, of other textile materials, not knitted
6203 41	Mens/boys trousers and shorts, of wool or fine animal hair, not knitted
6203 42	Mens/boys trousers and shorts, of cotton, not knitted
6203 43	Mens/boys trousers and shorts, of synthetic fibres, not knitted
6203 49	Mens/boys trousers and shorts, of other textile materials, not knitted
6204 11	Womens/girls suits, of wool or fine animal hair, not knitted
6204 12	Womens/girls suits, of cotton, not knitted

0105

676- -208

HS No.	Product description
6204 13	Womens/girls suits, of synthetic fibres, not knitted
6204 19	Womens/girls suits, of other textile materials, not knitted
6204 21	Womens/girls ensembles, of wool or fine animal hair, not knitted
6204 22	Womens/girls ensembles, of cotton, not knitted
6204 23	Womens/girls ensembles, of synthetic fibres, not knitted
6204 29	Womens/girls ensembles, of other textile materials, not knitted
6204 31	Womens/girls jackets, of wool or fine animal hair, not knitted
6204 32	Womens/girls jackets, of cotton, not knitted
6204 33	Womens/girls jackets, of synthetic fibres, not knitted
6204 39	Womens/girls jackets, of other textile materials, not knitted
6204 41	Womens/girls dresses, of wool or fine animal hair, not knitted
6204 42	Womens/girls dresses, of cotton, not knitted
6204 43	Womens/girls dresses, of synthetic fibres, not knitted
6204 44	Womens/girls dresses, of artificial fibres, not knitted
6204 49	Womens/girls dresses, of other textile materials, not knitted
6204 51	Womens/girls skirts, of wool or fine animal hair, not knitted
6204 52	Womens/girls skirts, of cotton, not knitted
6204 53	Womens/girls skirts, of synthetic fibres, not knitted
6204 59	Womens/girls skirts, of other textile materials, not knitted
6204 61	Womens/girls trousers & shorts, of wool or fine animal hair, not knitted
6204 62	Womens/girls trousers and shorts, of cotton, not knitted
6204 63	Womens/girls trousers and shorts, of synthetic fibres, not knitted
6204 69	Womens/girls trousers & shorts, of other textile materials, not knitted
6205 10	Mens/boys shirts, of wool or fine animal hair, not knitted
6205 20	Mens/boys shirts, of cotton, not knitted
6205 30	Mens/boys shirts, of man-made fibres, not knitted
6205 90	Mens/boys shirts, of other textile materials, not knitted
6206 10	Womens/girls blouses and shirts, of silk or silk waste, not knitted
6206 20	Womens/girls blouses & shirts, of wool or fine animal hair, not knitted
6206 30	Womens/girls blouses and shirts, of cotton, not knitted
6206 40	Womens/girls blouses and shirts, of man-made fibres, not knitted
6206 90	Womens/girls blouses and shirts, of other textile materials, not knitted
6207 11	Mens/boys underpants and briefs, of cotton, not knitted
6207 19	Mens/boys underpants and briefs, of other textile materials, not knitted
6207 21	Mens/boys nightshirts and pyjamas, of cotton, not knitted
6207 22	Mens/boys nightshirts and pyjamas, of man-made fibres, not knitted
6207 29	Mens/boys nightshirts & pyjamas, of other textile materials, not knitted
6207 91	Mens/boys bathrobes, dressing gowns, etc of cotton, not knitted
6207 92	Mens/boys bathrobes, dressing gowns, etc of man-made fibres, not knitted
6207 99	Mens/boys bathrobes, dressg gowns, etc of oth textile materials, not knit
6208 11	Womens/girls slips and petticoats, of man-made fibres, not knitted
6208 19	Womens/girls slips & petticoats, of other textile materials, not knitted
6208 21	Womens/girls nightdresses and pyjamas, of cotton, not knitted
6208 22	Womens/girls nightdresses and pyjamas, of man-made fibres, not knitted
6208 29	Womens/girls nightdresses&pyjamas, of oth textile materials, not knitted
6208 91	Womens/girls panties, bathrobes, etc, of cotton, not knitted
6208 92	Womens/girls panties, bathrobes, etc, of man-made fibres, not knitted
6208 99	Womens/girls panties, bathrobes, etc, of oth textile materials, not knittd
6209 10	Babies garments&clothg accessories of wool o fine animal hair, not knit
6209 20	Babies garments and clothing accessories of cotton, not knitted

0106

6-78 - -20p

HS No.	Product description
6209 30	Babies garments & clothing accessories of synthetic fibres, not knitted
6209 90	Babies garments&clothg accessories of oth textile materials, not knittd
6210 10	Garments made up of textile felts and of nonwoven textile fabrics
6210 20	Mens/boys overcoats&similar articles of impreg, ctd, cov etc, tex wov fab
6210 30	Womens/girls overcoats&sim articles, of impreg, ctd, etc, tex wov fab
6210 40	Mens/boys garments nes, made up of impreg, ctd, cov, etc, textile woven fab
6210 50	Womens/girls garments nes, of impregnatd, ctd, cov, etc, textile woven fab
6211 11	Mens/boys swimwear, of textile materials not knitted
6211 12	Womens/girls swimwear, of textile materials, not knitted
6211 20	Ski suits, of textile materials, not knitted
6211 31	Mens/boys garments nes, of wool or fine animal hair, not knitted
6211 32	Mens/boys garments nes, of cotton, not knitted
6211 33	Mens/boys garments nes, of man-made fibres, not knitted
6211 39	Mens/boys garments nes, of other textile materials, not knitted
6211 41	Womens/girls garments nes, of wool or fine animal hair, not knitted
6211 42	Womens/girls garments nes, of cotton, not knitted
6211 43	Womens/girls garments nes, of man-made fibres, not knitted
6211 49	Womens/girls garments nes, of other textile materials, not knitted
6212 10	Brassieres and parts thereof, of textile materials
6212 20	Girdles, panty girdles and parts thereof, of textile materials
6212 30	Corselettes and parts thereof, of textile materials
6212 90	Corsets, braces & similar articles & parts thereof, of textile materials
6213 10	Handkerchiefs, of silk or silk waste, not knitted
6213 20	Handkerchiefs, of cotton, not knitted
6213 90	Handkerchiefs, of other textile materials, not knitted
6214 10	Shawls, scarves, veils and the like, of silk or silk waste, not knitted
6214 20	Shawls, scarves, veils&the like, of wool or fine animal hair, not knitted
6214 30	Shawls, scarves, veils and the like, of synthetic fibres, not knitted
6214 40	Shawls, scarves, veils and the like, of artificial fibres, not knitted
6214 90	Shawls, scarves, veils & the like, of other textile materials, not knitted
6215 10	Ties, bow ties and cravats, of silk or silk waste, not knitted
6215 20	Ties, bow ties and cravats, of man-made fibres, not knitted
6215 90	Ties, bow ties and cravats, of other textile materials, not knitted
6216 00	Gloves, mittens and mitts, of textile materials, not knitted
6217 10	Clothing accessories nes, of textile materials, not knitted
6217 90	Parts of garments or of clothg accessories nes, of tex mat, not knittd
Ch. 63	**Other made up textile articles; sets; worn clothing etc**
6301 10	Electric blankets, of textile materials
6301 20	Blankets (other than electric) & travelling rugs, of wool or fine animal hair
6301 30	Blankets (other than electric) and travelling rugs, of cotton
6301 40	Blankets (other than electric) and travelling rugs, of synthetic fibres
6301 90	Blankets (other than electric) and travelling rugs, of other textile materials
6302 10	Bed linen, of textile knitted or crocheted materials
6302 21	Bed linen, of cotton, printed, not knitted
6302 22	Bed linen, of man-made fibres, printed, not knitted
6302 29	Bed linen, of other textile materials, printed, not knitted
6302 31	Bed linen, of cotton, nes
6302 32	Bed linen, of man-made fibres, nes
6302 39	Bed linen, of other textile materials, nes

676 - -210 0107

HS No.	Product description
6302 40	Table linen, of textile knitted or crocheted materials
6302 51	Table linen, of cotton, not knitted
6302 52	Table linen, of flax, not knitted
6302 53	Table linen, of man-made fibres, not knitted
6302 59	Table linen, of other textile materials, not knitted
6302 60	Toilet&kitchen linen, of terry towellg or similar terry fab, of cotton
6302 91	Toilet and kitchen linen, of cotton, nes
6302 92	Toilet and kitchen linen, of flax
6302 93	Toilet and kitchen linen, of man-made fibres
6302 99	Toilet and kitchen linen, of other textile materials
6303 11	Curtains, drapes, interior blinds&curtain or bed valances, of cotton, knit
6303 12	Curtains, drapes, interior blinds&curtain/bd valances, of syn fib, knittd
6303 19	Curtains, drapes, interior blinds&curtain/bd valances, oth tex mat, knit
6303 91	Curtains/drapes/interior blinds&curtain/bd valances, of cotton, not knit
6303 92	Curtains/drapes/interior blinds curtain/bd valances, of syn fib, nt knit
6303 99	Curtain/drape/interior blind curtain/bd valance, of oth tex mat, nt knit
6304 11	Bedspreads of textile materials, nes, knitted or crocheted
6304 19	Bedspreads of textile materials, nes, not knitted or crocheted
6304 91	Furnishing articles nes, of textile materials, knitted or crocheted
6304 92	Furnishing articles nes, of cotton, not knitted or crocheted
6304 93	Furnishing articles nes, of synthetic fibres, not knitted or crocheted
6304 99	Furnishg articles nes, of oth textile materials, not knittd o crochetd
6305 10	Sacks&bags, for packg of goods, of jute or of other textile bast fibres
6305 20	Sacks and bags, for packing of goods, of cotton
6305 31	Sacks&bags, for packg of goods, of polyethylene or polypropylene strips
6305 39	Sacks & bags, for packing of goods, of other man-made textile materials
6305 90	Sacks and bags, for packing of goods, of other textile materials
6306 11	Tarpaulins, awnings and sunblinds, of cotton
6306 12	Tarpaulins, awnings and sunblinds, of synthetic fibres
6306 19	Tarpaulins, awnings and sunblinds, of other textile materials
6306 21	Tents, of cotton
6306 22	Tents, of synthetic fibres
6306 29	Tents, of other textile materials
6306 31	Sails, of synthetic fibres
6306 39	Sails, of other textile materials
6306 41	Pneumatic mattresses, of cotton
6306 49	Pneumatic mattresses, of other textile materials
6306 91	Camping goods nes, of cotton
6306 99	Camping goods nes, of other textile materials
6307 10	Floor-cloths, dish-cloths, dusters & similar cleaning cloths, of tex mat
6307 20	Life jackets and life belts, of textile materials
6307 90	Made up articles, of textile materials, nes, including dress patterns
6308 00	Sets consistg of woven fab & yarn, for makg up into rugs, tapestries etc
6309 00	Worn clothing and other worn articles

616 - -211 0108

HS No.	Product description
	Textile and clothing products in Chapters 30-49, 64-96
3005 90	Wadding, gauze, bandages and the like
ex 3921 12	)
ex 3921 13	(Woven, knitted or non-woven fabrics coated, covered or laminated with plastics
ex 3921 90	)
ex 4202 12	)
ex 4202 22	(Luggage, handbags and flatgoods with an outer surface predominantly of textile materials
ex 4202 32	)
ex 4202 92	)
ex 6405 20	Footwear with soles and uppers of wool felt
ex 6406 10	Footwear uppers of which 50% or more of the external surface area is textile material
ex 6406 99	Leg warmers and gaiters of textile material
6501 00	Hat-forms, hat bodies and hoods of felt; plateaux and manchons of felt
6502 00	Hat-shapes, plaited or made by assembling strips of any material
6503 00	Felt hats and other felt headgear
6504 00	Hats & other headgear, plaited or made by assembling strips of any material
6505 90	Hats & other headgear, knitted or made up from lace, or other textile material
6601 10	Umbrellas and sun umbrellas, garden type
6601 91	Other umbrella types, telescopic shaft
6601 99	Other umbrellas
ex 7019 10	Yarns of fibre glass
ex 7019 20	Woven fabrics of fibre glass
8708 21	Safety seat belts for motor vehicles
8804 00	Parachutes; their parts and accessories
9113 90	Watch straps, bands and bracelets of textile materials
ex 9404 90	Pillow and cushions of cotton; quilts; elderdowns; comforters and similar articles of textile materials
9502 91	Garments for dolls
ex 9612 10	Woven ribbons, of man-made fibres, other than those measuring less than 30 mm in width and permanently put up in cartridges

676 - -212

0109

Ⅱ. 섬유

1. Text의 성격

0 섬유 Text는 브뤼셀 의장 Text(W/35/Rev.1)상 괄호로 남아 있던 주요쟁점 사항에 대해 지난 브뤼셀 회의이후 현재까지의 논의를 토대로 한 것임

0 많은 쟁점 사항에 대해 최근 막바지 절충을 통하여 참가국의 묵시적인 합의를 어느정도 도출해내었으나 "Economic Package"(연증가율, 통합비율, 품목대상 범위등)는 수입국과 수출국간 입장이 대립되어 동 사항에 대해서는 참가국간 이견 절충을 시도하지 못한채 던켈 의장이 다협상 분야와의 균형을 고려하여 결정한 것임.

2. 주요쟁점 사항에 대한 협상 결과

0 통합기간 : 10년 <1993-2002년, 1단계 3년(93-95), 2단계 4년(96-99), 3단계(2000-2002)>

0 쿼타 증가율 : 각단계별로 기존 쌍무협정상 증가율에 동 증가율의 각각 16%, 25%, 27%를 증가시킴

0 통합비율 : 각단계별로 각각 12%, 17%, 18%(47%)

0 품목대상 범위 : 브뤼셀 의장 Text(W/35/Rev. 1)과 동일함(단 일부품목은 잠정세이프 가드 발동대상에서는 제외)

0 잠정 세이프가드 조치관련

- 발동요건 : 브뤼셀 의장 Text와 기본적으로 동일하나 일부 용어 수정으로 요건 다소 강화
- 규제수준 : 과거 1년간 수출실적을 기준으로함.
- 발동기한 : 연장없이 3년
- 동 조치 보유 가능 국가 범위 : 동 협정 가입한 모든 국가가 발동 가능함

3

6/(38-5

0110

0 갓브 규법강화 : 수입국 주장이 상당히 반영됨

0 특수한 공급국 우대

- 소규모공급국 : 수출물량 기준 1%를 규제수준 기준 1.2%로 조정함으로써 소규모 공급국 대상범위 축소됨. 다만 쿼타 증가율에서 다소 우대

- 모생산국 및 OPT 국가 : 잠정 SG 조치 관련 우대 조치에 관한 선언적 규정 포함

0 기타

- Non-MFA국가 처리 문제 : 본협정 적용시 특별취급 허용토록함.

- 본협정 가입국 용어 문제 : "Parties"로 표시됨

3. 아국 관심 사항 반영 현황

가. 통합기간 : 10년의 장기간으로 설정됨으로서 섬유산업구조 조정에 필요한 충분한 시간 확보

나. different mix 조항(수출, 수입국 합의에 의한 쿼타 조정등 가능 조항) 삭제

0 통합기간중 수출, 수입국은 상호합의할 경우 쿼타물량, 연증가율, 융통성등에 대해 조정할 수 있다는 동조항은 협상력이 우월한 수입국에 의해 악용될 소지가 많아, 동 조항의 삭제에 대해 그동안 아국은 최대의 관심을 기울여 왔는바, 동 조항은 소규모 공급국에 국한된 예외 조항에 포함됨으로써 일반 조항으로는 삭제됨

나. 과거 규제품목에 대해 잠정 세이프 가드 조치를 재발동할 경우 규제수준

0 MFA 규제를 해제하고 1년내 잠정세이프가드 조치를 발동하는 경우 규제수준은 과거 규제시의 쿼타 수준을 최소한 유지토록 함으로써 쿼타 수준을 삭감키 위해 MFA 규제를 해제하고 잠정세이프가드 조치를 남용할 수 있는 소지를 없앰.

4 615-38-6 0111

라. 잠정 세이프가드 조치 발동 가능국가 범위

0 현재 MFA 규제를 하고 있는 국가뿐아니라 본협정 가입국 모두가 동조치 발동권리를 보유하게 됨으로써 저개발국으로부터 저가의 섬유제품 수입급증시 대응 권한 보유

4. 평가 및 대책

가. 평가

0 본협정에서는 그동안 수출 개도국이 주장한 내용(특히 Economic Package 사항인 갓트 복귀 시한, 연증가율, 통합비율등)을 미국, EC등 수입선진국이 다소 수용함으로써 전체적으로 브랏셀 Text 보다는 수출 개도국의 입장이 비교적 반영된 것으로 판단됨.

나. 대책

0 국내홍보대책

- 동 협정의 결과로 아국은 섬유교역에 있어서 다자간 규율강화로 쌍무적 불이익 극복 가능

. 현행 MFN 체제는 기본골격만 다자간 규율하에 두고 주요 내용 (제한 대상품목, 쿼타 수준등)은 쌍무협정에 의해 결정됨 으로써 그동안 대규모 쿼타 보유국의 하나인 아국은 여타 개도국에 비해 쿼타 증량등에서 상대적으로 불리한 취급을 받았으나 새로운 섬유협정하에서는 섬유교역의 주요 내용인 쿼타 증가율, 통합비율 및 품목 대상 범위등이 다자간 규범에 의해 일률적으로 적용됨. 되며

. 또한 기본쿼타(BASE LAVEL)를 현 쿼타량을 기초로 함으로써 쿼타 최다보유국의 하나인 아국의 기득권 유지 할 수 있게 되었음.

- 점진적 섬유교역 자유화 구조조정 촉진

. 갓트로의 완전 통합이 10년에 걸쳐 점진적으로 이루어짐으로써 섬유산업 구조조정의 계기를 마련

. 기술집약적 고부가가치 제품 개발 및 수출시장 확보동기 부여

0 국내산업 대책

- 그동안 쿼타관리에 묶어 제한 받았던 섬유교역이 동 협정에 의해 점진적으로 자유화될 것으로 예상됨에 따라 현재 노동집약형 생산방식을 위주로하고 있는 섬유분야는 대개도국 경제협력 강화, 생산효율증가, 수출환경개선등을 위해 저임금의 제 3국 진출을 모색하고 국내생산분야에서는 자본 및 기술집약형 생산 방식을 택하어 고부가가치 생산에 역점을 두어야 할 것으로 사료됨.

6 675-38-8 0113

외 무 부

종 별 :

번 호 : GVW-2777 일 시 : 91 1223 1200

수 신 : 장 관(통기,경기원,상공부)

발 신 : 주 제네바대사

제 목 : UR/섬유분야 관계기사 송부

UR/섬유협상 결과 아국,홍콩등이 여타 수출국에 비해 보다 유리한 지위를 향유할 수 있을 것이란 12.23(월) 자 FINANCIAL TIMES지 기사를 별첨 FAX송부하니 국내 홍보등에 참고 바람.

첨부: 관계기사 1부(GVW(F)-0677)끝

(대사 박수길-국장)

통상국 경기원 상공부

PAGE 1

91.12.24 07:42 WH

외신 1과 통제관

0114

12. 23(월) Financial Times

Far East benefits from textiles deal

By William Dullforce

TRADE in textiles and clothing, at present conducted under bilateral quota arrangements which contradict Gatt rules, will be brought into conformity with Gatt over a 10-year period starting on January 1 1993.

Developing countries have won some concessions in the agreement to phase out the Multi-Fibre Arrangement which has governed the annual $200bn (£110bn) trade for the past 30 years, but the terms appear to offer a better deal for well established exporters, such as Hong Kong and Korea, than for countries which are still building up their industries.

H.K. Korea 유리

Importers agreed to make an extra 4 per cent down payment on the list of products that would be integrated into Gatt in January 1993. This would be additional to the minimum 12 per cent of the total volume of imports in 1990 which they must integrate at the time. Products dropped from the quota system have to be taken from each of four groups – tops and yarn, fabrics, made-up textile products and clothing.

In January 1996 a further 17 per cent of products must be integrated, with 18 per cent more due in January 2000. Three years later all quota restrictions will be eliminated.

During the 10-year transition period the growth rate for imports agreed in current quota deals will be increased by 16 per cent in the first stage, 25 per cent in the period 1996 to 1999 and 27 per cent between 2000 and 2002. Exporting countries whose quotas represented 1.2 per cent or less of the total quotas applied by an importing country can get better terms.

1.2% 以下 (소규모 공급국 우대)

Importers facing a sharp and substantial increase in imports can call for special action by their government, if they can show that serious damage is being caused or threatened. These protective measures may be applied on a country-by-country basis.

6 7 7 - 2-1 / 2-2

0115

01

주 제 네 바 대 표 부

제네(경) 20644-290 '92. 3. 13.

수신 : 장관

참조 : 통상국장

제목 : 갓트/TSB 교체위원 임명

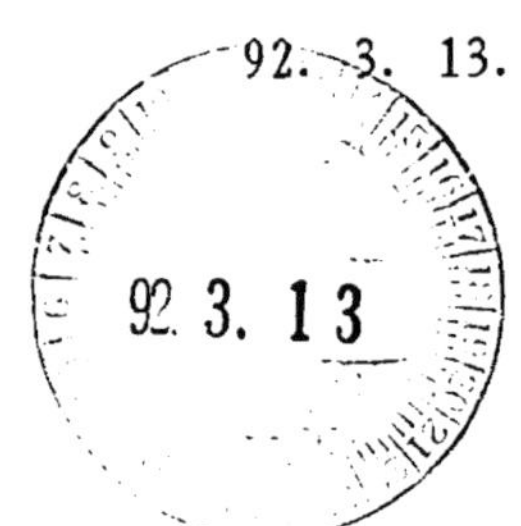

1. 오행겸참사관의 본부 귀임에 따라 당관 이성주참사관이 1992. 3. 10부터 갓트 섬유감독기구(TSB)의 교체위원직을 승계하였음을 보고합니다.

2. 갓트/섬유 감독기구 정위원인 Wong 홍콩대표부 부대표의 Raffaelli 섬유 감독기구 의장앞 통보 서한 사본을 별첨 송부합니다.

첨부 : 상기 서한 사본 1부. 끝.

주 제 네 바 대 사

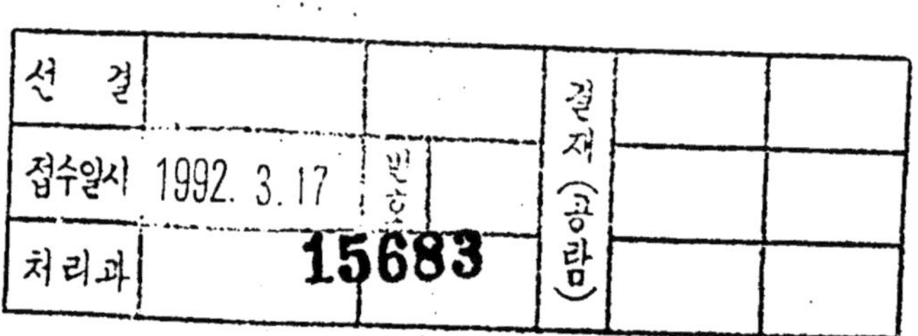

선 결			결재 (공람)		
접수일시	1992. 3. 17	번호			
처리과	15683				

0116

HONG KONG ECONOMIC AND TRADE OFFICE
37-39, RUE DE VERMONT
1211 GENEVA 20
SWITZERLAND

GM 037 in TSB/1

Geneva, 9 March 1992

Ambassador Marcelo Raffaelli
Chairman
Textiles Surveillance Body
GATT
Centre William Rappard
Rue de Lausanne 154
1211 GENEVA 21

Dear Mr. Chairman,

I have the honour to nominate Mr. Sung-Joo LEE, Counsellor of the Permanent Mission of the Republic of Korea, as my alternate member on the Textiles Surveillance Body from 10 March 1992. Mr. LEE will succeed Mr. Haeng Kyeom OH who, I understand, has left Geneva.

Please accept, Mr. Chairman, the assurance of my highest consideration.

(Andrew H. Y. Wong)
Deputy Representative
of Hong Kong to the GATT

c.c. Mr. LEE Sung-Joo
Counsellor
Permanent Mission of the Republic of Korea

0117

TELEPHONE (022) 734 90 40 FACSIMILE (022) 733 99 04 TELEX 28 880 HKGV CH

0·1

주 미 대 사 관

USW(F) : 1718 년월일 : 시간 :

수 신 : 장 관 (통기, 통이, 통삼, 경일) 사본 : 상공부, 경기원

발 신 : 주 미 대 사

보 안 통 제	

제 목 : 미국, UR 섬유분야 협상 재개 고려 (2매) (출처 :)

INSIDE U.S. TRADE - March 20, 1992

U.S. TO CONSIDER OPENING TEXTILE GATT DRAFT, INDUSTRY SEEKS CBI SUPPORT

The Administration is considering re-opening the draft Uruguay Round textile agreement to seek an extended phase-out period for the Multi-Fiber Arrangement (MFA) if the major textile exporting nations fail to open their market in the access negotiations now being conducted, according to U.S. trade officials.

The officials also said that the U.S. had received informal overtures from a number of countries seeking to extend the MFA phaseout from the current 10 years to a period of 12 or 15 years.

The U.S. has pushed for significant lowering of tariff and non-tariff barriers by major textile exporting nations such as India, Pakistan, Indonesia, Egypt, Turkey and others. But linking the MFA phase-out period to progress in the market access negotiations is a new position for the U.S., say informed sources.

The apparent U.S. willingness to consider re-opening the draft of the General Agreement on Tariffs &

(1718 - 2 - 1)

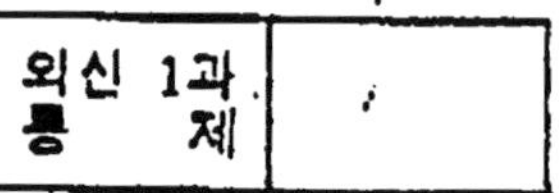

외신 1과 통 제	

0118

ADMINISTRATION PONDERS CHANGES IN GATT DRAFT TEXTILE AGREEMENT...begins page 1

Trade follows strong pressure on the Administration from U.S. textile and apparel producers, and from key Senators. Representatives of the American Textile Manufacturers Institute (ATMI) and other textile industry leaders met with White House Chief of Staff Sam Skinner and Republican Party chairman Clayton Yeutter in early March to press for a re-opening of the GATT draft. And Sens. Jesse Helms (R-NC) and Strom Thurmond (R-SC) have called on the Administration in letters to adopt the major demands expressed by textile producers. Thurmond emphasized that the demands of the producers are "reasonable" and do not violate free-trade principles, according to his March 13 letter reprinted below.

Under the current Uruguay Round draft agreement, the MFA -- which establishes strict quotas on developed country imports of textiles and apparel -- will be phased out in three stages over a 10-year period, after which all textile trade will fall under the GATT. The industry wants to extend the phase-out period to 15 years, withhold the benefits of market liberalization from countries that fail to open their textile and apparel markets, resist further cuts in U.S. textile tariffs, and deny liberalized market access to non-GATT competitors, particularly China. ATMI and domestic apparel manufacturers earlier this year highlighted these demands in public statements backed by European Community producers.

The U.S. industry has also been attempting to gain support from other textile-producing countries for re-opening the GATT draft. Caribbean and Central American countries are currently considering supporting a request from ATMI that they withdraw their support for the GATT draft in Geneva, sources said. ATMI has asked these countries to write to U.S. Trade Representative Carla Hills supporting the U.S. industry's demands, according to industry and government sources. In exchange, ATMI has offered to use its influence with Congress and the Administration to press for an extension of the North American Free Trade Agreement rule-of-origin provisions on textiles to the Caribbean Basin Initiative (CBI) countries, these sources say. The CBI countries are currently formulating a response, and considering a draft of a letter to Hills. Their decision will likely be finalized when the Central American trade ministers meet later this month, according to a CBI country source.

In addition to supporting an extension of the NAFTA, ATMI has said it would try to increase outward processing by U.S. industry in the CBI countries, and encourage greater vertical integration of textile production in those countries, according to an industry source. The domestic industry has traditionally used its influence with Congress to oppose increases in textile imports from Central America and the Caribbean, and a source from the region described the ATMI offer of support as a "landmark."

ATMI has also been making overtures to smaller producers in Southeast Asia such as Malaysia and Thailand, according to industry sources.

The Central American and Caribbean countries fear that their current textile exports, which are largely based on outward processing of U.S. fabric, will be jeopardized by the NAFTA. That trade pact will offer substantial tariff advantages to producers locating in Mexico rather than elsewhere in the region. Two other U.S. industry associations, the American Apparel Manufacturers Assn. and the U.S. Apparel Importers Council, this week publicly offered unconditional support for an extension of the NAFTA provisions to the CBI countries (see related story). The CBI countries are also worried that, when the MFA is phased out, competition from Asian producers will force both U.S. manufacturers and offshore production facilities out of business. Asian producers supporting the current draft text counter that argument by saying that outward processing of U.S. fabric in low-wage countries will increase with more competition from abroad because U.S. companies will see low-wage rates and environmental costs as a competitive advantage.

If the CBI countries decide to support a longer phase-out period for the MFA, it will represent a significant split in the current consensus among the developing countries to support the 10-year phase-out. So far, only the Caribbean Common Market countries, led by Jamaica, have publicly called for an extension of the phase-out, fearing that the shorter period will threaten their current outward processing trade with the U.S. (*Inside U.S. Trade*, Nov. 29, 1991, p 5).

Industry sources say it is not clear what the U.S. hopes to gain by threatening to re-open the textile draft. The strategy may be designed to increase leverage in the current market access negotiations, or the U.S. may be looking for other countries to take the lead in re-opening the draft, sources say.

Officials in Geneva, however, said that no efforts have yet been made to re-open the textile draft, and that such a move would force a re-consideration of the entire Uruguay Round package. Major developing countries like India, for instance, have linked the 10-year phase-out of the MFA to the 10-year transition period on extending patent protection in the trade-related intellectual property provisions (TRIPS) text. They would be unlikely to accept an extension of the MFA phase-out without demanding changes elsewhere in the text. One source said that an opening of the textile draft "would mean unraveling the whole thing," and that it would be impossible to find a new balance of concessions that satisfied all countries. *By Edward Alden*

1718 - 2-2

0119

<섬유분야> 분야별 의장 협정 문안에 대한 주요쟁점 및 우리의 입장

주요쟁점	의장 협정문 안	우리입장 반영 여부 및 대응방안	비 고
o 갓트복귀 비율 및 대상 품목	o 3단계 (3년,4년,3년)로 나누어 단계별 부속서상 품목의 12%, 17%, 18%를 복귀시킴 - 또한 이와 별도로 4%를 동 복귀 절차 개시 이전에 복귀시킴 (즉, 현 부속서상 대상품목에서 4%를 제외시킴)	o 갓트복귀 비율 및 대상 품목에 대해 아국은 여타 개도국과 공동 차원에서 비율 상향 및 대상품목 축소를 주장해 왔음 - 아국 단독의 이해가 첨예하게 걸려 있는 문제가 아닌 만큼 여타 개도국과 공동 보조를 취함	o 브랏셀 의장안에는 단계별로 10%, 15%, 20%로 규정
o 연증가율	o 단계별로 16%, 25%, 27%를 현 증가율에 추가시킴	o 브랏셀 의장안보다 상승된 증가율을 확보	o 브랏셀 의장안상 증가율은 16%, , 21%, 26%임
- 최소 연증가율	o 문항 삭제	o 아국입장 미반영 - 아국입장의 반영 가능성은 당초 예상데로 크지 못했음	
o 상호 합의 조항 (different mix)	o 삭 제	o 아국입장 반영 - 섬유 주종 수출국으로서 쿼타의 조정 (cutback) 가능성을 삭제한 것임	
o 규제 재발동시 (철폐후 1년이내) 과거 쿼타 수준 인정	o 규제 철폐 통보 및 잠정 SG에 의한 규제 철폐일로부터 1년 이내에 규제를 재발동할 경우에의 규제 수준은 과거 규제 수준보다 낮아 많아야 함	o 과거 규제시의 쿼타량을 인정받음으로서 쿼타 다량 보유국이 기득권이 인정됨	o -
o 과거 규제 품목에 대한 재규제시 쿼타 수준	o 자유화시킨 과거 규제 품목에 대해 자유 1년 이내에 새로이 규제 발동시 쿼타 수준은 과거 규제 수준보다 낮지 않아야 함	o 아국 입장 반영 - 쿼타 다량 보유국으로서 과거의 쿼타 수준 인정	

0120

주요쟁점	의장 협정문 안	우리입장 반영 여부 및 대응방안	비 고
o 갓트복귀 품목에 대한 SG 발동시 규제 수준 및 쿼타 관리 문제	o 갓트로 복귀된 품목에 대해 1년 이내에 갓트 19조상의 SG를 발동할 경우에는 i) 과거 3년간의 수출 실적의 평균으로 부터 삭감할 수 없으며 (SG/QM과 관련) ii) 쿼타 관리권을 수출국이 보유함	o 수입국이 갓트로 복귀 시킨 품목에 대해 갓트 19조를 발동할 경우 쿼타를 삭감당할 가능성을 막고 o 수출국이 쿼타 관리권을 보유하게 됨	o 일반 SG 협상의 쿼타 Modulation의 위험을 방지
o 반덤핑, 상계관세 부과 금지 조항	o 삭 제	o 미국등 선진 수입국의 강경한 반대 입장으로 관철될 가능성이 희박했음	o 미국은 섬유협상 전체 package에 대해 의회의 비난이 예상되는 상황에서 AD관련 미국내법의 개정의 수락은 도저히 불가능 하다는 점을 강조
o 갓트 규범 강화 이행 의무	o 특정국가가 본 협정상의 제반 의무를 불이행 할 경우 TMB, 갓트 이사회의 절차를 통해 동국가에게 본 협정의 연 증가율 배제 가능	o 브랏셀 의장안보다 TMB, 갓트 이사회등 절차적인 통제를 강화했음	

전체 종합 :

0121

(4) 섬 유

o UR 섬유협상의 목표는 강화된 갓트규정 및 규율에 기초하여 섬유분야를 궁극적으로 갓트에 통합하는 방안을 마련하고 이에 의하여 섬유교역의 자유화를 촉진하는데에 있다. 이는 다자간 섬유협정(MFA)의 철폐, 특히 MFA의 수출 쿼타제(수량제한)를 관세 통제로 일원화하고, 특정국가에 대한 차별 조치의 완화를 목표로 하는 것이다. 따라서 금번 우루과이라운드 섬유협상의 가장 큰 의의는 세계 공산품 교역의 10%에 달하는 섬유교역을 갓트체제에 복귀시킨다는 점에 있다.

o MFA 협정 주1) 은 1974년 발족하여 4차의 갱신을 해 오면서, GATT와는 다른 원칙과 입장에서 세계섬유 교역 질서를 규제하여 왔다. 그것은 후진국 섬유공업이 발달함에 따라 저렴한 후진국 상품이 선진국 시장을 무원칙하게 교란하는 것을 막기 위한 것이었다.

o MFA는 우선 이해 당사국간에서 년간 교역량을 제정하기 위하여 일정한 quota를 설정하고, 증가율도 제정하며(6%), 이것을 체약국 쌍무협정으로 규정하고 있다. 쌍무협정이 불가할 때는 일방적으로 시장의 혼란(market disruption)을 이유로 수입을 규제할 수 있게 하였다. 또한 필요할때는 체약국 상호간에서 수출자율규제(VER) 주2) 를 할 수 있게도 하고 있다. 따라서 MFA와 갓트의 근본적인 차이점은 갓트 제1조가 일반적인 최혜국 대우를 규정하고 있음에 반하여 MFA는 특정국가의 쌍무협상이나 일방적인 결정에 의한 조치를 허용하는 점과, 수량제한 일반적 폐지를 규정하고 있는 갓트 제11조가 MFA의 수량제한과 정면으로 배치되는점, 갓트 19조의 긴급 수입제한 조치의 발동이 수입증가로 인한 심각한 피해를 요건으로 하고 있는 반면 MFA 시장교란의 위협도 이유가 될 수 있다는 점을 들 수 있겠다.

o 개도국들은 우루과이라운드 섬유협상에서 그간 GATT에서 이탈하여 운영된 MFA하의 규제와 기존 쌍무협정들을 폐지하고 섬유류 교역을 GATT에 복귀 시킴으로써 선진국에 대한 섬유류 수출을 확대할 수 있는 교역환경을 조성코자 노력하여 왔다.

0122

그러나 협상에 임하는 개도국의 입장은 각국이 처한 상황에 따라 매우 상이하다. 우리나라와 같은 주요 섬유 수출 개도국들은 현행 MFA 하에서 누리고 있는 기득권을 유지하는 동시에 보다 완화된 섬유류 교역 환경을 조성하기 위해 섬유협상에서 비교적 소극적이면서 유연한 입장을 보여왔다. 반면 인도, 방글라데시등 후발 섬유수출 개도국들은 MFA하의 규제가 그들의 수출 증가 기회를 봉쇄해 왔다고 판단하고, 빠른 MFA의 갓트 복귀와 완전한 자유교역등 보다 원칙적이고 강경한 입장을 견지해 왔다.

o 한편 선진국들은 이 협상에서 MFA하의 규제뿐만 아니라 교역패턴에 영향을 미치는 모든 규제들을 다룸으로써 궁극적으로는 '섬유분야의 완전한 GATT 통합'을 이룩하되 자국의 섬유 수입규제 조치를 점진적으로 자유화 해 나가는 방안을 주장해 왔다.

o 이러한 선진국 - 개도국간의 대결 양상 속에서 UR/섬유협상은 MFA IV의 규제조치 및 갓트규정에 위배되는 조치의 점진적 철폐, 섬유교역의 갓트 통합 소요시간, 통합절차 및 방법, 과도기간중 긴급 수입제한 조치의 운용등에 관해 논의를 집중시켜 왔다.

o 5년간에 걸친 논의 결과 91.12월 제시된 최종 협정 초안은 일부 수출국/수입국간의 입장이 대립되는 일부 분야(연증가율, 통합비율, 품목 대상 범위등)는 의장인 던켈 갓트 사무총장의 중재 내용도 포함하고 있으나 대부분 참가국의 묵시적 합의가 도출된 결과로서 향후 협상 과정에서 크게 수정될 가능성은 희박하다.

최종 협정 초안의 주요내용을 살펴보면 아래와 같다.

- 통합기간 : 10년 <1993-2002년, 1단계 3년(93-95), 2단계 4년(96-99), 3단계(2000-2002)>
- 쿼타 증가율 : 각 단계별로 기존 쌍무협정상 증가율에 동 증가율의 각각 16%, 25%, 27%를 증가시킴
- 통합비율 : 각 단계별로 각각 12%, 17%, 18%(47%)

0123

○ 이 최종협정 초안은 그동안 우리나라를 비롯한 섬유 수출개도국이 주장한 내용을 미국, EC등 수입선진국이 다소 수용함으로써 수출개도국의 입장이 비교적 많이 반영된 것으로 평가된다. UR/섬유협상이 타결되면 우리나라는 섬유 교역에 있어서 다자간 규율의 강화로 그간 MFA하의 쌍무협정으로 인한 불이익을 어느정도 극복할 수 있을 것으로 기대된다. 즉, 현행 MFN 체제는 기본골격만 다자간 규율하에 두고 주요내용(제한 대상품목, 쿼타 수준등)은 쌍무협정에 의해 결정토록 함으로써 그동안 대규모 쿼타 보유국의 하나인 아국은 여타 개도국에 비해 쿼타 증가등에서 상대적으로 불리한 취급을 받았으나 새로운 섬유 협정하에서는 섬유교역의 주요내용인 쿼타 증가율, 통합비율 및 품목 대상범위등이 다자간 규범에 의해 일률적으로 적용되며, 기본쿼타(BASE LEVEL)를 현 쿼타량을 기초로 함으로써 쿼타 최다 보유국의 하나인 아국의 기득권 유지할 수 있게 되었다.
또한 우리나라는 향후 10년간의 점진적인 섬유 교역의 자유화 과정에서 우리 섬유산업의 구조 조정을 기할 수 있는 기회로 활용할 수 있을 것으로 본다. 우리나라 섬유산업계는 그동안 쿼타 관리에 묶여 제한받았던 섬유 교역이 UR 협상 결과로 점진적으로 자유화됨에 따라 현재 노동 집약형 생산 방식에서 탈피, 생산 효율성 향상, 수출환경 개선등을 위해 저임금의 제3국 진출을 모색하고 국내생산 분야에서는 자본 및 기술집약형 생산 방식을 택하여 고부가가치 생산에 역점을 두어야 할 것이다.

주 1 : 다자간 섬유협정(MFA : Multi-Fiber Arrangements)

- ○ 단기 면직물 협정과 장기 면직물 협정이 기초가 되었으며 섬유류 수출입국 쌍무간 수량규제 협정들로 구성되어 있음.
- ○ MFA는 지금까지 4번 갱신 되었으며 현행 MFA는 1991.7월로 종료될 예정이었으나 UR 협상이 90.12 브랏셀 각료회의에서 타결되지 못함에 따라 제4차 MFA가 92.12.31까지 17개월간 연장되었음.
- ○ MFA Ⅳ에는 40개국(주요 수출국 31개국과 주요 수입국 9개국)이 가입하고 있으며 기본적으로 급작스런 섬유 수입의 증가나 가격 변동으로 인한 수입국 국내산업 피해의 방지에 촛점이 맞추어져 있음.

0124

주 2 : 수출자율규제(VER : Voluntary Export Restraints)는 GATT 협정에서 부인하고 있는 일종의 회색조치 또는 회색지대(Gray area)로서, 쌍무협정등을 통해, 수출국이 자율적으로 수출물량을 제한하겠다는 약속을 하는 것이다. 이는 수출국에 의한 보다 강력한 보호주의적 제약이나 수량규제 조치를 회피하기 위한 것이며, 수량통제의 일종이고 관계국에 대해서는 선별적, 차별적인 것이다.
미국이나 EC등 선진국이 주로 신흥공업국의 추적상품인 철강, 선박, 자동차, 전자등에 대한 수입제한 수단으로 쓰고 있다. 끝.

0125

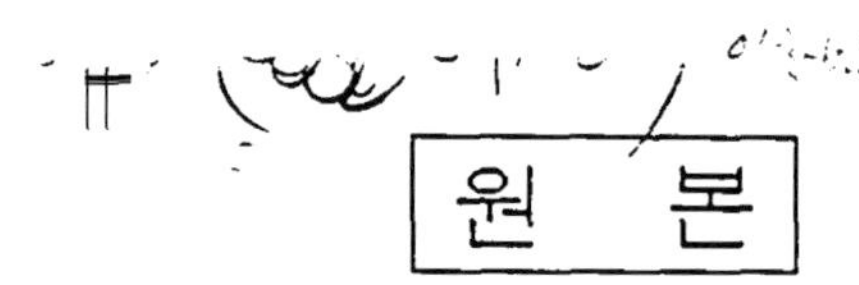

외 무 부

종 별 :

번 호 : USW-3249 일 시 : 92 0625 1853

수 신 : 장 관(통이,통기,미중,정총,외연원,경기원,상공부)

발 신 : 주 미 대사 사본:주카나다,멕시코대사(직송필)

제 목 : NAFTA 및 UR 섬유분야에 대한 반응

1. 금일자 (6.25) 당지 JOC 는 현재 진행중인 NAFTA 와 UR 섬유분야 협상과 관련, 미국내섬유.의류 '제조업자'와 '수입업자' 의 반응을 보도하였는바, 동 요지 하기 보고함.(기사전문은 별첨FAX 송부함)

가. 섬유.의류 제조업자

- 엄격한 RULES OF ORIGIN 시행시 멕시코내 미국산 제품 판매가 큰 폭으로 증가하리라 예상하여 NAFTA 적극 지지

- 그러나, UR 협상에 따라 섬유.의류에 대한 관세.쿼터가 철폐되는 경우 외국제품의 수입급증으로 미국 섬유.의류산업의 2/3가 문을닫고 140만명의 실업자가 발생한다고 우려하고 현 UR 협정안에 반대

나. 섬유.의류 수입업자

- 현 NAFTA 가 엄격한 RULES OF ORIGIN 과 이른바 TRIPLE TRANSFORMATION TEST (저관세 또는 무관세혜택을 받기 위해서는 실.직물.의류가 북미산임을 입증해야 된다는 내용)를 규정하므로서 자유무역의 취지에 어긋나는 'NAPA' (NORTH AMERICAN PROTECTIONIST AGREEMENT) 라고 비난하고 NAFTA 에 반대

- NAFTA 시행시 수입업자들의 구매능력이 대폭제한되게 되며 NAFTA 는 사실상 BUY AMERICAN정책에 다름없다고 공경

- 한편, UR 이 시행되더라도 2002년까지 현재쿼터에 묶여있는 섬유교역의 약 16퍼센트만이 자유화될뿐, UR 이 섬유교역의 완전자유화를 가져오고 있지 않는다며 UR에 회의적 반응 표시

2. 한편, 동지는 당지 IIE 의 NAFTA 전문가인 JEFFREY SCHOTT 의 말을 인용, NAFTA 의 엄격한 RULES OF ORIGIN 과 TRIPLE TRANSFORMATIONTEST 가 역외국에 대한 차별수단으로 국제교역과 부자를 왜곡시킬수 있으며, EC 등 역외국의 유사한

통상국 미주국 통상국 외연원 외정실 분석관 경기원 상공부

PAGE 1 92.06.26 09:26 WG

외신 1과 통제관

0126

차별조치를 유발하고 결국 미국 수출에 불리하게 작용할수 있다고 보도함.

첨부: USW(F)-4205(4 매).끝.

(대사 현홍주-국장)

주 미 대 사 관

USW(F) : 4205 년월일 : 시간 :

수 신 : 장 관 (통이, 통기, 미중, 정창, 연구관) 보안통제

발 신 : 주미대사 (사본: 경기원, 상공부, 수석비서관, 대사관 대사)

제 목 : USW-3249 첨부(4매) (출처 : JOC, 6.25)

Protecting Textiles Under Nafta

WASHINGTON — Is it really the North American free-trade agreement (Nafta) the United States, Mexico and Canada have been seeking to negotiate these past 12 months?

Not so, says Laura Jones, executive director of USA-ITA, an acronym that would do the federal bureaucracy

TRADE SCENE

Richard Lawrence

proud but is strictly private sector — the United States Association of Importers of Textiles and Apparel.

She and some of her colleagues assign a strikingly different name to the Nafta talks — NAPA, the North American Protectionist Agreement.

Sure, she recognizes, the proposed Nafta would gradually phase out textile and apparel tariffs, but under what conditions? For a garment to qualify for lower or zero tariffs, traders would have to certify that the yarn, fabric and the garment were wholly North American in content.

That's the so-called triple transformation test, to which not only U.S. importers but Canadian garment exporters object. Importers claim it reduces their purchasing "flexibility" because it is in effect a "buy North American" policy. Canadian apparel makers protest that it would limit their use of foreign yarn and fabric.

Caribbean apparel suppliers don't seem to like the Nafta textile-apparel idea either. They see it cutting into their future shares of the big U.S. market.

Add to that the objections of U.S. labor unions. They don't want any kind of free trade, however protectionist, in U.S.-Mexican textiles and apparel. They fear the loss of more jobs to imports.

Still others discern "danger" in the triple transformation test and other stringent "rules of origin" likely to emerge from Nafta. Such rules, argues Jeffrey Schott, a senior fellow at the Institute for International Economics, are "tools of discrimination." They "threaten to distort" international trade and investment decisions, he cautions.

Those Nafta rules, he adds, could tempt Europeans and others abroad to set up similar trade restrictions, to the disadvantage of U.S. exporters — not only in textiles and apparel, but virtually across the board.

The proposed Nafta rules of origin, confirms Richard Wright, a senior European Community official here, are "far more stringent" than anything yet in force in Europe.

Nobody disputes that rules of origin are intrinsic to an enterprise like Nafta. Without them, regional free trade would be undermined. Other nations, seeking a free ride, probably would try to ship in their goods at lower tariffs meant only for the North Americans.

But there are those who do advocate tightly worded Nafta rules of origin. Meet the American Textiles Manufacturers Institute and the American Apparel Manufacturers Association, which together represent the great bulk of the U.S. textile-apparel industry.

A tightly written Nafta will help open the way to big U.S. sales gains in Mexico, largely in fiber and fabric and perhaps to a lesser extent in apparel, according to Carlos Moore, executive vice president of the textile manufacturers group.

The United States, as Mr. Schott and Gary Hufbauer confirm in their new book, "North American Free Trade," does have a "competitive advantage" over Mexico in most textiles. Mexican production costs run as much as 150% higher than in the United States.

And if the early results of the 1988 U.S.-Canadian trade pact are any indication, U.S.-Mexican textiles and apparel trade will surge under a Nafta. Between 1989 and 1991, U.S. exports to Canada more than doubled in value, and Canada's shipments to the United States were up 41%.

Nafta isn't the only game in the universe, though. At the Uruguay Round talks in Geneva, over 100 countries, including the United States, Canada and Mexico, are striving, or so they say, to rid the world of textile and apparel import quotas within 10 years.

The question again arises: are they really talking free trade?

The American Textile Manufac-

1/2

4205-4-1

0128

turers Institute fears they are. The pending Uruguay Round proposal would "destroy" the U.S. industry, it warns. Two-thirds of it would be shut down, with a deluge of imports throwing 1.4 million American workers out of work, it estimates.

The import quota phase-out would be so fast that the industry would not have enough time to adapt, it contends. Over the 10 years, roughly half of existing import quotas would be phased out and others systematically enlarged.

You'd think that importers would toss confetti on Fashion Avenue. Not so. The USA-ITA claims the Uruguay Round initiative is largely illusory. It calculates that in fact only about 16% of the trade under quota now would be liberated by the year 2002. The quota phase-out, it charges, would be largely "theoretical," affecting items only nominally under quota. They'll free up seat covers, not cotton pants, says Ms. Jones.

Importers are dubious there ever will be free trade in textiles and apparel. "We were told 19 years ago that the Multi-Fibre Arrangement was only temporary," she says. That's the arrangement the Uruguay Round gang is talking about dismantling by 2002.

Both the Nafta and Uruguay Round talks suggest that "free trade," despite the rhetoric, remains an elusive goal, at least in the world of textiles and apparel.

Richard Lawrence is senior correspondent for The Journal of Commerce.

2/2

4205-4-2

0129

주 미 대 사 관

USW(F) : 년월일 : 시간 :

수 신 : 장 관

발 신 : 주 미 대 사

제 목 :

보	안
통	제

(출처 : JOC, 6.25)

US Apparel Manufacturers Support North American Free-Trade Pact

NEW YORK — Reeling from eight straight months of record imports of textiles and apparel, American manufacturers are coming out in support of the proposed North American free-trade agreement in a bid to head off trouble down the road.

The apparel manufacturers say if they can shift more production to Mexico under a new free-trade zone pact, they will be better able to compete with Far East producers' low-wage rates.

U.S. producers say rising imports and the prospect that no tariffs will emerge from the General Agreement on Tariffs and Trade talks would spell doom.

GATT is the international body that governs trade throughout much of the world.

"Absent Nafta, under the current policies being pursued by our government with the GATT multilateral approach, there would be no industry jobs here — or in Mexico," said Carlos Moore, executive vice president of the American Textile Manufacturers Institute.

"We as an industry are prepared to back the North American free-trade agreement," he said.

Canada, Mexico and the United States want to create the world's largest trading bloc, with 360 million people and total output of $6 trillion a year.

The International Ladies' Garment Workers Union said a North American free zone will transfer thousands of U.S. apparel jobs to Mexico.

"It will be a big problem for us," said Walter Mankoff, associate director of research at the ILGWU. "Thousands of jobs will be transfered to Mexico where one day's wages are comparable to one hour's wages in the U.S.

"Clearly, U.S. negotiators are listening to retailers and importers who want to take advantage of the low wages in Mexico," Mr. Mankoff said.

The union represents more than 100,000 U.S. apparel workers.

The U.S. Commerce Department reported last week that textile and apparel imports rose 24% in April, following a first-quarter increases of 26% in apparel imports and 23% in textile imports.

It was the eighth consecutive month of double-digit gains in textile and apparel imports, including 27% in December.

China is by far the largest source of U.S. apparel and textile imports, followed by Taiwan, with India and Pakistan supplying growing volumes, a Commerce Department official said.

The international trade talks, taking place under GATT, propose to end all tariffs and quotas on apparel and textile that have been in place for decades.

Michael Rothbaum, president of Harwood Cos.' men's clothing manufacturer and the current chairman of the American Apparel Manufacturers Association, said his industry is getting involved as a preemptive strike.

"Since many of us view it as an inevitability, we have sought to help craft the agreements," Mr. Rothbaum said.

American retailers — many of whom have been outspoken campaigners for complete lifting of import tariffs and quotas — also have sought to shape the North American trade and GATT agreements.

Leslie Wexner, chairman of Limited Inc., the women's apparel stores, has written editorials and held news conferences on the topic, arguing it is a consumer issue. He says consumers pay more than they need to for apparel because of the tariffs.

Mr. Wexner, as head of the Trade Action Coalition of the U.S. National Retail Federation, has led lobbying excursions to Washington with executives from apparel specialty stores, Gap Inc. and Warnaco Group.

He said consumers want low

--- 1/2

4205-4-3

0130

prices and retailers need imports to provide that.

Warnaco Chairman Linda Wachner at a recent meeting said, "Sourcing is the biggest problem for us today," in discussing what is at stake for sellers of apparel.

Washington trade officials, in an attempt to satisfy both retailers and apparel/textile makers, negotiated a rule-of-origin compromise in the North American free-trade pact.

The rule of origin would require that the content of yarn and textile in apparel traded under the agreement be made in North America, with exemptions for fabrics not easily produced on the continent.

But a compromise on GATT is further off.

Lawrence Pugh, chairman of VF Corp., however, said the North American accord would not be helpful at the beginning.

"In the long term, it would clearly benefit U.S. consumers and assist employment. However, in the short term, it is going to hurt U.S. employment. I think it should not be completed until we get our own economic house in order," Mr. Pugh said.

(Reuter)

2/2

4205-4-4

0131

원 본

외 무 부

종 별 :

번 호 : HKW-1196 일 시 : 92 0702 1830

수 신 : 장 관(통기,상공부)

발 신 : 주 홍콩 총영사

제 목 : 홍콩 무역청장 방한

1. 홍콩 무역청장 (MR. DONALD TSANG YAN-KUEN) 은다음과 같이 한.홍콩 고위급 회의를 갖고자 방한을 희망함.

가. 목적

0 MFA 의 만료와 UR 협상 진전에따른 쌍무 섬유협정문제 협의

0 ITCB (92.9 자마이카) 회의 준비를 위한 공동보조

나. 시기: 92.7.28 혹은 29

다. 예방인사: 0 상공부 -추준석섬유생활공업국장

노영욱 국제협력관

0 외무부-김용규 통상국장 — 29. 3:00 pm.

2. 한.홍콩간의 교역증진과 동인의 홍콩무역청에서의 위치 및 섬유협상에서의 공동의 이익추구를 위하여 본 방한이 성사되기를 건의하오니시기 및 예방 인사에 대한 가능여부를 조속회시바람.

3. 외무부 및 상공부 고위급의 오찬 (또는만찬)등의 배려를 건의함.

4. 전임 무역청장(MR.T.H. CHAU) 이 같은 목적으로 91.4 방한, 상공부 박용도 차관님,추준석 국장, 외무부 김삼훈 국장등과 협의를가진바 있음.

무역청장 이력서 파편 송부 위계임. 끝.

(총영사-국장)

통상국 상공부

PAGE 1 92.07.20 16:30 WG

외신 1과 통제관 Y

0132

주 홍 콩 총 영 사 관

5/F-6/F Far East Finance Centre, H.K. / 전화 (852) 529-4141 / 전송

문서번호 향총(상)764-429

시행일자 1992. 7. 3.( )

경유 외무부장관

수신 통기, 상공부장관

참조

선결			지시		
접수	일자 시간	37658	결재		
	번호				
처리과			공람		
담당자		김태			

제목 홍콩 무역청장 방한

7. 2.

1. 연 : HKW -1196

2. 홍콩 무역청장 (Mr. Donald TSANG Yam-Kuen)의 이력서를 별첨 송부하니
   업무에 참고 바랍니다.

첨 부 : 이력서 1부. 끝.

주 홍 콩 총 영 사

0133

TSANG, Yam-kuen Donald
(Born 7 October 1944)

Born and educated in Hong Kong. Postgraduate studies in the USA.

Mr Tsang joined the Hong Kong Government in 1967 and has served in a number of Government Departments and Branches of the Government Secretariat. His recent appointments included District Officer, Shatin; Deputy Director of Trade responsible for Hong Kong's trade relations with North America.

In late 1985, he was appointed Deputy Secretary of General Duties Branch, responsible for the implementation of the Sino-British Joint Declaration. He was a member of the Sino-British Land Commission and participated in a number of expert discussions with the Chinese side at the Sino-British Joint Liaison Group.

In April 1989, Mr Tsang became the first Director of Administration of the Chief Secretary's Office. In that capacity, he has been involved in a variety of special tasks, including Government Secretariat reorganization and resource management, liaison with members of the Legislature, heading a steering group to devise and implement a programme to import skilled labour into Hong Kong, and devising and securing British Government's support for a scheme to grant full British citizenship and right of abode in Britain to Hong Kong residents. He became Director-General of Trade in August 1991.

Mr Tsang is married with two sons.

July 1992

주 홍 콩 총 영 사

0134

분류번호	보존기간

발 신 전 보

번 호 : WHK-0872 920722 1045 WG 종별 :

수 신 : 주 홍콩 총영사

발 신 : 장 관 (통 기)

제 목 : 홍콩 무역청장 방한

대 : HKW-1196

홍콩 무역청장 방한시 외무부 및 상공부 방문 일정을 하기 통보함.

o 상공부 : 7.29. 10:30-11:00 추준석 섬유생활 공업국장
11:00-11:30 노영욱 국제협력관
(면담후 상공부 주최 오찬 예정) .

o 외무부 : 7.29. 15:00 김용규 통상국장. 끝.

(통상국장 김 용 규)

보안 통제	

앙 고 재	92년 7월 21일	통상기구과	기안자 성명		과 장	심의관	국 장		차 관	장 관
			이찬범				전결			

외신과통제

0135

상 공 부

427-760 경기 과천시 중앙동 1번지 / 전화(02)503 - 9446 / 전송(02)503 - 9496, 3142

문서번호 국협 28143 - 312

시행일자 1992. 7. 24. ( )

수신 외무부장관

참조 통상기구과장

선결			지시		
접수	일자 시간	92. 7. 25	결재·공람		
	번호	27039			
처리과					
담당자		이 정민			

제목 : 홍콩 무역청장 방한 관련 협조요청

1. HKW-1306 (92.7.16), 국협 28143 - 366 (92.7.21) 관련임.

2. 92.7.29 Donald 홍콩 무역청장의 방한 및 면담일정 추진을 위해 아래사항에 대하여 협조요청 하오니 조치하여 주시기 바랍니다.

* 아 래 *

o 홍콩 무역청장 및 수행원 1명 제한기간중 사용할 외빈차량 1대.

첨 부 : 홍콩 무역청장 방한 일정 1부. 끝.

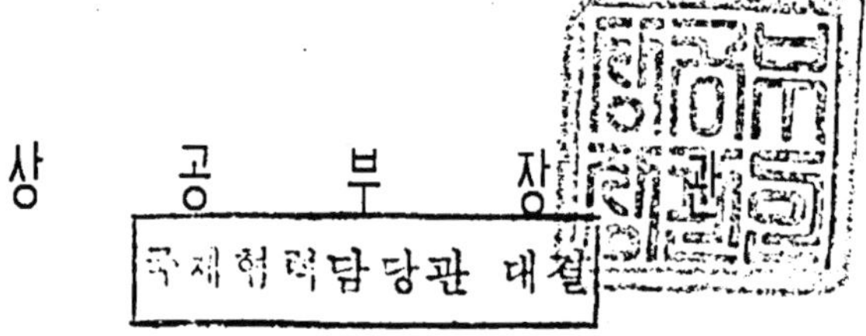

상 공 부 장관

국제협력담당관 대결

0136

홍콩 무역청장 방한 일정

o 7.28 (화)　　서울도착 (조선 Hotel)

o 7.29 (수)　　상공부 방문

10:30 ~ 11:00　　섬유생활공업국장 면담

11:00 ~ 11:30　　국제협력관 면담

12:30 ~ 13:30　　국제협력관과 오찬

15:00　　외무부 통상국장 면담

오 후　　서울출발

0137

원 본

외 무 부

종 별 :

번 호 : HKW-1344 일 시 : 92 0725 0900

수 신 : 장 관 (통일,통기,상공부)

발 신 : 주 홍콩 총영사

제 목 : 홍콩 무역청장 방한

대: WHK-0872

연: HKW-1196,1306

1. 홍콩 무역청장 외무부 및 상공부 방문시 토의 희망사항 아래 보고함.

0 URUGUAY ROUND

0 FUTURE OF THE MULTIFIBRE ARRANGEMENT(MFA)

0 THE EEC'S INTENTION TO NONAPPLY LDC STATUS TO KOREA, HONGKONG AND SINGAPORE IN THE IMPLEMENTATION OF THE URUGUAYROUND RESULTS

0 EXTENSION/RENEWAL OF THE EEC S BILATERAL TEXTILES AGREEMENTS

0 REGIONAL COOPERATION AND APEC. 끝.

(총영사-국장)

통상국 통상국 상공부

PAGE 1

92.07.25 10:47 WH

외신 1과 통제관

0138

외 무 부

110-760 서울 종로구 세종로 77번지 / (02)720-2188 / (02)725-1737 (FAX)

문서번호 통기 20644-248
시행일자 1992. 7.27.( )

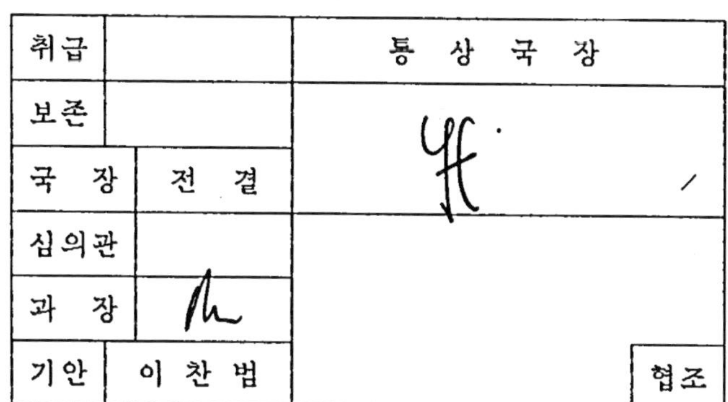

취급		통 상 국 장
보존		
국 장	전 결	
심의관		
과 장		
기안	이 찬 범	협조

수신 의전장
참조

제목 외빈차량 사용 협조

1. Donald Tsang Yan-Kuen 홍콩 무역청장이 92.7.28-29간 방한할 예정인 바 의전차량 (1대) 사용이 가능토록 협조하여 주시기 바랍니다.

2. 아래 상세 방한 일정을 참조하시기 바랍니다.

- 아 래 -

1) 7.28.(화) 12:15 착한 (JL-91편)
   - o 10:30 김포공항 행 1청사 출발

2) 7.29.(수)
   - o 09:00 : 1청사 출발
   - o 09:15 : 조선호텔 도착

/계 속...

0139

o 09:30 : 조선호텔 출발

o 10:30-13:30 : 상공부 ~~예방~~ 방문

o 15:00-16:00 : 외무부 ~~예방~~ 방문

o 18:00 : 김포공항 행 조선호텔 출발

o 20:35 : 이한 (CX-411 편). 끝.

통 상 국 

0140

면 담 자 료

예방인사 : 홍콩 무역청장 (Donald Tsang Y.K)

예방일시 : '92. 7. 29 (水) 15:00

1992. 7. 28.

통 상 기 구 과

0141

I. 면담개요

1. 일 시 : '92. 7. 29 (수) 15:00

2. 면담자 : Donald Tsang Yan-Kuen (홍콩 무역청장)

3. 토의 희망사항

   - 우루과이라운드 협상

   - MFA 연장문제

   - EC의 개도국 지위부인 문제

   - 지역주의와 APEC

     * '91.4월 전임 홍콩 무역청장 (T.H.Chau)이 방한, MFA 연장문제 중심으로 당부 통상국장 및 상공부 국제협력관과 면담

4. 면담자 인적사항

   o 생년월일 : 1944. 10. 7.

   o 학 력 : 홍콩에서 대학졸업, 미국유학

   o 주요경력

     - '67-'84 : 홍콩정청 근무
     - '85.11 : 국세청 부국장 (영국-홍콩 토지위원회 위원 겸임)
     - '89.4 : 홍콩정청 관리국장 (조직, 예산, 입법조정, 해외인력 수급)
     - '91.8 : 무역청장 취임

Ⅱ. 말씀 요지

1. UR 협상

o UR 협상을 조속히 성공적으로 타결시키는 것이 세계경제의 가장 중요한 현안이며, 한국도 이를 위해 노력해 오고 있음.

o UR 협상 교착 상태의 가장 큰 원인이 미.EC간 농산물 보조금 문제로 인해 일반 인식에 동의하나, 여타 참여국도 집단적 책임 정신하에 타협과 양보 정신을 발휘하여야 할 것임.

o 7.17일에 있은 Green Room 회의에서 던켈 사무총장은 9월부터 협상을 다자화(multilateralize) 하겠다고 한바, 이러한 전략을 한국은 환영함.

- 주요 현안에 대하여, 양자협상 또는 UR 협상 테두리 밖에서 협상을 진행하는 것 보다는 UR 협상 내로 이를 수렴해야 협상 과정의 transparency 를 높일 수 있음.
- 어느 특정분야 뿐 아니라 시장접근, 농산물, 서비스 등 모든 협상 분야에서 실질 협상이 일괄적으로 재개되어야 균형된 결과가 도출될 것임.

o 다만, 한국으로서는 작년 12월 제출된 협정초안(Draft Final Act)중 농산물 분야의 일부 수정을 강력히 희망하고 있기 때문에 DFA 수정을 위한 Track 4가 조속히 가동 되어야 한다고 생각함.

- 던켈 총장은 Track 4 협상은 최종단계에서나 가능하다는 입장임.

o 9월에 다자간 협상이 재개되면, 한국으로서도 능력 범위안에서 최선의 노력을 계속할 생각인 바, 한국과 홍콩 양측의 핵심적 관심사항이 모두 반영될수 있도록 상호 협조를 기대함.

2. MFA 연장문제

o 아국은 UR 섬유협정안 내용에 대해 중국, 홍콩등 주요 수출국들과 마찬가지로 대체로 만족하고 있으며 현 협정안을 기초(Basis)로 UR 협상의 조속 타결을 희망 함.

o 현 상황에 비추어 UR 섬유협정이 '93.1.1부터 시행되기 어려울 것으로 예상되므로 MFA의 연장이 불가피하다고 보며, 선진 수입국과의 양자 섬유협정도 연장되어야 할 것으로 봄.

o 우리나라로서는 현재의 UR 섬유협정안이 현재의 기본적인 틀을 유지하는 방향에서 최종 타결되기를 바라는 입장이므로, 현 MFA를 수정연장하되 동 연장으로 현 섬유협정안의 핵심내용에 변경이 가해지지 않기를 희망 함.

o 구체적인 입장은 '92.9월 ITCB 이사회 개최전까지 ITCB 사무국의 보다 구체적인 분석대안 및 관련국의 동향등을 고려, 정립할 것임.

o 섬유 분야에서 우리나라와 홍콩은 비슷한 입장을 취해왔으므로 차기 ITCB 회의등 향후에도 긴밀히 협조해 나갈 수 있을 것임.

3. 아국의 개도국 지위 문제

o EC가 91.12.18 UR 규범제정 협상그룹에서 한국.홍콩.싱가폴의 개도국 지위를 인정치 않겠다고 언급한데이어, 지난 7.13. 개최된 갓트 무역개발위원회(CTD : Committee on Trade and Development)에서 제네바 주재 Tran EC 대사가 "EC 당국이 CTD가 달리 결정하지 않는한 UR 협상 종료시 한국등 3개국에 대하여 개도국 지위를 더이상 적용치 않기로 결정했다." 고 발언하였음

o 아측이 알아본 바에 의하면 선발개도국을 여타 개도국과 차별대우해야 한다는 것이 EC 집행위의 확고한 방침이며 향후 갓트 CTD나 이사회에서 공식 거론할 것으로 예상됨.

o 지난 91.12.18. 한국에 대해 더 이상 개도국 대우를 하지 않겠다고 일방 선언한 이래 EC측은 같은 주장을 되풀이 하고 있으나, 한국의 개도국 지위는 갓트 뿐 아니라 여타 국제기구에서도 확립되어 있음. 또한 한국은 개도국으로서 UR 협상에 참여해 오면서 최대한의 양허를 행한 바, 이는 푼타델에스테 각료선언에 협상의 기본원칙으로 명시된 개도국 우대를 기대한 것인바, UR 협상이 최종단계에 접어든 현시점에서 아국의 개도국 지위을 부인한다는 것은 받아들일수 없음.

o Consensus를 존중하는 갓트 체제내에서 어느 일방이 특정 체약국의 지위를 자의적.일방적으로 변경하려는 것은 용인될 수 없는 바, EC등의 졸업 압력에 대해 아국과 홍콩 싱가폴이 공동 대처해야 할것이며, 향후 긴밀한 협조체제를 유지하는것이 긴요함.

※ 이와관련 7.21 주 제네바 아국대사가 홍콩 및 싱가폴 대표부 차석과 3국이 긴밀히 협조해 나가기로 합의하였으며 EC의 움직임이 구체화 될 경우 여타주요 개도국(태국, 말련, 브라질, 멕시코등)과의 협조 관계도 구축하기로 하였음.

※ 아측 주 EC 공사는 7.26 EC 집행위 Abott 국장과 접촉 아국입장을 전달함.

4. 지역주의와 APEC

가. 역내 무역자유화

o 역내 무역자유화 추진은 역내 회원국의 상이한 경제발전 단계와 다양한 경제 환경을 고려, 회원국의 consensus에 의해 점진적으로 추진되어야 함.

o 역내 무역자유화 추진은 제3차 APEC 각료회의에서 합의된 원칙을 기초로 계속 협의하여야 하며 구체적 분야, 방법은 UR 협상이 종료된 후에 논의하는 것이 바람직 함.

o 92.6 방콕에서 개최된 APEC 역내 무역자유화 전문가회의 결과에 따라 호주가 7월중 APEC 회원국에 제시할 무역관련 정보교류, 무역관련 행정절차(표준규정, 통관절차)의 조화 방안등에 대한 회원국간의 심도있는 논의를 기대함.

나. 지역주의와 APEC과의 관계

o 지역협력이 세계적인 무역자유화에 기여한다는 인식하에 갓트에서도 예외적으로 관세동맹과 자유무역협정을 인정해 왔는데 최근 세계무역의 큰 비중을 차지하고 있는 대다수의 국가들이 지역협력 협정에 가입하는등 지역협력 추세가 확대되면서 다자무역체제의 위협 요인으로 대두되고 있음.

o 상기 우려를 불식시키기 위해서는 지역경제 협력이 개방적, 무차별적이어야 하며 갓트원칙과 규정에 합치되어야 함. 특히 최근 확산되고 있는 지역협력 추세가 UR 협상 타결의 momentum을 약화시키지 않도록 하여야 하는바, 일차적인 관심과 노력을 UR 협상의 조속한 타결에 집중되어야 함.

o 이와관련 92.6 APEC/역내 무역자유화 전문가 회의에서도 역내 무역 협정이 처음 논의되었는 바, 역외국에 대한 무역전환 효과를 최소화하기 위해 원산지 규정 완화와 관세 및 비관세 장벽의 완화가 바람직하다는 점이 회의 보고서에 언급된 것은 귀측과 아국등 협정 불참국들의 노력의 결과이므로 금후 관련 의제 논의시 협정 불참국 입장 강화에 활용할 필요가 있음.

Ⅲ. 참고자료

1. UR 협상 동향

가. 던켈 갓트 사무총장, 91.12.20 TNC 회의에서 UR 최종 협정 초안(Draft Final Act) 제시

o 최종 협정 초안의 성격

- 90.12. 브랏셀 각료회의 이후 각 협상 분야별 쟁점 타결을 위한 집중적 협상 결과를 종합한 문서
- 농산물등 일부 분야에서 협상 참가국간 합의를 이루지 못하여 협상그룹 의장이 독자적 책임하에 타협안을 제시

나. 92.1.13. TNC 회의 결과 및 추진현황

1) 하기 협상 전략(Four Track)에 따라 최종 협정 초안을 기초로 수주간 양자, 다자간 협상을 추진키로 결정

o T 1 : 농산물등 상품분야의 양허협상(농산물의 보조금 감축 계획 포함)

o T 2 : 서비스 분야의 양허협상

o T 3 : 협정 초안의 법적인 정비작업

o T 4 : 협정 초안 내용중 특정사항의 조정 필요성 검토

2) 당초 4월 중순을 협상 종결 시한으로 정하고 협상 추진

o 농산물 분야 보조금 감축 문제로 미.EC 간 의견대립, 교착 상태

- 3.21-22 미.독 정상회담, 3.19-20 미.EC 간 차관급 협상에서도 이견 해소 실패

ㅇ 서비스 분야에서도 주요국간 이견 확산

- 미국은 금융, 해운, 항공, 통신분야에서 상대국 시장개방 수준에 따라 조건부로 개방하겠다는 입장을 표명, 새로운 장애 요소로 대두
- 아국은 2.17자 수정 Offer List 제출, 92.1-6월간 4회에 걸쳐 양허협상 개최

다. 최근 공식, 비공식 회합 성과 별무

ㅇ 92.4.13. 비공식 TNC 회의, 92.4.22. 미.EC 정상회담, 4극 통상 회의(미.일.EC.카나다 상공장관, 4.24-26, 일본), 뮌헨 G-7 정상 회담(92.7.6-8, 연내 타결 희망)

라. 향후 전망

ㅇ 9월 중순 이후 다자간 협상 재개 예정

- 7.17. 개최 Green Room 회의시 사무총장 제의

ㅇ 불란서의 국민투표(9.20)이후 불측의 양보가 기대되나 미 대통령 선거(11월초)등 주요국 정치 일정으로 보아 연내 타결 전망 불투명

- 미국으로서는 Fast Track Authority 관련, UR 협상을 타결코자 한다면 93.2월말 까지는 타결, 가서명 해야 할 입장(Fast Track 종료일 : 93.6.1)

2. MFA 연장문제

가. 배 경

ㅇ UR 협상의 부진으로 UR 섬유협정이 '93.1.1부터 시행될 가능성이 희박해지면서, '92.12월 종료되는 MFA의 장래 문제 대두

ㅇ UR 섬유협정안은 선.개도국간 잠정합의 상태로 Dunkel 최종협정안에 포함되어 있는 바, UR/법제화 그룹에서 논의되는 일부내용 및 GATT 복귀시한 문제를 제외하고는 특별히 거론이 없는 상황임.

7

0148

o UR 섬유협정이 '93.1.1 발효될것을 전제로 '91.7월 GATT 섬유위원회에서 MFA를 '92.12월까지 연장

- 연장된 MFA에 따라 각국은 미국, EC등 선진국과 양자 섬유협정을 '92년말, '93년말까지 체결
- 우리나라는 연장된 MFA에 따라 미국과는 '93.12월말까지, EC, 카나다와는 '92.12월말까지 양자 섬유협정을 체결

  * 홍콩은 미국과 '95.12월까지 양자 섬유협정 체결 (중국, 인도는 미국과 '93.12월말까지 체결)

나. 현 황

o 제16차 ITCB(섬유수출개도국기구) 이사회 논의결과 ('92.5.3-14)

- 참가국들은 UR 협상 진전상황에 비추어 '93.1.1부터 UR 섬유협정이 시행될 수 없다는데 인식을 같이 하고, 현 MFA가 종료되는 시점부터 UR가 타결될때 까지 새로운 잠정협정이 필요한다는데 합의
- 주요국 입장

  i) 한국, 홍콩, 인니 : 각국 섬유업계의 안정성을 위해 현 MFA 처리문제에 대해 조속한 결정이 필요

  ii) 인도, 파키스탄, 브라질 : 현 단계에서 MFA 처리문제를 논의하는데 반대하며 현 MFA 하에서의 쿼타량에 대해 반대하여 MFA 단순연장에 반대

다. 아국입장

o MFA 연장문제는 UR 섬유협정안을 포함한 UR 협정안의 타결 및 시행시기와 연계되는 바, 현재 가장 가능성이 크다고 보고있는 '93년초 타결의 경우 UR 섬유협정이 '94.1.1부터 시행되거나, 개별국가의 국내법 관련절차 진행등으로 '95.1.1부터 시행될 수도 있을 것임.

o MFA 연장관련 가능한 시나리오는 크게 나누어 1) MFA 연장2) MFA 불연장(NONEXTENTION) 및 3) UR 섬유협정안의 조기 시행등 3가지가 있을수 있으며, 현재 가장 유력한 대안인 MFA 연장 방안을 세분하면 (가) MFA 단순연장 (나) MFA를 연장하되 내용을 개선하는 방안이 있을수 있음.

o MFA 연장과 관련 문제되는 것은 연장의 기간(1년 또는 2년)과 연장의 방법(단순연장 또는 개선보완연장)인바,
  - 연장의 기간은 대세에 따라 신축적일 수 있으나, 현 MFA 체제에 강한 불만을 가지고 있는 일부 수출개도국의 입장을 고려할때, 1년연장('93.12월까지) 하는것이 바람직할 것임.
  - 연장의 방법은 개선 보완을 원칙으로 하되 현 UR 섬유협정안에 영향을 미치지 않도록 MFA의 핵심 내용은 변경하지 않는 것이 바람직 함.

3. 아국의 개도국 지위 문제

가. EC 의 동문제 제기 경위

o 주 제네바 EC 대사는 91.12.18. UR 규범제정 협상그룹에서 세이프가드 관련 비공식 협의시, 한국, 홍콩, 싱가폴에 대해 UR 협상 결과의 이행과 관련하여 반덤핑, 보조금 상계관세 및 세이프가드 분야에서 개도국 우대 혜택을 부여치 않겠다고 일방적으로 선언

o 주 제네바 EC 대표부는 91.12.19. 갓트 무역개발위원회가 달리 결정하지 않는한 3개국에 대해 UR 협상결과 적용관련 개도국 우대를 적용치 않겠다는 문서를 배포

o 92.1.12. 주제네바 EC 대사는 동건을 무역개발위에 정식 거론 하겠다는 의사 표명

9 0150

o 92.7.13. 갓트 무역개발위에서 Tran EC 대사는 한국, 홍콩, 싱가폴의 개도국 지위 문제를 거론, "EC는 무역개발위가 달리 결정하지 않는한 UR 협상 종료시 3개 체약국에 대해서는 개도국 지위를 적용치 않기로 결정 했다" 고 발언

나. 아측의 대응 논리

1) UR 협상 관련

o 개도국 우대가 Punta del Este 각료 선언상에 UR 협상에 적용될 일반 원칙중의 하나로 명기되어 있으며, 동 원칙에 따라 개도국으로서 UR 협상에 참여한 아국에 대해 동 협상 결과의 이행과 관련하여 개도국 우대를 적용치 않겠다는 주장은 각료의 결정에 따라 콘센서스로 채택된 UR 협상 원칙을 부인하는 것임.

o 아국을 비롯한 개도국들은 개도국 우대를 기대하면서 UR 협상 과정에 참여하여 왔으며, UR 협상이 최종단계에 이르른 현재 각 참여국의 입장에서 볼때, 동 협상 결과에 의해 이루어진 균형(negotiated balance)이 반영되어 있는바, 이제와서 특정 개도국에게 개도국 우대 적용을 배제하는 것은 이러한 균형을 깨는 결과를 초래

2) 아국의 개도국으로서의 지위

o 갓트내에서의 아국의 개도국으로서의 지위는 아국이 '67년 갓트에 가입한 이래 지금까지 인정되어 왔으며, 개도국으로서 경제능력에 상응하는 기여를 해 왔음.

o 갓트 이외의 여타 국제기구의 분류기준 및 관행에 따르더라도 아국의 개도국으로서의 지위는 확고하게 인정되고 있음.

- IBRD, OECD 분류기준에 따를때 아국은 중상위 소득국 (upper-middle income country)에 속하며,
- IMF의 선.개도국 분류에 따르더라도 선진국 23개국(미, 카, EC, EFTA, 일본, 호주, 뉴질랜드)에 속하지 않으며,
- UN 분류에 의해도 선진국 27개국(미, 카, EC, EFTA, 일본, 호주, 뉴질랜드, 아일랜드, 지브랄타, 남아공, 이스라엘)에 속하지 않으며,
- 기타 UNCTAD, WIPO, WHO등 UN 산하 전문기구에서도 개도국 자격으로 동기구 운영에 참여하고 있음.

o 아국의 외채규모, 일인당 GNP, 국내산업간 및 지역간 불균형 등을 감안할때 아국의 졸업 문제는 시기 상조임.

3) EC 주장의 일방적인 성격

o 특정체약국의 개도국으로서의 지위에 대한 결정은 갓트 무역개발위원회에서 컨센서스에 의해 이루어져야 하며, 특정 체약국의 일방적인 선언에 의해 강요될 수 없음.

o 갓트 무역개발위원회가 달리 결정치 않는한 한국, 홍콩, 싱가폴에 대해 UR 협상결과 이행과 관련하여 개도국 우대를 적용치 않겠다는 EC측 주장은 일방조치로서, 이러한 EC의 주장이 용인된다면 다자간 무역체제의 안정을 위협할 것임.

4. 지역주의와 APEC

o 홍콩은 제3차 APEC 각료회의 (1991.11. 서울개최)시 APEC에 가입함.

o 제4차 APEC 각료회의 일정 및 장소 : 1992.9.10-11, 태국 방콕

o APEC 역내 무역자유화 전문가 그룹회의 참가보고 (별 첨). 끝.

※ 참고 자료

o MFA 연장관련 제네바 주재관회의 결과 ('92.7.20)

- MFA 연장문제에 관련, ITCB 사무국의 분석대안을 중심으로 의견교환

. 한국 : ITCB 사무국 대안중 2번째 대안 (UR 협정안의 '94.1.1 시행)에 대해 집중논의해야 하며, 사무국이 보다 상세한 분석자료를 작성토록 요구

. 홍콩 : 현실적 접근필요성을 강조하고 비공식 의견으로 MFA의 1년연장을 선호하나 2년연장이 대세인 경우 수용가능 표명
(협정의 개선문제는 다자협상보다는 양자협상에 의한 해결이 실질적이고, 연증가율의 조기시행에 관심이 있으나 이 경우 선진국에 대한 반대급부 문제를 고려해야 함)

. 파키스탄, 브라질, 페루 : UR 협상의 leverage를 위해 MFA의 불연장문제도 고려해야 하고, UR 섬유협정안의 조기 시행방안 적극고려 필요

. 인도 : 구체적 입장없으나 open-ended extension은 불가

. 이집트, 터키, 헝가리 : MFA의 1년 단순영장 선호, 수출국이 쿼타증가율 조기시행 주장시 수입국이 UR 섬유협정안 제17조 (GATT 규범 및 원칙준수를 위한 필요조치 이행의무) 조기시행등의 주장가능성에 대비 필요

. 선진수입국 : 미국, 카나다는 MFA의 1년 단순연장을 선호하는 경향, EC는 MFA를 UR과 연계시켜 open-ended extension을 원하고 MFA 2년연장을 선호, 일본은 국내법 관련 절차를 고려 2년연장 선호

. GATT 섬유국장 (Sorenssen) : UR 섬유협정안의 조기 시행은 선진국이 수용불가, 현 MFA 내용의 개선도 어려울 것임을 암시

한.EC 섬유협정 연장

1. 말씀요지

o 한. EC 섬유협정 연장 문제는 MFA 연장과 밀접히 연관되어 있음. 따라서 MFA 연장기간이 한.EC 협정 연장기간이 될것으로 예상하고 있음.

o 다만 EC와의 협정 연장 문제는 EC 측 입장이 변수이나 우리는 기본적으로 MFA 연장문제 처리결과에 연계시켜 한.EC 협정연장 문제를 추진하는 것이 바람직하다는 입장임.

o EC 측이 93년 이후 국별쿼타를 EC 전체쿼타로 변경하는 문제를 검토중인 것으로 알고 있는데 이에 대해서는 EC측의 최종 결정이 내려진 후 대응방안을 마련할 예정임.

〈참고사항〉

1. 한.EC 섬유협정 개요

o 협정기간 : 87.1-92.12 (91.10 1년간 연장 합의)

o 92년 협정량 : Group Ⅰ : 29,815,000 kg
　　　　　　　　　" Ⅱ : 60,881,000 kg
　　　　　　　　　" Ⅲ : 34,830,000 kg

o 연증가율 : Group Ⅰ : 0.6%
　　　　　　　　" Ⅱ : 2.8%
　　　　　　　　" Ⅲ : 14.7%

o 융통성

- 전용 : Group Ⅰ : 4%
　　　　　" Ⅱ,Ⅲ : 5%

0154

- 조상 및 이월 :
  . 조상 : 5%, 단 1% 미만은 자동사용
  . 이월 : 7%, 단 2%   "
- 누적사용 : 12% 미만
- 국가간 전용 :
  . 전용시기 : 매년 6월이후,
  . 전용대상 : 피전용국가 할당쿼타량이 80% 미만으로 소진되어 이들 EC 내 타국가로 전용코자 하는 경우,
  . 전용한도 : 전용받은 국가의 쿼타 할당량 대비 40% 이내. 끝.

0155

	분류번호	보존기간

발 신 전 보

번 호 : WHK-0911 920729 1828 FO 종별 :

수 신 : 주 홍콩 대사/총영사

발 신 : 장 관 (통 기)

제 목 : 홍콩 무역청장 방한

1. 홍콩 무역청장은 오늘(7.29) 당부 및 상공부를 방문, 주로 아래 사항에 대해 협의하고 예정대로 출국함.

- 아 래 -

o UR 협상 전망

o 제 17차 ITCB 이사회 대비 MFA 연장관련 한.홍콩 공동 보조

o EC 와의 양자 섬유협정 종료 대비 ITCB 회원국들의 공동대책 필요성

o APEC 관련 협조문제

2. 면담요록은 파편 송부 예정임. 끝.

(통상국장 김 용 규)

보안 통제	

앙 고 재	92 년 7 월 29 일	통상기구과	기안자 성명		과 장	심의관	국 장		차 관	장 관
			이				전결			

외신과통제

0156

외 무 부

110-760 서울 종로구 세종로 77번지 / (02)720-2188 / (02)725-1737(FAX)

문서번호 통기 20644-253
시행일자 1992. 8. 1.( )
29914

취급		장 관
보존		
국 장	전결	
심의관		
과 장		
기안	이 찬 범	협조

수신 주 제네바 대사
구 홍콩총영사
참조

제목 면담요록

92.7.28-29간 홍콩무역청장이 방한한바, ~~차관보~~ 통상국장과의 면담요록을 별첨과 같이 송부합니다.

첨부 : 상기 면담요록. 끝.

외 무 부 장 관

0157

면 담 요 록

1. 일시 및 장소 : 92.7.29(수) 15:00-16:00, 외무부 통상국장실

2. 면 담 자 :

   아 측 : 김용규 통상국장
   홍종기 통상기구과장
   이찬범 통상기구과 사무관

   홍 콩 : Donald Y.K. Tsang 무역청장
   Allen S.L. Pang 무역청 주임(수행원)

3. 면담내용

   가. UR 협상

   홍콩 : 7, 8월중 UR 협상에 대한 진전은 기대하기 어려우나 늦어도 9.14. 불란서에서의 Maxtricht 조약에 대한 국민투표 실시후로 부터는 UR가 활발해 질 것으로 예상함. 미국 부쉬 대통령이 재선될 경우, UR 협상이 93년 3월경 타결되고 미의회에서 비준되어 94년에 발효될 것으로 판단함.

   엔도 일본 협상대표는 일본의 경우 국내 비준절차가약 18개월의 기간을 소요하므로, UR 협상이 93년 3월에 타결될 경우 94년 7월경 이행될 것으로 본다고 함.

0158

홍콩은 현 UR 협정 초안에 대해 대체적으로 만족하고 입장 변경은 없을 것임. 협정초안에 수정이 가해지기 시작할 경우 전체 협상을 원점으로 돌리게 될 우려가 있으므로 실질적인 수정에 대해 반대하며 수정이 있을 경우 보상을 요구할 것임. 홍콩으로서는 농산물 분야에는 관심이 없으나, 한국도 농산물 분야를 제외하고는 실질적인 수정 요구는 안하기를 바람.

아측 : 한국 정부는 UR 협상의 성공적 타결을 강력히 지지하고 있음. 그러나 농산물 분야에서는 어려움이 있으며, 이러한 한국의 입장은 협상 시작이래 변함이 없음. UR 협상 타결에 있어 ~~최대 장애는~~ 미국과 EC간의 ~~대립이므로 이들이 솔선을 발휘하여야 함.~~ 타협이 [illegible] 중요함

주한 영국대사(대사 대리)와 협의한바, 영국은 EC 이사회 의장국으로서 UR 협상의 진전을 위해 노력하고 있고 EC내에서 UR 협상 진전을 위해 활발한 움직임이 있다고 말함.

~~그러나, 현시점에서는 부쉬 대통령의 재선도 불확실하고 협상 전망을 예측 하기가 어렵다고 봄.~~

홍콩 : 전망이 불확실하다는 점에 대해 동의함. 미국과 EC는 사실상 UR 협상을 강탈(hijack)한 것임.

부쉬 대통령이 재선 되어도 Fast Track을 연장하기 위한 미의회의 지지를 확보할 수 있는지는 의문임. 오히려 미의회를 주도하고 있는 민주당의 후보인 크린톤이 당선될 경우 Fast Track 연장을 위한 의회 지지를 확보할 수 있는 확률이 높으다고 평가함.

따라서 부쉬가 재선될 경우 미정부는 Fast Track 기한 만료전 UR 협상 타결을 추진하고 크린톤이 당선될 경우 Fast Track 연장을 추진할 가능성이 높다고 봄.

0159

농산물에 대해 홍콩은 입장이 없으나 농산물분야 협상 당사국들의 어려움을 이해함. 단, 농산물 분야에서의 쟁점들이 여타 분야 협상에 영향을 주지 않도록 주의하기 바람.

나. MFA 연장 문제

홍콩 : MFA 연장은 필수적이며, UR 협상 섬유협정이 발효되기까지 과도기적 수단으로 MFA가 존재하여야 함. 금년 5월 제16차 ITCB 이사회 (상하이)에서도 임시 조치의 필요성에 대해 합의하였으므로 논점은 연장여부가 아니라 기한과 조건임. 따라서 제네바 ITCB 실무회의에서 MFA 불연장(Non Extension)을 고려 하고 있는 것은 UR 섬유협정에 대한 위배임.

금년말 EC와의 많은 ITCB 회원 국가들간의 양자 섬유협정이 만료되므로 ITCB 회원국들은 조속히 단일 입장을 수립해야 함. 단일 입장이 수립되지 않고 각국이 EC와 개별적으로 협상을 추진할 경우 EC는 이들을 각 개격파 할 것임.

홍콩은 금년 9월(제 17차 ITCB 이사회) 까지는 기다릴 수 있으나, 더 이상은 업체들의 수주 사정 때문에 기다릴 수 없음.

홍콩은 MFA의 1년 단순 연장을 수용할 수 있고 UR 섬유 협정과의 일관성을 유지할 경우 1년 이상의 연장도 수용할 수 있음. 또한, ITCB 회원 국가간의 컨센서스가 이루어질 경우 2년 연장도 수용할 수 있으나, 더 이상은 곤란함.

앞으로 ITCB 협의 과정에서 한국측과 긴밀히 협조하기를 희망하며, 한국측이 홍콩의 입장에 문제가 있다고 생각하는 경우 이를 미리 알려 주기 바람.

0160

다. APEC 관련 협조

아측 : APEC 사무국 소재지 선정에 서울을 지지하기 바람.

홍콩 : APEC 가입을 위해 한국이 많은 협조를 해 준 것을 기억하며 홍콩은 여타 조건이 동등할 경우 서울을 지지할 것임.

그러나, 한국 외 4개 후보국이 있는바, 인니, 태국, 싱가포르 등 ASEAN 국가들도 상당히 열심히 노력하고 있음. 엔도 대사에 의하면 오사까와 후쿠오까도 상당한 관심을 갖고 있다고 함.

단, 일본에 APEC 사무국을 설치하는 것에 대하여는 미국의 입장이 미묘할 것으로 보며, 결국은 명백한 조건이 주요 결정 요소가 될 것으로 봄.

한국과 홍콩은 APEC 회원 국가중 어느 자유무역협정에도 소속 하지 않는다는 특별한 성격을 공유하고 있다는 점을 강조하고 싶으며, 앞으로 상호간 많은 협력을 기대함. 끝.

0161

발 신 전 보

분류번호	보존기간

번 호 : WGV-1149 920803 1325 ED 종별 :

수 신 : 주 제네바 대사. 총영사

발 신 : 장 관 (통 기)

제 목 : 홍콩 무역청장 방한

1. Donald Tsang 홍콩무역청장은 7.28-29. 방한, 통상국장 및 상공부 국제협력관, 섬유생활공업국장과 UR 협상, MFA 연장문제, APEC내 협력 문제등을 협의함.

2. MFA 연장 문제와 관련, 동 청장은 ITCB내 공동입장 정립이 시급히 필요하며(특히 대 EC 섬유협상 개시전 9월말까지 입장 정립), MFA 연장문제에 관해서는 1년 연장의 경우에는 단순연장, 1년 이상인 경우 Dunkel 협정안에 합치하도록 개선 해야한다는 입장이라고 하고, 이견이 있는 경우 홍콩측에 알려 줄 것을 희망 하였음.

3. 면담요록 별첨 전송함.

~~3. (면담요록~~ 파편 송부함) 끝.

8.1.기

별첨(FAX): 면담요록

(통상국장 김 용 규)

보안 통제	

앙 고 재	92년 7월 31일	통상기구과	기안자 성명		과 장	심의관	국 장		차 관	장 관
			이				전결			

외신과통제

0162

외 무 부

110-760 서울 종로구 세종로 77번지 / (02)720-2188 / (02)720-2686 (FAX)

문서번호 통기 20644-384
시행일자 1992.11. 2.( )

41692

수신 주 제네바 대사
참조

취급		장 관
보존		
국 장	전 결	
심의관		
과 장		
기안	이 찬 범	협조

제목 한.EC 섬유협정

대 : GVW-1975

1. 한.EC 섬유협정협상 일정은 현재 미정이나 11월말경 개최될 것으로 예상되며, 확정시 통보할 예정입니다.

2. 주요 협상내용은 다음과 같을 것으로 예상됩니다.

   o 협정 연장기간

   o 현행 협정변경

      - 회원국별 쿼타를 EC 쿼타로 전환

      - 일정지역에의 집중수출 방지를 위한 safeguard clause 신설

   o 아국 쿼타 조정등

3. 한.EC 섬유협정협상 관련자료를 별첨 송부하니 참고바랍니다.

첨부 : 상기 자료. 끝.

외 무 부 장 관

0163

UR 실무대책위원회 회의 안건

— 반덤핑, 섬유, TBT —

'92. 12. 30

상 공 부

0164

섬 유

1. 협정문안의 주요사항별 주요국 입장

구 분	선진국 입장	개도국 입장	협정 초안
o GATT 복귀시한	12 - 13년	6 - 8년(인도, 파키스탄)	10 년
o GATT 복귀비율	3단계로 5%, 10%, 15%	20%, 25%, 30%	12.%, 17%, 18%
o GATT 비복귀 품목의 쿼타 연증가율	3단계로 8%, 12%, 15%	40%, 50%, 70%	16%, 25%, 27%
o 대상품목의 범위	대상품목 확대	MFA 규제품목으로 한정	MFA 규제품목을 중심으로 하고 일부 기타품목을 포함

2. 수정제안 내용

미 국

o 그간 미국정부는 UR 섬유협정문안에 대해 공식입장을 표명하지 않고, 미국 섬유업계와 연계되어 있는 카리브 연안국 (자메이카, 코스타리카)으로 하여금 GATT 복귀시한의 연장문제를 제기케 해왔음

/ 0165

- 제16차 ITCB (92.5.3~9) 회의에서 자메이카, 코스타리카는 UR 섬유협정문안중 GATT 복귀시한의 연장 (현행 10년 → 15년) 을 공식 제기

o 92.11.20 미국.EC간 주요쟁점에 관한 합의가 있고난 후 금년내로 UR 협상의 조기타결이 가능할 것이라는 전망이 나옴과 함께, 미국 섬유업계에서 섬유협정 문안 내용이 자국업계에 크게 불리하다는 입장을 강력히 제기

o 12.8 둔켈총장 만찬시 미국대표는 마무리 조정협상 (T4) 에서 섬유분야가 논의 되어야 한다는 미국정부의 입장을 공식 표명

- 구체적인 미국의 수정제안 내용 발표는 없었으나 GATT 복귀시한 15년 연장 문제가 핵심일 것으로 추정

인 도

o 인도는 12.14 주요 18개국 (Russin Group) 회의시 현행 섬유협정문안의 대상품목 범위, GATT 복귀비율, 연증가율의 수정을 주장

- 협정대상품목에 있어 MFA 규제품목이 아닌것은 협정대상에서 제외

- GATT 복귀비율 및 연증가율 상향조정

2

0166

브라질

o 브라질은 12.18 둔켈총장앞 서한을 통해 섬유협정문안 제6조 12항 (잠정 세이프가드 발동의 기간) 및 부속서 2항 (잠정세이프가드 발동의 대상품목) 끝에 잠정 세이프가드 조치 운용에 있어, 발동기간 및 발동대상품목에 대한 개도국의 예외를 인정하는 내용추가를 주장

< 제6조 12항 >

o 본 조에 의하여 발동된 조치는 : ⓐ 연장없이 3년간 또는 ⓑ 동 품목이 본 협정의 적용대상에서 제외되는 시점중 먼저 도래하는 기간까지 지속될 수 있다

i) 제6조 12항에 다음 문안 추가 주장 (발동기간에 대한 예외인정)

o 제6조에 의한 조치를 발동하게 되는 개도국은 제12항에 규정된 "3년" 기간을 "5년"으로 연장할 수 있는 권한을 가지며, 또한 개도국은 제6조에 의한 세이프가드 조치 발동대상 품목이나 동 품목에 대한 세이프가드 조치가 2년이상 발동되지 않은 경우, 그 이전에 동 품목에 대해 발동된 바 있는 SG 조치기간의 1/2 기간동안 세이프가드 조치를 다시 발동 할 수 있는 권한을 가진다

(원 문)

o A developing contracting party applying a measure under the provisions of this Article shall have the right to extend the period of application provided for in (a) of this paragraph to five years. A developing contracting party shall have the right to apply a safeguard measure again under this Article, in relation to a product which has been subject to such a measure, for a period of time equal to half that during which such a measure has been previously applied, provided that the period of non-application is at least two years

< 부속서 2항 >

o 6조의 세이프가드 규정에 의한 조치는 HS 단위별 기준이 아니라 특정 섬유 및 의류 제품에 대하여 발동된다.

ii) 부속서 2항에 다음문안 추가 주장 (발동대상품목에 대한 예외인정)

o 동조치를 개도국이 발동할 경우는 제외되며 이 경우에는 이 항의 규정이 가능한 모든 상황에 적용된다

(원 문)

o, except as when the action is taken by a developing contracting party, in which case the provisions of this paragraph will apply whenever possible.

3. 대응방안

o UR 섬유협정문안의 핵심내용인 GATT 복귀시한, 복귀비율, 비복귀 품목의 연증가율에 있어 아국등 쿼타 다량보유국에 유리하게 되어있는바, 기본적으로 아국으로서는 현행 최종협정문안의 기본골격이 변경되지 않도록 하는 방향에서 대응토록 해야 할것이므로 협정문안의 핵심내용에 대한 구체적인 논의가 진전되지 않도록 대처하고

- 미국정부가 섬유협정문안의 수정·보완 문제를 공식적으로 제기하고 있기는 하나, 구체적인 수정제안 내용을 공개하지는 않고 있으며, 그 내용은 미국 업계가 기존에 주장해온 GATT 복귀시한의 연장 (10년 → 15년)일것인바, 아국으로서는 복귀시한이 연장될 경우 국내섬유산업 구조조정을 위한 시간적 여유를 더 갖게 되고, 쿼타의 조기상실로 인한 후발개도국의 시장잠식이 지연되므로 반대할 이유는 없음

4

0168

- 인도의 수정제안중 연증가율 상향조정 요구에 대해서는 수출국인 아국입장에서 유리하므로 반대할 이유가 없으나, 협정대상 품목의 범위를 MFA 규제품목만으로 축소시키려는 주장 (현 섬유협정문안에는 MFA 규제품목을 중심으로 하고 일부 기타 품목 포함됨) 및 GATT 복귀비율 상향조정요구는 쿼타다량 보유국인 아국입장에서 쿼타품목의 GATT 조기복귀를 초래, 후발개도국에 의한 아국시장의 조기침식 효과가 있는바 찬성할 수 없음

  . 한편 인도의 이같은 섬유협정문안의 핵심사항 변경요구는 협정안의 기본틀에 영향을 미치게 되므로, 아국등 주요 섬유수출국 입장에서는 사안별로 수용 여부를 논하기 보다는 핵심사항에 대한 논의자체에 반대입장을 취해야 함

  ※ EC, 카나다, 일본, 홍콩등도 현 협정안이 수출·입국간 입장을 delicate하게 반영하고 있어 재협상을 원치않는다는 입장

- 브라질이 주장하고 있는 잠정세이프가드 조치 조항(제6조)과 관련한 개도국에 대한 예외인정요구 문제는 기본적으로 아국이 개도국 지위를 인정받을 수 있는지 여부의 문제와 직결되는 문제임

  . 따라서 아국이 섬유분야에서 개도국지위를 인정받게 될 경우, 당연히 아국으로서는 브라질의 수정제안에 반대할 이유가 없음

  . 만약 섬유분야에서 아국이 개도국지위를 인정받지 못할경우에도 우리의 주요수출대상국이 선진수입국임을 감안할때, 브라질이 주장하는 개도국에 대한 잠정세이프가드 운용기간 연장 요구(3년 → 5년)는 향후 GATT 복귀시 까지 아국의 섬유류 수출에 큰 영향을 미치지 않을 것이므로 적극 반대할 필요는 없음

5

0169

외교문서 비밀해제: 우루과이라운드2 25

우루과이라운드 섬유 협상

초판인쇄 2024년 03월 15일
초판발행 2024년 03월 15일

지은이 한국학술정보(주)
펴낸이 채종준
펴낸곳 한국학술정보(주)
주 소 경기도 파주시 회동길 230(문발동)
전 화 031-908-3181(대표)
팩 스 031-908-3189
홈페이지 http://ebook.kstudy.com
E-mail 출판사업부 publish@kstudy.com
등 록 제일산-115호(2000. 6. 19)

ISBN 979-11-7217-127-8 94340
979-11-7217-102-5 94340 (set)

책에 대한 더 나은 생각, 끊임없는 고민, 독자를 생각하는 마음으로 보다 좋은 책을 만들어갑니다.